220 RECETTES À LA MIJOTEUSE

220 RECETTES À LA MIJOTEUSE

PLUS DE 220 RECETTES À LA MIJOTEUSE QUI FONDENT DANS LA BOUCHE ET QUE VOUS POUVEZ PRÉPARER EN UN TOURNEMAIN.

Catherine Atkinson

MODUS VIVENDI

Paru sous le titre original : *The slow cooker cookbook*

Recettes : Catherine Atkinson, Jane Bamforth, Alex Barker, Valerie Barrett, Judy Bastyra, Jacqueline Clark, Carole Clements, Joanna Farrow, Brian Glover, Nicola Graimes, Juliet Harbutt, Christine Ingram, Becky Johnson, Lucy Knox, Marlene Spieler, Kate Whiteman, Rosemary Wilkinson, Elizabeth Wolf-Cohen, Jenni Wright
Photographies : Karl Adamson, Edward Allwright, Steve Baxter, Nicki Dowey, James Duncan, Michelle Garrett, Amanda Heywood, Janine Hosegood, David King, Don Last, William Adams-Lingwood, Thomas Odulate, Craig Robertson, Bridget Sargeson, Sam Stowell
Designer : Nigel Partridge
Design de la couverture : Marc Alain
Infographie : Scanacom graphique
Indexeur : Helen Snaith
Production : Wendy Lawson

LES PUBLICATIONS MODUS VIVENDI INC.
55, rue Jean-Talon Ouest, 2e étage
Montréal (Québec)
Canada
H2R 2W8

Dépôt légal – Bibliothèque et Archives nationales du Québec, 2006
Dépôt légal – Bibliothèque et Archives Canada, 2006

ISBN 10 : 2-89523-467-1
ISBN 13 : 978-2-89523-467-8

Nous reconnaissons l'aide financière du gouvernement du Canada par l'entremise du Programme d'aide au développement de l'industrie de l'édition (PADIÉ) pour nos activités d'édition.

Gouvernement du Québec - Programme de crédit d'impôt pour l'édition de livres - Gestion SODEC

NOTES

Dans toutes les recettes, les quantités sont données en unités de mesure métriques et anglo-saxonnes.
Choisissez l'une des deux unités, mais ne les mélangez pas, car elles ne sont pas interchangeables.
Les cuillerées et les tasses sont rases.
1 c. à thé = 5 ml; 1 c. à soupe = 15 ml; 1 tasse = 250 ml
Sauf indication contraire, utilisez des œufs gros.

TABLE DES MATIÈRES

Les principes de la cuisine mijotée

220 recettes à la mijoteuse

HISTORIQUE DE LA CUISINE MIJOTÉE

La pratique des techniques de cuisson prolongée à basse température remonte à des siècles. Dès le début des temps, on avait découvert que la viande s'attendrissait et acquérait un goût riche et bien équilibré, en rôtissant dans les braises mourantes du feu ou en cuisant dans un plat contenant du bouillon suspendu bien au-dessus des flammes.

Au fil des ans, on élabora et améliora les méthodes de cuisson, sans toutefois y apporter de changements radicaux. Plus tard, en conséquence d'une réduction progressive d'employés de maison, seules quelques familles avaient encore un cuisinier à leur service.
Le temps des mets cuisinés tout au long de la journée était révolu ; il fallait revoir les méthodes de préparation des repas.

Les cuisinières à température contrôlable, puis des fours à gaz et électriques modernes, facilitèrent la tâche. Néanmoins, le besoin de développer des plats demandant moins de temps de cuisson se fit de plus en plus sentir. Dans la dernière moitié du XXe siècle, les femmes entrèrent en grand nombre dans le marché du travail et l'économie de temps devint une priorité.

Ci-dessous : La chaleur douce de la mijoteuse est idéale pour la chair délicate des poissons.

Les fabricants de produits alimentaires prospérèrent en offrant des ingrédients pouvant réduire le nombre d'heures passées à la cuisine. Les soupes en conserve et instantanées, les légumes déshydratés prêts à l'emploi, les plats principaux et les desserts à préparation rapide firent fureur à la fin des années 1960 et durant les années 1970.

L'essor et le déclin de la mijoteuse électrique

Conçue à l'origine pour préparer les fèves au lard, la mijoteuse électrique vit le jour au milieu des années 1970. On la lança sur le marché en tant qu'appareil pouvant faire cuire un repas complet sans surveillance, prêt à servir après une longue journée de travail. Cette perspective ne manqua pas de séduire les personnes à la vie professionnelle active. L'appareil tint sa promesse, au grand bonheur des mères au travail, des familles et des étudiants. La popularité de la mijoteuse dura une décennie.

À la fin des années 1980 et 1990, l'économie en plein essor incita les consommateurs à changer leurs habitudes alimentaires. Les morceaux de viande bon marché furent remplacés par ceux de première qualité, comme les poitrines de poulet et les biftecks, pour lesquels les modes de cuisson rapide, tels que sur le gril ou à la poêle, convenaient mieux. Les appareils permettant de gagner du temps firent leur entrée en scène, dont le four à micro-ondes, et entraînèrent la mise au rancart de nombreuses mijoteuses électriques.

Ci-dessus : Obtenez de succulentes terrines en utilisant la mijoteuse comme bain-marie.

Les changements d'attitude

Vers la fin du XXe siècle et à l'entrée du nouveau millénaire, on assista à un changement d'attitude envers la nourriture et à un renversement des tendances alimentaires. De nos jours, beaucoup de consommateurs recherchent des aliments naturels, avec moins de produits chimiques et plus d'éléments nutritifs et de saveur, plutôt que des aliments instantanés ou à préparation rapide. Les produits génétiquement modifiés ne connaissent pas un grand succès. En revanche, les ventes d'aliments organiques grimpent en flèche, en même temps que les demandes en viande moins tendre mais plus goûteuse. Les casseroles mijotées à feu doux, les soupes maison et les desserts traditionnels reviennent à la mode, d'où le regain de popularité de la mijoteuse électrique.

De la bonne cuisine de famille à la cuisine raffinée des grandes occasions, la mijoteuse électrique est un superbe moyen de créer des plats délectables, gorgés de saveurs. Elle n'est pas seulement un appareil dédié à la cuisson de délicieuses soupes et de succulents ragoûts ; ses usages sont multiples, mais encore peu connus du public.

La mijoteuse permettant une cuisson douce, sans gros bouillons ou chaleur vive, les aliments délicats, tels que les poissons, les fruits et les légumes, resteront entiers même après une cuisson prolongée. Utilisée comme bain-marie, la mijoteuse peut produire de divins flans crémeux, de légers poudings éponges et de succulents pâtés et terrines. La température constante est idéale pour garder les punchs du temps des fêtes bien chauds et pour faire mijoter les conserves de façon à bien mélanger les saveurs et à les rendre prêtes à consommer, sans la nécessité d'une période de maturation.

L'utilisation d'une mijoteuse présente de nombreux avantages. Pour obtenir de délicieux plats aux saveurs bien développées, il vous suffit généralement de mettre les ingrédients dans la mijoteuse et de la mettre en marche. Utilisant moins d'électricité qu'une ampoule, elle n'exige aucune surveillance. Vous pouvez donc vous absenter de la cuisine sans crainte jusqu'à ce que le repas soit prêt à servir.

Sur certaines mijoteuses, un dispositif se met automatiquement sur la position de maintien au chaud (warm) dès que la nourriture est cuite, ce qui est idéal lorsque les membres de la famille mangent à des heures différentes. Les premiers comme les derniers arrivants dégusteront le même mets tendre, juteux et cuit à point. En prime, l'appareil laisse échapper un délicieux petit fumet.

Les usages variés de la mijoteuse électrique vous surprendront agréablement.

Ci-dessus : La mijoteuse fait d'excellents poudings vapeur au chocolat et aux fruits.

Outre les plats associés au temps froid, comme les casseroles, les soupes et les ragoûts ravigotants, vous pouvez concocter de délicieux mets d'été, tels que les pâtés et les terrines, le poisson en sauce légère et les pâtes à la méditerranéenne. La mijoteuse électrique est surtout appréciable durant les journées chaudes, lorsque la chaleur émanant d'un four rend l'atmosphère de la cuisine suffocante. Mettez simplement la mijoteuse en marche et laissez-la faire le travail pour vous.

Ci-dessous : La pâte des tourtes est cuite au four pour rester croustillante.

Ci-dessous : La mijoteuse permet la cuisson de plats en portions individuelles.

L'utilisation du livre

Le présent livre est idéal pour les débutants ainsi que pour les passionnés de cuisine à la mijoteuse électrique. Il contient une section d'information très détaillée sur les ingrédients, l'équipement et les techniques, pour vous aider à comprendre tous les aspects de la cuisine mijotée.

Une fois que vous aurez maîtrisé les principes de base, vous pourrez vous lancer en toute confiance dans la réalisation des plats classiques ou originaux présentés dans la section des recettes. Des photos montrent étape par étape comment réussir à tout coup chacun des mets que vous voudrez préparer.

La plupart des recettes sont données pour quatre personnes. Toutefois, en fonction de la capacité de votre mijoteuse, vous pourrez facilement diviser les quantités par deux pour obtenir deux portions ou les doubler pour en obtenir huit. Toutes les recettes ont fait l'objet d'essais en cuisine, mais le temps de cuisson peut varier selon les appareils. Après avoir essayé quelques recettes, vous saurez si votre mijoteuse cuit plus rapidement ou plus lentement et serez en mesure d'ajuster le temps de cuisson en conséquence.

TOUT SUR LA MIJOTEUSE ÉLECTRIQUE

Le principe de base de la mijoteuse électrique consiste à faire cuire les ingrédients très lentement à température très basse. La chaleur monte graduellement et se maintient à une température égale durant toute la cuisson, de façon à donner aux aliments une tendreté et une saveur optimales. La mijoteuse est d'emploi très simple, économique et écologique. Sa puissance en watts étant faible, elle consomme environ la même quantité d'électricité qu'une ampoule.

Choix d'une mijoteuse

Les mijoteuses électriques sont offertes dans une grande variété de tailles, de formes, de couleurs et de prix. Avant de porter votre choix sur une mijoteuse, examinez tous les facteurs en fonction de vos besoins personnels.

Les premières mijoteuses avaient un récipient en terre cuite ou en céramique fixé en permanence sur la cuve extérieure en plastique thermorésistant ou en aluminium. Il existe encore des modèles de ce type, mais la plupart des mijoteuses modernes ont un récipient de cuisson amovible qui se loge parfaitement dans une cuve intérieure en métal. Les éléments chauffants sont enfermés de façon sécuritaire entre les cuves intérieure et extérieure. En plus d'être facile à nettoyer, ce nouveau style de mijoteuse permet d'utiliser le récipient de cuisson comme plat de service. En outre, on peut passer le récipient au four ou sous le gril sans risque, pour faire dorer son contenu.

Le couvercle résistant à la chaleur peut être en verre trempé ou en céramique. À moins qu'il y ait trop de buée et de condensation accumulées sous la vitre, un couvercle en verre vous donne l'avantage de pouvoir surveiller la progression de la cuisson sans avoir à soulever le couvercle, ce qui évite une perte de chaleur et d'humidité.

La variété de modèles et de couleurs des mijoteuses s'est élargie au cours des dernières années. Le modèle original, rond, de couleur crème et brun, avec un couvercle en céramique, est toujours disponible. Les modèles plus contemporains existent en blanc, en couleur vive ou en acier inoxydable pour mieux s'intégrer dans une cuisine moderne.

Les mijoteuses peuvent être rondes ou ovales. Les rondes sont parfaites pour les casseroles, les desserts à la vapeur et les gâteaux préparés dans un moule rond, tandis que les ovales sont meilleures pour les rôtis, les aliments cuits dans un moule à pain et les terrines.

La capacité des différentes mijoteuses varie considérablement, allant de la petite 600 ml (2½ tasses) à la grande 6,5 l (26¼ tasses). La mijoteuse la plus populaire est sans doute celle de 3,5 l (14¼ tasses) qui vous permet de cuisiner une grande variété de plats pour quatre personnes. Toutefois, les plus petits modèles pour une ou deux personnes sont pratiques pour les personnes seules ou les couples et prennent moins de place dans la cuisine. Ils sont aussi parfaits pour faire des sauces et des fondues.

Réglage de la température

Les niveaux de chauffe varient légèrement d'un modèle à un autre. Les modèles les plus simples (mais parfaitement adéquats) ont trois positions : arrêt (off), basse température (low) et haute température (high). Lorsque le bouton sélecteur est réglé sur la position « basse température », la nourriture cuit très doucement et lorsqu'il est sur « haute température », elle cuit à frémissement et peut même bouillir.

Ci-dessous : Les mijoteuses ovales sont parfaites pour des plats tels que rôtis, terrines de forme allongée et petits poissons entiers.

Certains modèles ont une position intermédiaire et d'autres peuvent aussi avoir un réglage automatique (auto). Le réglage automatique est contrôlé par un thermostat. Lorsque la température élevée est atteinte, le sélecteur reste sur à « haute température » pendant un court moment puis passe automatiquement à « basse température » pour maintenir la chaleur. Normalement, il faut environ une heure pour atteindre la température élevée (plus ou moins selon la quantité d'aliments et leur température initiale).

La plupart des modèles de mijoteuses sont également dotés d'un indicateur lumineux de mise sous tension qui reste allumé durant toute la cuisson. Sur quelques modèles, l'indicateur s'éteint pour indiquer que la température optimale est atteinte.

Utilisation d'une nouvelle mijoteuse

En raison des légères différences entre les modèles de mijoteuses, il importe de bien lire les instructions du fabricant avant la première utilisation. Même si elles ont les mêmes positions de réglage, certaines mijoteuses cuiront les plats plus lentement ou plus vite que d'autres. Compte tenu de ce fait, les recettes de ce livre donnent une fourchette de temps de cuisson. Selon la rapidité de votre mijoteuse, prenez le temps le plus court ou le plus long, ou entre les deux. Une fois que vous aurez utilisé plusieurs fois votre appareil, vous pourrez déterminer rapidement le temps de cuisson approprié.

Préchauffage

En général, les mijoteuses doivent être préchauffées à la position « haute température » de 15 à 20 minutes. Toutefois, vérifiez d'abord les instructions, car certains modèles chauffent rapidement et ne nécessitent pas de préchauffage – le fabricant pourrait même déconseiller de chauffer la mijoteuse à vide.

Pour préchauffer la mijoteuse, placez le récipient de cuisson vide dans la cuve, mettez le couvercle, puis réglez la température à la position « haute température ». Pendant que la mijoteuse préchauffe, préparez les ingrédients pour la recette.

Entretien de la mijoteuse

Avant d'utiliser une nouvelle mijoteuse, enlevez toutes les étiquettes et lavez soigneusement le récipient de cuisson en céramique à l'eau chaude savonneuse, rincez-le et séchez-le bien.

Après utilisation, tournez le bouton sélecteur à la position arrêt avant d'enlever le récipient de cuisson. Si vous ne désirez pas laver le récipient immédiatement après avoir servi la nourriture, remplissez-le d'eau tiède et laissez tremper aussi longtemps que nécessaire. Cependant, ne laissez pas le récipient immergé dans l'eau longtemps, car la base est généralement poreuse et le trempage peut l'endommager. Très peu de récipients de cuisson sont lavables au lave-vaisselle. Certains récipients vont sur le feu, au four, au micro-ondes et au congélateur. Le livret d'instructions du fabricant devrait vous fournir toutes ces indications.

Ne plongez jamais le récipient de cuisson chaud dans l'eau froide immédiatement après son utilisation, et ne versez jamais d'eau bouillante dans un récipient vide et froid. Le changement soudain de température pourrait le faire craquer. À l'instar de tous les appareils électriques, la mijoteuse ne doit jamais être plongée dans l'eau ou remplie d'eau. N'utilisez pas non plus la cuve intérieure de métal sans le récipient de cuisson.

Pour ne pas endommager l'extérieur de la mijoteuse, lavez-le avec un chiffon humide savonneux et non un tampon à récurer ou un produit de nettoyage abrasif.

Comme le récipient de cuisson et le couvercle seront très chauds pendant la cuisson, portez toujours des gants isolants si vous devez les manipuler. Usez également de prudence si vous devez toucher la cuve extérieure qui peut elle aussi devenir chaude après une longue cuisson.

Au cours des premières utilisations de la mijoteuse, vous pourriez sentir une petite odeur. Cette odeur est normale et résulte du brûlage des résidus de fabrication. Elle s'atténuera et disparaîtra avec le temps. Après plusieurs mois, le vernis du récipient de cuisson pourrait craqueler. Ce phénomène est courant sur les poteries vernissées et ne compromet pas l'efficacité de la mijoteuse.

Ci-dessus : *Les petites mijoteuses pour une ou deux personnes sont parfaites pour les personnes seules ou les couples.*

Adaptation de vos propres recettes

Les recettes conventionnelles peuvent être adaptées pour une cuisson à la mijoteuse. La façon la plus simple de procéder consiste à trouver une recette semblable dans ce livre et de s'en servir comme guide pour adapter la recette originale. En règle générale, la quantité de liquide utilisée dans une méthode de cuisson conventionnelle peut être réduite jusque de moitié pour une cuisson à la mijoteuse. Vers la fin du temps de cuisson, vérifiez s'il convient d'ajouter du liquide.

Clés du succès

Durant la cuisson, la vapeur se condense sur le couvercle de la mijoteuse et retourne lentement dans le récipient. Cela aide à sceller le couvercle de façon à retenir la chaleur, les saveurs et les odeurs de cuisson. Dans la mesure du possible, évitez de soulever le couvercle durant la cuisson, car la perte de chaleur vous obligera à prolonger le temps de cuisson. À moins qu'une recette ne l'exige, ne touchez pas à la mijoteuse.

La cuisson homogène et la température basse contribuant à empêcher les aliments de coller ou aux liquides de déborder, il est inutile de remuer la nourriture. Advenant la nécessité d'enlever le couvercle, prolongez la cuisson de 15 à 20 minutes pour compenser la perte de chaleur.

À la fin du temps de cuisson, si les aliments ne sont pas suffisamment cuits, replacez le couvercle et réglez le bouton sélecteur à la position « haute température » pour activer le processus de cuisson. Une fois prêts, beaucoup de plats peuvent être gardés chauds pendant environ une heure, sans risque de se gâter, en position « basse température ».

Temps de cuisson

L'ajustement de la température permet souvent de modifier quelque peu le temps total de cuisson. Toutefois, certains plats ne seront réussis que s'ils sont cuits à une température spécifique. Par exemple, la cuisson des gâteaux devrait se faire à haute température du début à la fin et celle des rôtis et des plats à base d'œufs, à haute température pendant une heure, puis à basse température (en mode auto, le thermostat régulera la température automatiquement). Pour les plats tels que les soupes et les casseroles, le temps de cuisson peut être réduit ou augmenté selon vos besoins, en cuisant à température plus haute ou plus basse. En règle générale, le temps de cuisson à basse température est un peu plus du double de celui à haute température.

Basse température	Température moyenne	Haute température
6–8 heures	4–6 heures	3–4 heures
8–10 heures	6–8 heures	5–6 heures
10–12 heures	8–10 heures	7–8 heures

USTENSILES UTILES

Pour faire la plupart des recettes de ce livre, vous n'aurez besoin que de votre mijoteuse électrique. Les bouillons, les soupes, les ragoûts, les casseroles, les compotes et les rôtis peuvent être simplement cuits dans le récipient de cuisson. D'autres plats, tels que les gâteaux et les pâtés cuits au bain-marie, nécessitent l'usage d'ustensiles étanches pouvant se loger dans le récipient de cuisson.

Moules à gâteau

Lorsque vous cuisez des gâteaux dans la mijoteuse, utilisez toujours des moules ordinaires, à fond fixe, plutôt que des moules à fond amovible. Avant de commencer, assurez-vous que le moule est parfaitement étanche, en le remplissant d'eau et en le laissant reposer pendant une heure. S'il fuit, ne vous en servez pas. Vérifiez aussi que le moule se loge bien dans le récipient de cuisson avant de le remplir de préparation.

Il est important que le moule soit solide et rigide. Toutefois, la chaleur pénétrera plus rapidement si le moule est mince et léger. Dans le cas de moule de métal très épais, prolongez le temps de cuisson de 15 à 20 minutes.

Généralement, une mijoteuse ronde contiendra un moule rond ou carré plus grand qu'une mijoteuse ovale de capacité égale. Un moule rond de 20 cm (8 po) ou un moule carré de 17,5 cm (6½ po), à bords droits, sans lèvre ni poignée, devrait entrer aisément dans une mijoteuse ronde de 5 l (20 tasses).

Les recettes de ce livre indiquent la taille et la forme de moule à utiliser. Essayez de respecter ces indications – si le moule est trop grand, vous obtiendrez un gâteau aplati ; s'il est trop petit, la préparation pourrait déborder. Gardez également à l'esprit que l'utilisation d'un moule de la mauvaise taille peut avoir une incidence sur la durée de cuisson et la texture du gâteau.

Moules à pain

Ces moules solides, longs et étroits sont parfaits pour les terrines, les pâtés et les gâteaux en forme de pain. De par leur forme, ils se logent mieux dans une mijoteuse ovale – une mijoteuse ovale de 3,5 l (14 tasses) peut contenir un moule à pain à bords droits de 900 g (2 lb).

Moules en couronne

Les moules à kouglof et autres moules profonds en forme de couronne, pas trop larges, s'utilisent très bien dans une mijoteuse électrique. Le tube vide au centre conduit la chaleur vers le milieu du gâteau, contribuant à une cuisson rapide et homogène. Choisissez idéalement un moule dont le tube central dépasse à peine la paroi extérieure. Vérifiez cependant que le moule s'insère bien dans la mijoteuse et qu'il n'empêche pas la fermeture du couvercle sur le récipient de cuisson.

Ci-dessous : Les moules à pain rectangulaires sont très utiles pour faire des terrines et des pâtés de campagne riches en morceaux.

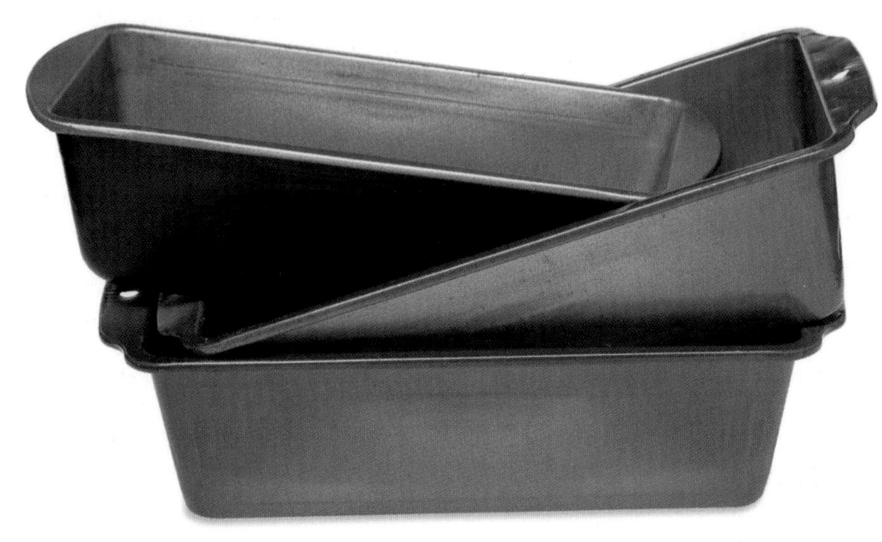

Ci-dessus : Des moules rectangulaires, ronds et en forme de cœur peuvent être utilisés dans une mijoteuse s'ils n'y sont pas à l'étroit.

Moules de formes variées

Certains moules en forme de cœur, de pétale, de goutte, d'hexagone, etc. peuvent être utilisés dans une mijoteuse électrique. Avant l'achat, prenez le temps de mesurer le récipient de cuisson pour vous assurer qu'il pourra contenir le moule choisi.

Moules à dariole

Ces petits moules en forme de cône tronqué sont habituellement faits en aluminium et sont disponibles dans une variété de tailles, ceux de 6,5 cm (2½ po) de diamètre étant les plus populaires. Les moules à dariole sont utiles pour faire des gâteaux, des desserts, des timbales et, surtout, des flans en portions individuelles.

Moules à soufflé et ramequins

Ces petits plats ronds peuvent remplacer les moules à gâteau de métal et aussi servir à cuire les pâtés et les mousses. Ils ont des bords droits et sont faits en verre, en porcelaine ou en terre cuite résistant à la chaleur. Le verre ou la porcelaine sont préférables, car ils conduisent la chaleur plus rapidement vers la nourriture. Si vous utilisez ces ustensiles pour faire des gâteaux, choisissez ceux qui ont un fond parfaitement plat (certains ont un fond légèrement bombé). Les moules à soufflé et ramequins individuels sont appropriés pour la confection de petits gâteaux, pâtés et desserts tels que les flans.

Terrines

Généralement de forme rectangulaire, ces plats peuvent être en porcelaine, en fonte ou en terre cuite. Lorsqu'elles sont utilisées pour cuire des pâtés, les terrines peuvent aussi servir de plat de service. Les terrines en terre cuite non vernissées ne conviennent pas pour la cuisson au bain-marie dans une mijoteuse électrique ; dans ce cas, utilisez un moule à pain.

À gauche : Les thermomètres à viande permettent de vérifier le point de cuisson.

Bols à pouding

Les bols à pouding sont classiquement faits en terre cuite, mais on en trouve aussi en verre trempé, en aluminium ou en polypropylène. Ayant les bords très évasés vers le haut, ils sont idéaux pour cuire des poudings sucrés ou salés à la vapeur, ou pour faire fondre du chocolat, du beurre et des ingrédients de ce type au bain-marie. Les bols en aluminium sont parfois munis d'un couvercle et d'une poignée. Conduisant la chaleur rapidement, ils sont parfaits pour cuire à la vapeur des poudings éponges ou à la viande. En revanche, ils sont inappropriés pour la confection de desserts aux fruits acides ou autres mets similaires, car l'acide réagira avec le métal.

Ci-dessous : Utilisés dans une mijoteuse, les moules à soufflé et les ramequins servent à confectionner des desserts, des flans et des pâtés à la vapeur.

Ci-dessus : Les bols à pouding en métal, avec un couvercle et une poignée, sont parfaits pour faire des tourtes à la viande cuites à la vapeur.

Thermomètres à viande

Ces instruments sont le moyen le plus fiable de s'assurer que la viande est cuite à point, surtout lorsqu'il s'agit d'une volaille pouvant transmettre la bactérie de salmonelle si elle est crue ou partiellement cuite. La plupart des thermomètres ont un corps en acier inoxydable et un cadran protégé par une vitre. En fin de cuisson, vous pouvez vérifier la température interne de la viande en la perçant vers le centre. La viande est prête à manger quand l'aiguille du cadran atteint l'indication correspondant à son type (poulet, bœuf, agneau et porc) et à son degré de cuisson (saignant, à point, bien cuit). Choisissez un thermomètre doté d'une sonde fine, pour éviter de faire un gros trou dans la viande causant une perte de jus. Ne laissez pas le thermomètre à l'intérieur de la viande durant la cuisson, car l'exposition à la vapeur à l'intérieur de la mijoteuse pourrait endommager le cadran. Après usage, lavez immédiatement la sonde à l'eau chaude savonneuse et séchez-la bien. N'immergez pas le thermomètre dans l'eau.

INGRÉDIENTS : BŒUF

Des douzaines de plats de bœuf classiques, tels que le Sunday Roast (rôti du dimanche) anglais, le bœuf bourguignon français, la Sauerkraut (choucroute) allemande et le Stroganoff russe, sont appréciés partout dans le monde. La popularité du bœuf est attribuable en partie à sa diversité d'utilisation. Les coupes de bœuf sont nombreuses et différents modes de cuisson conviennent à beaucoup d'entre elles. Par exemple, la viande de première catégorie, comme le filet, peut êtredétaillée en tranches à griller ou en lanières à faire sauter, ou encore, laissée entière pour être rôtie en croûte dans le four. D'autres coupes plus économiques, comme le jarret, ne peuvent être rôties ou grillées, mais elles font d'excellents ragoûts et braisés à concocter dans une mijoteuse électrique.

Achat et conservation

Comme toutes les viandes, le goût et la texture du bœuf dépendent de la race de l'animal, de sa nourriture, de l'environnement dans lequel il a été élevé et, finalement, du processus d'abattage et du traitement de la viande avant sa cuisson. Alors que les morceaux de porc et d'agneau ont tendance à provenir d'animaux très jeunes, ceux du bœuf sont généralement issus de bêtes âgées de 18 mois à 2 ans.

La viande de bœuf devrait être mise à vieillir pendant au moins deux semaines, pour permettre le développement de sa saveur et l'amélioration de sa texture. Le bœuf bien vieilli est d'une riche couleur bordeaux profond, et non rouge vif, et son gras a une teinte crème, ou jaune si l'animal a été nourri à l'herbe.

Le vieillissement est un processus coûteux, car une partie du poids est perdue par évaporation d'eau. Attendez-vous donc à payer un peu plus cher pour de la viande bien vieillie.

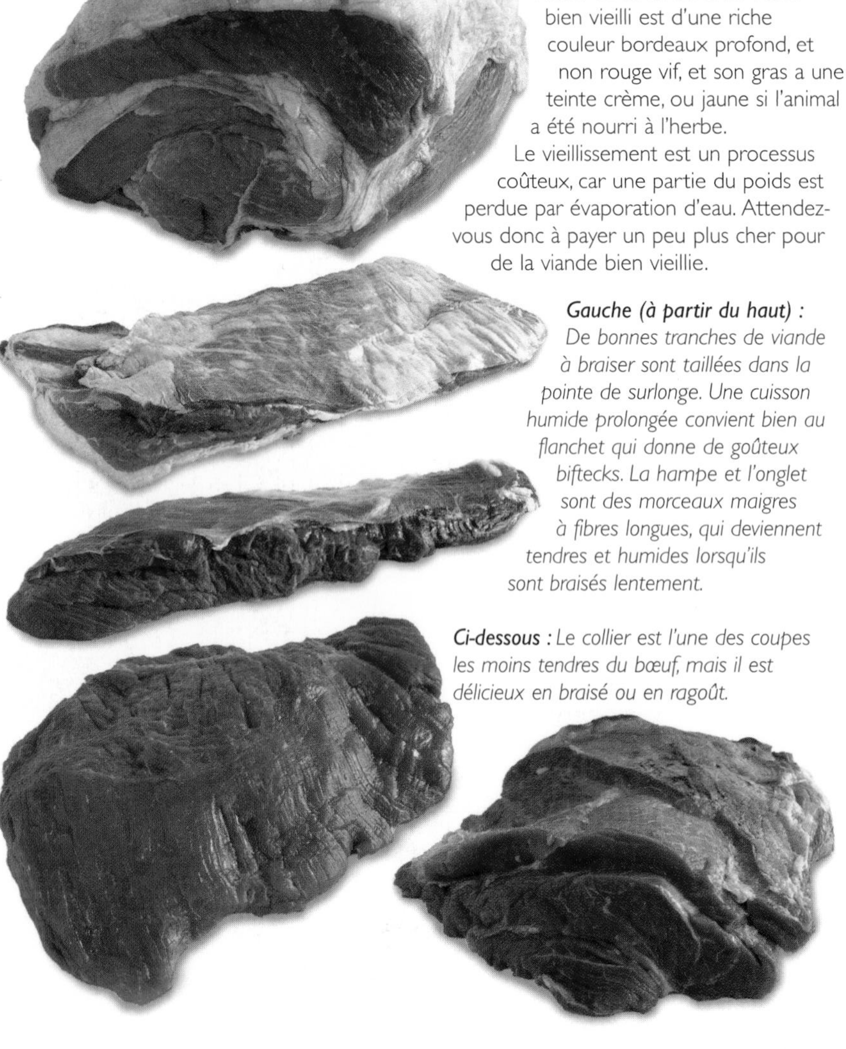

Gauche (à partir du haut) : *De bonnes tranches de viande à braiser sont taillées dans la pointe de surlonge. Une cuisson humide prolongée convient bien au flanchet qui donne de goûteux biftecks. La hampe et l'onglet sont des morceaux maigres à fibres longues, qui deviennent tendres et humides lorsqu'ils sont braisés lentement.*

Ci-dessous : *Le collier est l'une des coupes les moins tendres du bœuf, mais il est délicieux en braisé ou en ragoût.*

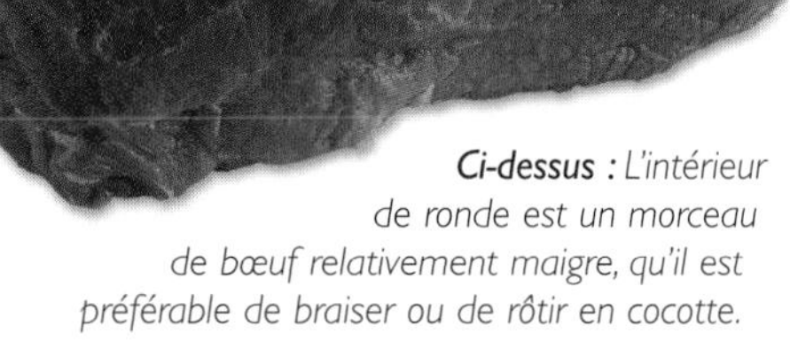

Ci-dessus : *L'intérieur de ronde est un morceau de bœuf relativement maigre, qu'il est préférable de braiser ou de rôtir en cocotte.*

Les morceaux d'apparence maigre ne sont pas forcément les meilleurs. Pour les rôtis en cocotte, les casseroles ou les braisés, des marbrures de gras dans la viande donneront de la saveur et arroseront la viande pour la garder humide.

Le bœuf devrait être conservé sur la tablette inférieure du réfrigérateur, sous les aliments cuits et les ingrédients à consommer crus. À l'achat de viande préemballée, vérifiez la date limite de consommation, puis respectez-la. Qu'ils soient préemballés ou achetés au comptoir, les cubes de bœuf et la viande hachée devraient être utilisés dans les un à deux jours de l'achat ; les petits rôtis, dans les trois jours ; et les gros rôtis, dans les quatre à cinq jours.

Coupes de bœuf

Les techniques de débitage varient d'un pays à un autre, selon les traditions régionales et culturelles. Les bonnes boucheries et les grands supermarchés offrent une grande variété de coupes. N'hésitez pas à demander conseil au boucher.

En général, les coupes du haut de l'animal, le long du milieu du dos, sont plus tendres que les autres, car les muscles travaillent relativement peu dans cette région. Ce sont des morceaux de première catégorie, normalement les plus chers, à griller rapidement au four ou à la poêle. Les coupes du cou, de l'épaule et du bas des pattes sont gorgées de saveur, mais étant les parties qui travaillent le plus fort chez l'animal, leur chair est plus coriace. Pour assurer leur tendreté et améliorer leur saveur, une cuisson plus longue par méthode humide est nécessaire. Ce sont donc des coupes parfaites pour la mijoteuse électrique.

Collier, pointe d'épaule : Ces morceaux proviennent de la région du cou et sont relativement maigres. Ils sont souvent étiquetés comme viande à braiser. Légèrement moins gras que la palette, ils peuvent aussi être vendus en viande hachée.
Côtes : Les onéreuses côtes de bœuf et côtes d'aloyau sont meilleures grillées. Pour la cuisson à la mijoteuse, utilisez des entrecôtes ; il est préférable de désosser ces morceaux relativement maigres avant de les braiser ou de les rôtir en cocotte.
Filet, surlonge, rumsteck : Ces morceaux maigres et tendres du dos et de la croupe sont généralement détaillés en biftecks à griller ou en lanières à faire sauter et parfois laissés entiers pour être rôtis au four. Ils peuvent être utilisés dans les mets braisés à la mijoteuse, en particulier ceux qui sont cuits à haute température. Toutefois, leur utilisation dans les plats mijotés est peu justifiée, des morceaux moins onéreux donnant de meilleurs résultats.
Flanchet/bifteck de flanc : Cette viande à braiser, mince et maigre, a un grain assez grossier. Elle peut être grillée rapidement ou cuite très lentement en cocotte, ce qui en fait une coupe idéale pour la mijoteuse.
Jarret/gîte-gîte : Le jarret se trouve dans les pattes de l'animal. Le jarret avant est un morceau coriace qui se prête bien à la cuisson à la mijoteuse. Il est généralement vendu en tranches avec l'os à moelle au centre. À la cuisson, les tendons et les tissus conjonctifs lui confèrent une riche texture gélatineuse.
Palette ou haut-de-côtes : Provenant du haut du quartier avant, ces pièces sont relativement maigres, avec juste ce qu'il faut de gras pour les garder humides. Elles sont généralement vendues avec un os comme viande à braiser. La cuisson prolongée à basse température aide à attendrir la viande et à en intensifier la saveur. La palette s'accommode bien en rôti en cocotte, en casserole ou en braisé.
Pointe de surlonge : La pointe de surlonge est située dans le quartier arrière. La cuisson à la mijoteuse lui sied parfaitement : en une pièce, elle fait un rôti idéal à cuire en cocotte et, en tranches épaisses, elle donne de bons steaks à braiser.
Poitrine : Vendue avec l'os ou désossée et roulée, la poitrine provient de la partie antérieure de l'épaule.Ce morceau peut être gras et assez dur. Il est toutefois excellent lorsqu'il est cuit en rôti, en braisé ou en ragoût dans une mijoteuse. Il peut aussi être salé et épicé avant la cuisson et servi froid en fines tranches.
Ronde : La ronde est une partie assez maigre, de tendreté variable. L'extérieur de ronde est une excellente viande à rôtir en cocotte ou à braiser. Il est souvent salé et cuit à basse température, puis pressé et servi froid.
Viande hachée : Cette viande passée au hachoir provient de différentes parties de l'animal. Elle peut servir à la confection de sauces à la viande et de boulettes cuites à la mijoteuse. En règle générale, plus la viande est pâle, plus sa teneur en matières grasses est élevée. Choisissez une viande foncée, avec moins de gras.

FAITES RESSORTIR LE GOÛT

Le bœuf est une viande pleine de saveurs, délicieuse lorsqu'elle est cuite avec des ingrédients corsés et servie avec des condiments épicés. Les moutardes poivrées et le raifort sont des accompagnements classiques, alors que le wasabi, un raifort japonais piquant, donne un goût plus original. D'autres assaisonnements asiatiques, tels que la sauce soja et le gingembre, donnent aussi de bons résultats. Les légumes qui accompagnent bien le bœuf sont notamment les pommes de terre, les poireaux, les oignons, les panais, le céleri et le céleri-rave.

Veau

Comme elle provient de jeunes animaux, cette viande est très tendre et maigre. À l'exception de l'épaule et du jarret, la cuisson à la mijoteuse électrique ne convient pas à la plupart des coupes. L'épaule de veau est parfois détaillée en gros cubes pour les casseroles et le jarret, la partie la plus osseuse de la patte postérieure, peut être tranché et servir à la confection du fameux osso bucco italien.

Ci-dessus : *La palette (haut) et la poitrine (bas) sont des morceaux coriaces, mais tous deux ont un excellent goût. Après une cuisson prolongée à basse température, ils seront délicieusement juteux.*

Ci-dessous : La cuisson à la mijoteuse convient à quelques coupes de veau dont le jarret (haut) et l'épaule (bas).

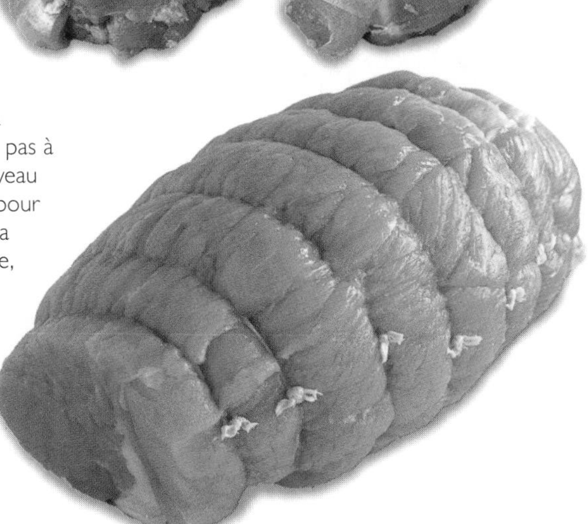

AGNEAU

Une cuisson douce vise à intensifier la saveur parfumée de l'agneau et non à attendrir sa chair généralement déjà tendre. Rôtie en cocotte ou apprêtée en casserole, en ragoût, en tajine ou en curry, la viande d'agneau est appréciée partout dans le monde.

Achat et conservation

L'agneau provient d'un animal de moins d'un an et l'agneau du printemps, d'un animal de cinq à sept mois. La viande d'un animal plus âgé est appelée mouton ; de couleur plus foncée et de goût plus prononcé, elle est rarement vendue au détail. Choisissez une viande d'agneau ferme, légèrement rose, avec un grain fin. Plus l'animal est jeune, plus sa viande est pâle. Le gras devrait être blanc crème, ferme et cireux. Évitez la viande d'apparence foncée, sèche ou granuleuse.

Conservez l'agneau couvert sur une tablette basse du réfrigérateur. La viande préemballée peut être laissée dans son emballage et utilisée avant sa date limite de consommation. Achetées au comptoir, les tranches et les côtes se conserveront de deux à trois jours et les pièces plus grosses, jusqu'à cinq jours.

Ci-dessus : *Les côtes filets, tendres et délicieuses, peuvent être poêlées, grillées ou braisées.*

Ci-dessous : *Un petit gigot d'agneau peut être rôti dans la mijoteuse ; les tranches coupées dans le gigot conviennent pour les braisés ou les casseroles.*

Coupes d'agneau

Les morceaux de première catégorie, maigres et tendres, sont prélevés dans le haut de l'agneau, le long du milieu du dos, et sont souvent grillés, poêlés ou rôtis. Toutefois, les modes de cuisson douce et humide sont également possibles. La cuisson à la mijoteuse électrique convient bien aux morceaux plus coriaces du collier et du bas des pattes.

Carré et selle anglaise : Toutes les côtelettes non séparées constituent un carré. La selle anglaise, quant à elle, est formée par l'ensemble des doubles côtes filets non séparées. Cette pièce de viande tendre est trop volumineuse pour la cuisson à la mijoteuse électrique.

Collier : Relativement économique, le collier devient tendre après une cuisson prolongée à basse température. On l'utilise dans des plats tels que le ragoût de mouton irlandais (Irish Stew)

Côtes et côtelettes : Les côtes filets et les côtes dans le gigot (qui ne contiennent en fait aucun os) sont épaisses et tendres. Les côtelettes premières, secondes et découvertes sont plus minces et devraient être dégraissées avant d'être cuites à la mijoteuse.

Épaule : Ce morceau provenant du quartier avant est plus gras que le gigot. Avec ou sans os, il devrait être dégraissé avant d'être cuit en cocotte. L'épaule désossée peut être coupée en cubes pour les casseroles.

Gigot : Rôti de choix, le gigot contient aussi le jarret, un morceau savoureux à cuire en cocotte ou à braiser à feu doux. Un petit gigot peut être rôti dans une mijoteuse de grande taille ou ovale, sur os ou désossé et farci. Il peut aussi être détaillé en tranches ou en cubes.

Poitrine : Peu coûteux et relativement gras, ce morceau se sert souvent désossé et roulé, farci ou non. Vous pouvez le braiser dans la mijoteuse électrique, après avoir pris soin d'enlever tout le gras visible.

Ci-dessus : *Les noisettes tendres provenant du filet désossé et roulé (haut) se prêtent bien aux méthodes de cuisson rapide, tandis que les côtelettes (bas) sont parfaites pour les plats braisés.*

LES PARTENAIRES PARFAITS

Les herbes aromatiques et les saveurs fruitées rehaussent à merveille le goût de l'agneau. Partout dans le monde, les fruits secs font couramment partie des plats d'agneau. Le romarin, le thym et la menthe sont des herbes populaires. L'ail et les ingrédients salés, comme les anchois et les olives, sont largement utilisés dans les mets méditerranéens. Les pommes de terres nouvelles, les petits pois, les carottes, les haricots secs et les flageolets sont des accompagnements parfaits.

Ci-dessous : *Les pruneaux ajoutent de la saveur au tagine d'agneau marocain.*

PORC

Le porc est une viande blanche, pleine de saveurs, qui s'accommode de maintes façons. La cuisson à la mijoteuse électrique lui convient particulièrement bien. Vous pouvez cuire les rôtis entiers en cocotte, pocher le bacon et le jambon fumé, braiser les côtelettes et mijoter les cubes de viande en ragoût. Les produits du porc, comme les saucisses et la viande hachée, sont également fabuleux dans des plats tels que les ragoûts consistants, les pâtés et les terrines cuits à la mijoteuse.

Achat et conservation

Traditionnellement, le porc frais était une viande de fin d'automne. Les cochons étaient engraissés tout l'été pour produire de la viande fraîche ou fumée pendant les mois plus froids. Grâce aux techniques de conservation modernes, le porc n'est plus une viande saisonnière ; il est vendu frais à longueur d'année.

Le porc de bonne qualité a une chair pâle, légèrement rose brunâtre, avec un grain serré et une texture humide. Le gras devrait être blanc et ferme. Plus l'animal est âgé, plus sa chair devient foncée et coriace.

Lors de la manipulation du porc, l'hygiène est très importante. Prenez toutes les précautions qui s'imposent pour ne pas contaminer les autres aliments avec le jus de la viande. Placez le porc sur la tablette inférieure du réfrigérateur, en dessous de tout aliment devant être consommé cru. Laissez la viande préemballée dans son emballage et respectez sa date limite de consommation. Le porc haché peut se conserver jusqu'à deux jours et les côtelettes et les rôtis jusqu'à trois jours.

ACCOMPAGNEMENTS CLASSIQUES

Le porc est largement consommé en Europe, en Asie et en Amérique. Les accompagnements fruités et acides se marient bien à sa texture et à son goût riche. En Angleterre, en Allemagne et en France, les pommes sont un choix populaire, alors qu'en Nouvelle-Angleterre, les canneberges leur sont préférées. Dans d'autres pays, on utilise des pêches, des abricots et de l'ananas. Les plats de porc sont souvent assaisonnés d'herbes et d'épices parfumées, comme la sauge, le romarin, le thym et le genièvre. Partout en Europe, le chou est un accompagnement classique.

Ci-dessus : Les côtelettes de longe (haut) et les tranches de longe (bas) sont très bonnes braisées.

Coupes de porc

Côtes : Les côtelettes proviennent de la longe. Lorsque la longe est désossée, on obtient des côtes de dos qui servent à préparer les fameuses côtes levées (spare ribs) nord-américaines – en revanche, les côtes levées à la chinoise sont des côtes de flanc (travers).

Cuisse : Pesant souvent plus de 4,5 kg (10 lb), ce morceau est trop gros pour la cuisson à la mijoteuse. Toutefois, il peut être divisé en deux parties : le jarret et le jambon. Le jarret peut être cuit en cocotte, mais il est meilleur rôti au four. Le jambon, très tendre, est coupé dans le haut de la cuisse. Les tranches taillées dans le haut du jambon sont de bons morceaux à braiser.

Filet : Ce morceau de viande maigre, sans os et à grain fin, peut être tranché en médaillons ou coupé en deux dans le sens de la longueur, puis farci et ficelé. Il peut être cuit à haute température dans la mijoteuse.

Longe : Les tranches de longe, larges et osseuses, sont taillées dans la partie postérieure de la longe et les côtelettes plus maigres, dans la partie antérieure de la longe. Tous ces morceaux peuvent être braisés. En revanche, un rôti de longe a avantage à être cuit au four plutôt qu'à la mijoteuse électrique.

Palette/épaule : Prélevée dans le quartier avant et vendue avec ou sans l'os, la palette peut être rôtie en cocotte, mais elle est le plus souvent parée, détaillée en cubes et cuite en casserole.

Poitrine : La poitrine peut être roulée et ficelée en rôti à cuire en cocotte ou hachée pour la confection de saucisses ou de terrines. Ce morceau tend à être mois gras qu'il ne l'était autrefois.

ABATS

Les abats sont toutes les parties comestibles autres que la viande, comme les organes, la queue, les pieds et la tête. La plupart des abats sont riches et très goûteux. On peut faire des plats composés uniquement d'abats, mais le plus souvent, on les combine à diverses viandes, par exemple, pour confectionner des tourtes au bœuf et au rognon, des terrines et des pâtés. La cuisson à la mijoteuse électrique est idéale pour beaucoup d'abats, en particulier le cœur, la langue et les pieds de cochon, qui deviennent délicieusement tendres après une cuisson humide prolongée à basse température. Contrairement à la viande qui est souvent vieillie pendant plusieurs semaines avant son utilisation, les abats ne se conservent pas bien. Ils devraient donc être achetés très frais et consommés rapidement.

Bacon (lard maigre), jambon cuit et jambon cru

Prélevé dans le dos et le flanc du porc, le bacon est habituellement une viande salée et fumée. La cuisse postérieure du porc est vendue fraîche (jambon frais), salée et cuite (jambon cuit) ou salée et séchée (jambon cru). Les jambons cuits ou crus peuvent être fumés ou non. Une longue cuisson les rendant très tendres, ces morceaux se prêtent bien au pochage dans une mijoteuse électrique. En tranches épaisses, le bacon et le jambon cru sont très bons braisés. Les tranches fines de bacon sont souvent grillées à la poêle avant d'être ajoutées aux ragoûts cuits à la mijoteuse.

Ci-dessus : La poitrine de porc roulée fait un rôti parfait pour la mijoteuse électrique.

VOLAILLE et GIBIER

Le terme « volaille » désigne l'ensemble des oiseaux de basse-cour, y compris le poulet, la dinde, le canard et la pintade, tandis que le terme « gibier » fait référence aux oiseaux et animaux sauvages chassés pour leur chair, notamment le faisan, la caille, le lièvre et le chevreuil. De nos jours, on élève de nombreux gibiers à plume ou à poil.

PETITE VOLAILLE

Le poulet est probablement la petite volaille la plus populaire, mais beaucoup d'autres oiseaux sont tout aussi bons.

Achat et conservation

À l'achat d'une volaille fraîche, choisissez un oiseau à la peau lisse, sans tâches. Comme la volaille est très vulnérable à la croissance de bactéries, conservez-la bien réfrigérée. Si la volaille n'est pas préemballée, mettez-la dans un plat profond et couvrez sans serrer. Si la volaille est préemballée, assurez-vous que l'emballage est bien scellé et déposez la barquette sur une assiette. Rangez le plat ou l'assiette dans la partie la plus froide du réfrigérateur. Vérifiez l'intérieur des oiseaux entiers et, le cas échéant, enlevez les abats. Après avoir manipulé de la volaille, lavez toujours vos mains, les ustensiles et les comptoirs.

Si vous utilisez une volaille congelée, il est plus sécuritaire de la décongeler au réfrigérateur. Placez la volaille congelée dans un récipient adéquat et laissez-la dégeler – poulet de 900 g-1,3 kg (2-3 lb) : environ 30 heures au réfrigérateur ou 8 heures à température ambiante ; poulet de 2,25 kg (5 lb) : environ 48 heures au réfrigérateur ou 10 heures à température ambiante. Une fois dégelée complètement ou en partie, la volaille ne devrait plus être recongelée.

Types de petite volaille

Poussin et coquelet : Ce sont de très jeunes poulets de quatre à six semaines, pesant 350-675 g (12 oz-1 ½ lb). Très tendres et peu gras, ils conviennent pour une ou deux personnes. Ils se prêtent parfaitement au rôtissage en cocotte qui rend leur chair tendre et humide.
Jeune poulet : Il est légèrement plus gros que le coquelet et convient facilement pour deux personnes. Âgé de six à dix semaines, il pèse environ 900 g (2 lb).
Poulet à rôtir : Il a environ douze semaines. En général, son poids est de 1,3 kg (3 lb), mais il peut aller jusqu'à 3 kg (6-7 lb). Plus l'oiseau est gros, plus son coût est avantageux, car la proportion de viande par rapport aux os est plus élevée. Entier, le poulet est rôti en cocotte et, en morceaux, il est poché, braisé ou mijoté en ragoût.
Poule à bouillir : Rarement disponible dans les supermarchés, cette volaille de plus d'un an est généralement assez grosse. Sa viande est goûteuse mais trop dure pour être rôtie. C'est pourquoi une cuisson prolongée à basse température lui convient parfaitement. Elle peut être pochée, braisée ou cuite en ragoût.
Pintade : Cet oiseau domestique est originaire de la côte de Guinée, en Afrique de l'Ouest, d'où son nom anglais Guinea fowl (poulet de Guinée). De la taille d'un jeune poulet, la pintade a une chair délicate, au léger goût de gibier. Elle s'apprête de la même façon que le poulet. Toutefois, sa chair étant assez sèche, elle est meilleure rôtie en cocotte, braisée ou accommodée en ragoût.

Ci-dessous (de gauche à droite) : Les poulets de grain, fermiers ou biologiques sont largement disponibles.

MODES D'ÉLEVAGE

Les poulets d'élevage intensif sont les moins chers. Toutefois, beaucoup de cuisiniers s'accordent à dire que les poulets de grain, fermiers ou biologiques ont une chair plus savoureuse. Les poulets fermiers sont élevés en liberté. Contrairement aux poulets d'élevage intensif, leur croissance n'est pas accélérée par leur alimentation et leurs mouvements limités. Comme ils grossissent moins vite, ils sont plus âgés à l'atteinte du poids désiré, d'où leur meilleure saveur. Les poulets de grain ont une peau jaune criard. Cette couleur est causée par leur nourriture, constituée de grains de maïs, ainsi que par les colorants qui y sont souvent ajoutés. Rarement élevés en liberté, les poulets de grain peuvent faire l'objet d'un élevage intensif. Les poulets organiques ont une alimentation naturelle et sont élevés dans des conditions humaines.

Coupes de poulet

Le poulet est vendu dans une grande variété de coupes, en morceaux frais ou surgelés, avec ou sans os, en barquettes individuelles ou en barquettes familiales, plus économiques.

Un quart de poulet est constitué d'une cuisse ou d'une aile attachée à un morceau de poitrine. La cuisse comprend le haut de cuisse, une viande brune goûteuse, et le pilon. Leur chair étant compacte, le haut de cuisse et le pilon nécessitent une cuisson relativement longue à la mijoteuse.

La poitrine est une viande tendre, complètement blanche, que l'on peut acheter sur os ou désossée, avec ou sans peau. La poitrine sur os est des plus savoureuses lorsqu'elle est braisée ou apprêtée en ragoût. Chaque demi-poitrine contient un filet ou un blanc. L'aiguillette, la partie mince du filet, peut être vendue séparément. Le suprême de poulet est un blanc avec le premier segment de l'aile.

Dépeçage d'un poulet

Cette méthode de découpage s'applique aussi aux gibiers à plume comme le faisan.

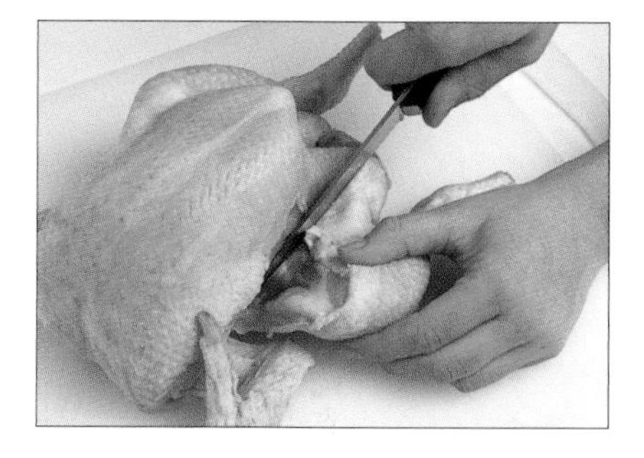

1 Posez le poulet, poitrine vers le haut. En inclinant la lame du couteau vers l'intérieur, coupez dans l'articulation de la hanche pour détacher la cuisse. Faites de même avec l'autre cuisse.

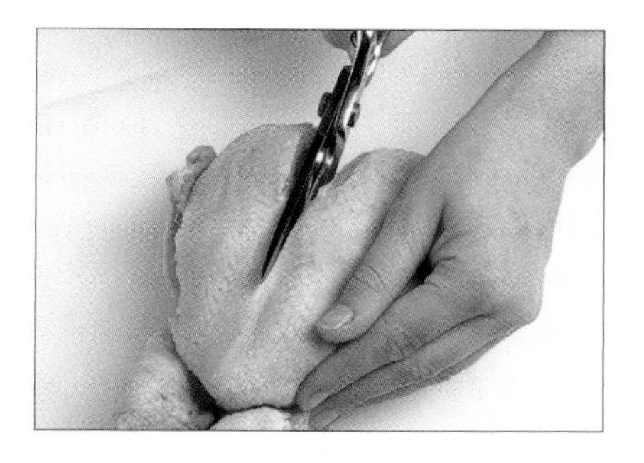

2 Avec des ciseaux à volaille, coupez le long du bréchet, entre les blancs. Retournez l'oiseau et découpez le long de la colonne vertébrale. Coupez la pointe de l'aile à la première articulation.

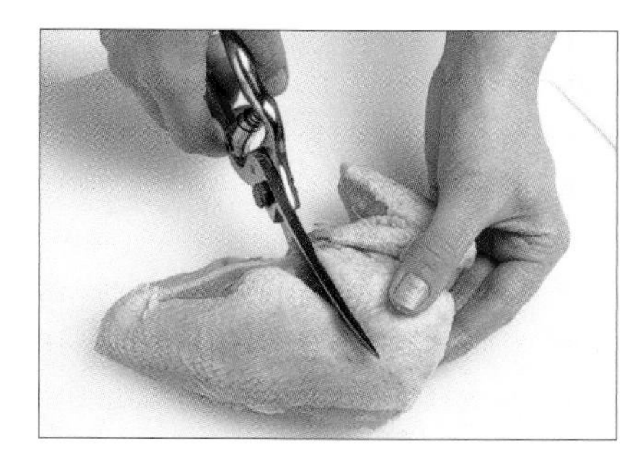

3 Découpez chaque blanc en deux, en laissant l'aile attachée. Sectionnez chaque cuisse à l'articulation du genou pour séparer le haut de cuisse et le pilon. Vous aurez en tout huit morceaux.

DINDE

Cet oiseau de taille imposante a une viande dense, maigre et succulente. Une dinde adulte peut peser plus de 9 kg (20 lb) et nourrir plus de vingt personnes. De toute évidence, la mijoteuse électrique ne permet pas de cuire l'oiseau entier. En revanche, elle est parfaite pour le mijoter en morceaux.

La poitrine désossée, sans peau, peut servir à la préparation de nombreux mets. Les pilons de dinde ont suffisamment de viande pour constituer un plat pour trois à quatre personnes. Bien que pouvant être rôtis en cocote, ils sont meilleurs braisés ou en ragoût. Les cubes de dinde sont souvent des morceaux de viande brune de la cuisse et sont d'excellents ingrédients de casseroles ou de pâtés. La dinde hachée peut remplacer le bœuf haché.

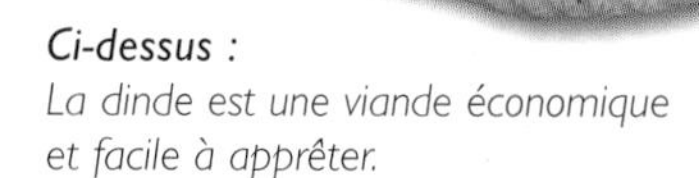

Ci-dessus :
La dinde est une viande économique et facile à apprêter.

CANARD

Plein de saveurs et juteux, le canard est plus gras que le poulet ou la dinde, avec une proportion élevée d'os par rapport à la viande. Un canard de moins de deux mois, un caneton, est légèrement plus maigre et tendre, mais moins goûteux. Le canard sauvage a un goût plus fort, plus faisandé, que le canard d'élevage. Il peut cependant être cuit selon les mêmes méthodes. La mijoteuse électrique est inappropriée pour la cuisson d'un canard entier, étant donné sa forme particulière et sa teneur en matières grasses. Toutefois, il est possible d'y cuire les filets de poitrine, à condition d'enlever leur épaisse couche de graisse. Un filet pèse environ 225 g (8 oz), soit une généreuse portion pour une personne. Le braisage dans une sauce aux agrumes ou autres fruits attendrit et parfume les morceaux de canard sans peau.

Dépeçage d'un canard

Comme le canard a une proportion élevée d'os par rapport à la viande, il est préférable de découper l'oiseau en quatre, en veillant à répartir la viande également entre les morceaux.

1 Posez le canard, poitrine vers le haut. Avec des ciseaux à volaille, sectionnez la pointe des ailes à la première articulation. Retroussez la peau du cou et coupez la clavicule. Coupez entre les deux filets, en allant de la queue vers le cou.

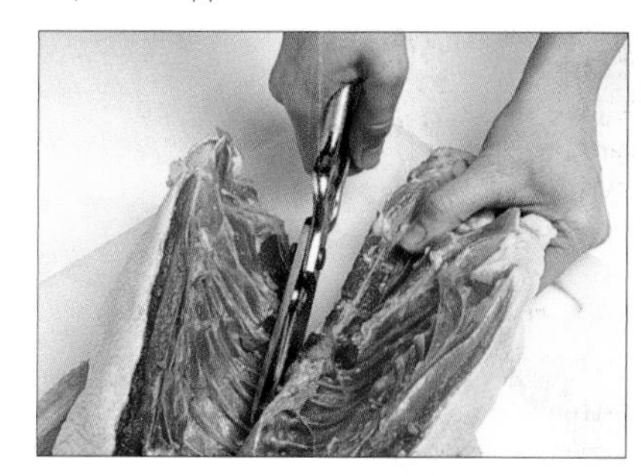

2 Séparez l'oiseau en deux en coupant le long de chaque côté de la colonne vertébrale. Enlevez la colonne et jetez-la.

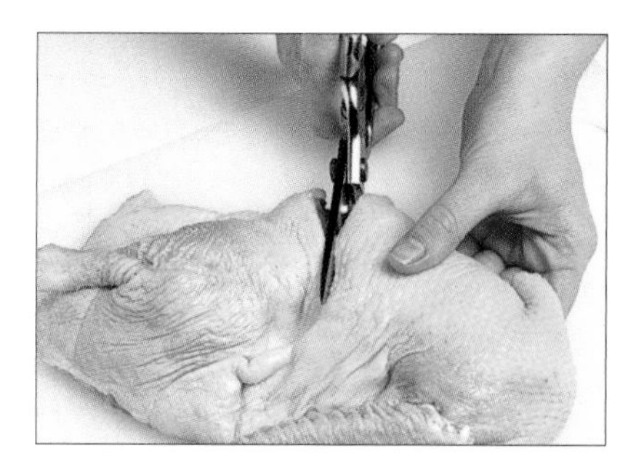

3 Coupez chaque morceau en deux, en répartissant la quantité de viande le plus également possible entre eux.

OIE

Étant difficile à élever industriellement, ce gros oiseau gras n'est généralement vendu que de la fin de l'automne jusqu'à Noël. L'oie est meilleure rôtie au four que cuite à basse température dans la mijoteuse électrique.

Gibier

Autrefois une denrée rare, le gibier est maintenant largement offert dans les supermarchés. Le gibier sauvage frais reste toutefois une viande saisonnière, disponible seulement durant les mois où la chasse est permise. De nos jours, il est possible de trouver toute l'année de nombreux types de gibier d'élevage frais et de gibier sauvage congelé. Il existe deux types de gibier : le gibier à plumes et le gibier à poil, dont le lapin, le lièvre, le sanglier et le cerf.

Achat et conservation

En saison, les grands supermarchés et les boucheries spécialisées offrent un grand choix de gibier. Au besoin, demandez au boucher des conseils sur la préparation et la cuisson. Même si l'apparence normale du gibier à plumes est moins parfaite que celle de la volaille, assurez-vous que l'oiseau n'est pas trop abîmé. Le faisan doit avoir une forme égale et une plaisante odeur de gibier. La perdrix aura une odeur légèrement plus affirmée et une chair tendre et pâle. La grouse et la caille doivent avoir une peau fraîche et humide – choisissez un oiseau avec une proportion élevée de viande par rapport aux os.

***À droite :** Un couple de faisans.*

***Ci-dessous :** L'élevage de la caille est courant.*

***Ci-dessous :** Pigeon.*

***Ci-dessous :** Le colvert est le canard sauvage le plus couramment disponible.*

Laissez les oiseaux préemballés dans leur emballage scellé et utilisez-les avant la date limite de consommation. Si l'oiseau a été acheté frais au comptoir du boucher, rincez-le sous l'eau froide et séchez-le avec du papier essuie-tout. Mettez l'oiseau dans un plat profond et couvrez-le hermétiquement de pellicule plastique. Conservez le gibier à plumes dans la partie la plus froide du réfrigérateur et utilisez-le dans les deux jours suivant l'achat – ou congelez-le immédiatement. Avant de cuire un gibier à plumes sauvage, passez vos doigts partout sur son corps pour vérifier qu'il ne reste aucune balle de plomb ; le cas échéant, retirez soigneusement chaque balle à l'aide de ciseaux de cuisine ou d'un couteau à filets.

Types de gibier à plumes

Les oiseaux très jeunes et tendres sont délicieux rôtis ou grillés en crapaudine. En revanche, un mode de cuisson humide profitera à la plupart des gibiers à plume plus âgés – rôtissez-les en cocotte, mijotez-les ou braisez-les. Pour rôtir en cocotte un gibier à plumes maigre, tel qu'un faisan mâle, enroulez des tranches de bacon entrelardé autour de l'oiseau et ficelez-les en place. Le lard aidera à arroser la viande et à lui donner du goût.

Faisan : Un des gibiers à plume les plus abondants, le faisan est normalement élevé en plein air dans un territoire contrôlé, comme la volaille fermière. Traditionnellement, les faisans étaient vendus en couple. La femelle, plus tendre, était rôtie et le mâle était mis à faisander puis cuit en ragoût. Dans la pratique, les faisans offerts dans les supermarchés sont toujours jeunes et tendres. Pour obtenir les meilleurs résultats, rôtissez les faisans en cocotte ou préparez-les en ragoût. Un oiseau devrait nourrir trois à quatre personnes.

Grouse : Originaire d'Écosse, la grouse se nourrit de la bruyère des landes qui lui donne une riche saveur de gibier. Elle est assez petite et conviendra pour une ou deux personnes. Sa saveur est considérée supérieure à celle du lagopède des Alpes et du tétras (coq de bruyère) qui font partie de sa famille. Un jeune oiseau peut être rôti en cocotte, en veillant à ajouter une couche de graisse ou des tranches de bacon sur sa poitrine pour qu'il ne s'assèche pas. La grouse est bonne en ragoût.

Perdrix : Les deux types principaux sont la perdrix rouge (française) et la perdrix grise (anglaise), plus petite et plus savoureuse. La perdrix est à son meilleur lorsqu'-elle a environ trois mois et pèse aux alentours de 450 g (1 lb). On sert généralement une perdrix par personne. Les oiseaux plus âgés devraient toujours être apprêtés en casserole ou en braisé.

Canard sauvage : Il est moins gras que le canard d'élevage et peut, s'il est petit, être cuit entier dans une mijoteuse électrique. Choisissez un canard des terres intérieures, car celui des régions maritimes peut avoir un goût de poisson.

Pigeon : Le biset et le ramier ont une viande au goût prononcé qui s'attendrit en mijotant longuement. On prépare habituellement les pigeons adultes (les jeunes sont des pigeonneaux) en tourte à la vapeur, souvent avec du bœuf, dans une croûte au suif. Bien qu'ils soient élevés commercialement, les pigeons ne sont généralement vendus qu'au printemps.

Caille : La caille est si petite qu'il en faut deux par personne en plat principal. Elle peut être rôtie entière en cocotte.

MARINADE DU GIBIER À PLUMES

Le fait de laisser le gibier à plumes mariner plusieurs heures ou toute la nuit au réfrigérateur attendrit sa chair et lui ajoute de l'humidité et de la saveur. Mettez l'oiseau entier ou en morceaux dans un plat profond non métallique puis versez la marinade. Couvrez et laissez mariner, en retournant la viande au moins une fois. Essayez l'une des combinaisons suivantes :

- Vin rouge fruité et baies de genièvre écrasées
- Vin blanc sec et zeste d'orange
- Cidre sec et gingembre frais
- Jus d'orange frais et herbes parfumées telles que thym et romarin

GIBIER À POIL

Avant la cuisson, la plupart des gibiers à poil doivent être mis à faisander pour attendrir la chair et développer la saveur. Cette étape étant généralement accomplie en boucherie, la viande que vous achetez est prête à cuire.

La venaison fait référence à la chair du gros gibier (sanglier, orignal, cerf, etc.), mais en Australie et en Grande-Bretagne, le terme venison désigne uniquement la viande du cerf.

Le gibier à poil s'accommode de la même façon que les autres viandes, qu'il peut d'ailleurs remplacer dans les recettes. Dans de nombreux plats, le sanglier peut se substituer au porc ; le lapin d'élevage, au poulet ; et le chevreuil, au bœuf. Le gibier adulte devrait toujours être cuit à une chaleur douce et humide, par exemple, en braisé ou en ragoût. Il est donc une pièce idéale pour la mijoteuse électrique.

Cerf

La viande de cerf est maigre, foncée, à grain serré. Les cerfs d'élevage sont maintenant courants. Ils ont une chair plus tendre et un goût légèrement plus doux que les cerfs sauvages. Les morceaux de première catégorie, comme la longe et le filet, sont meilleurs lorsqu'ils sont rôtis et servis saignants. D'autres morceaux, tels que le jarret, le collier et l'épaule, ont avantage à être marinés (classiquement dans du vin rouge et du genièvre), puis cuits longuement à feu doux, afin d'attendrir la viande et d'en faire ressortir tout le goût.

Sanglier

Au cours du XVIIe siècle, en Grande-Bretagne, on a chassé le sanglier jusqu'à son extinction. De nos jours, il est présent en Europe, en Asie centrale et en Afrique du Nord. Sa viande foncée et goûteuse étant faible en matières grasses, il est préfé-rable de la mariner et de lui ajouter un filet d'huile. Le sanglier peut être cuit exactement de la même façon que le porc, en prenant toutefois certaines précautions, car sa viande est sèche et durcit facilement. Les modes de cuisson humides lui conviennent mieux.

Lapin et lièvre

Bien qu'ils appartiennent à la même famille, le lapin et le lièvre ont une viande très différente. Le lapin, surtout celui d'élevage, a une chair pâle au goût léger, semblable à celle du poulet. En revanche, le lièvre a une chair très foncée et un goût prononcé de gibier. Chez les deux, le râble peut être rôti, tandis que les autres parties sont meilleures mijotées. Les morceaux désossés de lapin et de lièvre peuvent être utilisés dans les tourtes à la vapeur, les terrines et les pâtés.

Les lièvres plus âgés sont habituellement cuits à l'étouffée, dans un récipient posé sur casserole d'eau frémissante pour adoucir la chaleur, ce qui les rend agréablement tendres.

Ci-dessus et à droite : Le râble de lapin est meilleur rôti. Les autres morceaux devraient être cuits en ragoût.

Ci-dessus et à gauche : Le lièvre d'élevage a une viande maigre, foncée, et se vend entier ou en morceaux.

Dépeçage d'un lapin

Selon sa taille, découpez le lapin entier, écorché et nettoyé, en cinq morceaux ou plus.

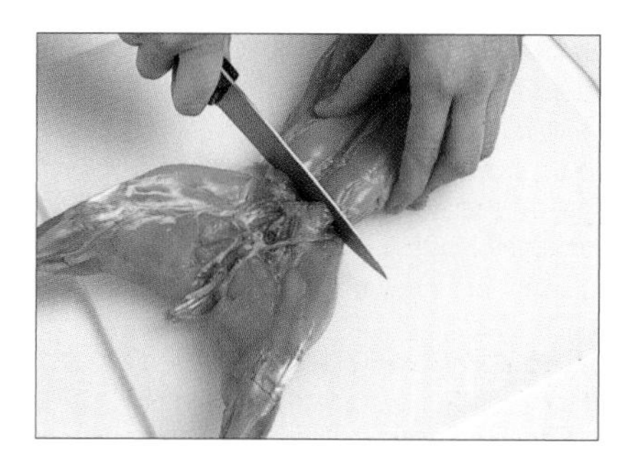

1 Avec un grand couteau à dépecer, détachez les pattes arrière en sectionnant dans l'articulation de la hanche, en haut de chaque cuisse.

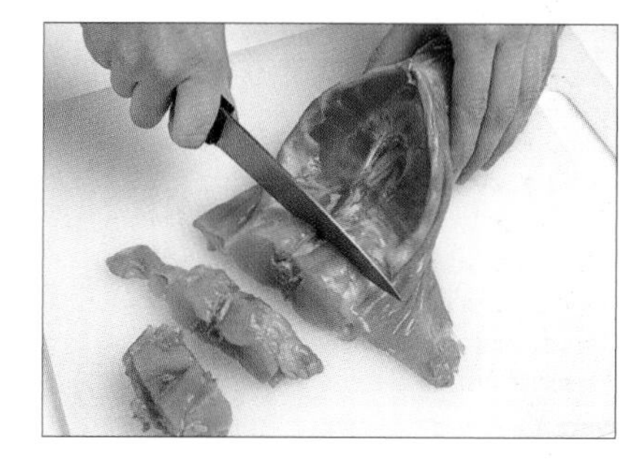

2 Coupez le corps en trois. Vous obtiendrez ainsi cinq morceaux : deux pattes avant, deux pattes arrière et le râble (découpé en trois).

Ci-dessus et à gauche : Une cuisson douce et longue profite aux morceaux de cerf, tels que le jarret, l'épaule et le collier (en haut, de gauche à droite) et au cuissot (à gauche).

POISSON et FRUITS DE MER

La mijoteuse électrique est idéale pour cuire le poisson. Elle permet à la saveur subtile de se développer lentement et aide le poisson à conserver sa forme durant la cuisson. Le poisson peut intervenir dans la préparation de terrines, de soupes, de risottos et de plats de pâtes, ou être simplement cuit à la vapeur ou poché. La mijoteuse est aussi appropriée pour la cuisson de nombreux plats contenant des fruits de mer crus ou cuits. Cependant, elle ne convient pas pour les fruits de mer vivants, comme les moules et les homards, qui doivent être bouillis brièvement et rapidement.

Une cuisson courte est préférable pour la plupart des fruits de mer. Ils devraient donc être ajoutés vers la fin de la cuisson, surtout s'ils sont précuits. Le calmar fait exception à la règle – il nécessite une cuisson soit très rapide soit très longue ; entre les deux, sa chair sera coriace.

Achat et conservation

Achetez toujours les poissons et fruits de mer les plus frais possible, dans un magasin où la rotation des stocks est rapide. Préparez-les et cuisez-les dans les 24 heures. Le poisson et les fruits de mer doivent avoir une odeur fraîche et non déplaisante de poisson ou d'ammoniaque. Au moment de l'achat, vérifiez que les produits n'ont pas déjà été congelés. Si c'est le cas, vous ne devriez pas les recongeler.

PRÉPARATION DU POISSON

Il y a deux types de poisson : les poissons maigres (ou à chair blanche) et les poissons gras. Ils se répartissent également en deux catégories : les ronds et les plats qui nécessitent une réparation et une cuisson différentes.

Poisson rond

Ce groupe comprend les poissons maigres, tels que la morue, le lieu noir (la goberge – au Canada) et l'églefin, et les poissons gras, comme le saumon et le maquereau. Ils ont un corps arrondi et un œil de chaque côté de la tête. Leur chair est généralement ferme et s'émiette lorsqu'elle est cuite. La plupart sont trop gros pour être cuits entiers dans la mijoteuse électrique. Dans ce cas, découpez le poisson en steaks ou en filets ou demandez au poissonnier de le faire pour vous.

1 Pour écailler, posez le poisson sur une grande feuille de papier journal. Grattez la peau à l'aide d'un écailleur ou d'un couteau, en allant de la queue vers la tête.

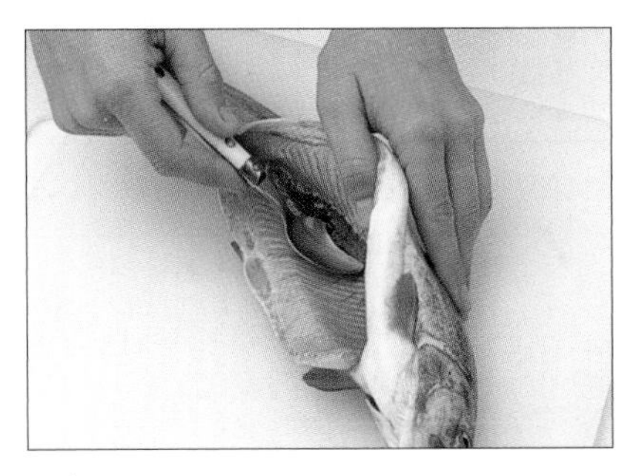

2 Éventrez le poisson avec un couteau à filets ou un couteau à lame fine, en allant des ouies jusqu'à l'orifice anal. Enlevez les entrailles avec une cuillère, puis rincez bien l'intérieur et l'extérieur sous l'eau froide. Coupez la tête.

3 Posez le poisson la tête vers vous. Incisez le long de la colonne vertébrale, de la tête jusqu'à la queue, en coupant derrière l'ouie. En partant de la tête, glissez la lame du couteau entre la chair et le squelette pour détacher le filet.

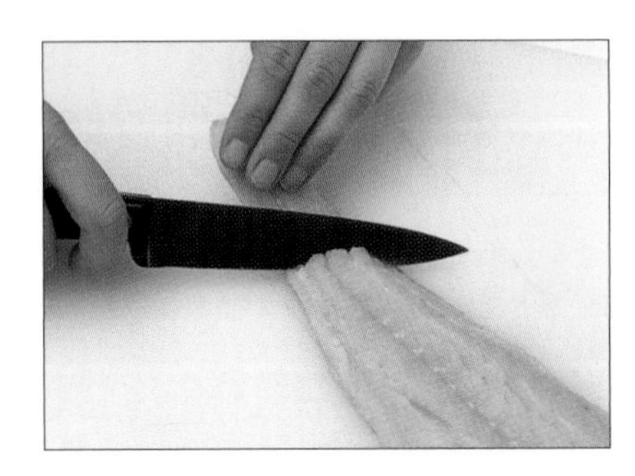

4 Posez le filet côté chair vers le haut. Au bout de la queue, coupez dans la chair sans traverser la peau. En tenant la queue fermement, passez la lame du couteau entre la peau et la chair pour soulever le filet.

Poisson plat

Ce groupe comprend la sole et la plie. Les poissons plats ont les deux yeux sur leur face supérieure et, comme ils mènent une vie inactive sur les fonds marins, leur chair est très délicate.

1 Posez le poisson, la face supérieure vers le haut. Avec un couteau à filets, incisez le long de la ligne médiane, en suivant la colonne vertébrale, puis derrière la tête.

2 Glissez la lame du couteau entre la chair et le squelette de l'un des filets. En tenant le coin détaché, coupez la chair le long des arêtes. Levez le second filet de la même manière, retournez le poisson et répétez l'opération.

3 Enlevez la peau de la façon décrite pour les poissons ronds.

PRÉPARATION DES FRUITS DE MER

Vous pouvez facilement préparer vous-même les fruits de mer.

Crevettes

Les crevettes crues peuvent être cuites avec ou sans leur carapace. Les intestins sous forme d'une veine noire sont souvent enlevés.

1 Pour décortiquer, tenez la tête entre votre pouce et votre index et détachez-là en tirant doucement sur le corps avec l'autre main. Retirez les pattes, puis la carapace. Ôtez la queue ou laissez-la intacte.

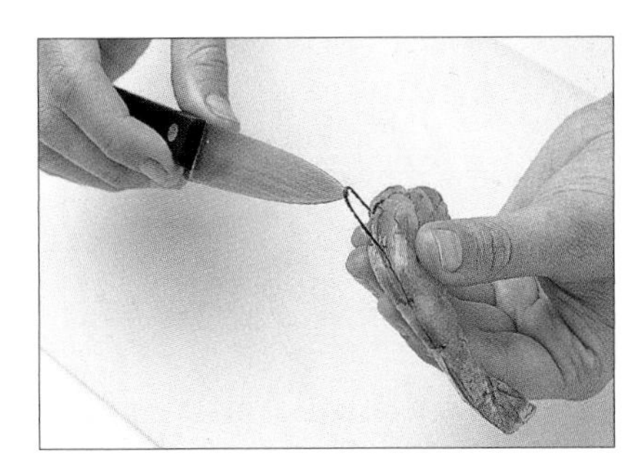

2 Pour enlever la veine noire, faites une entaille peu profonde le long du dos et ôtez la veine avec la lame d'un couteau ou un cure-dents.

Préparation d'un calmar

Contrairement aux fruits de mer dotés d'une coquille ou d'une carapace, la protection du calmar se trouve à l'intérieur de son corps

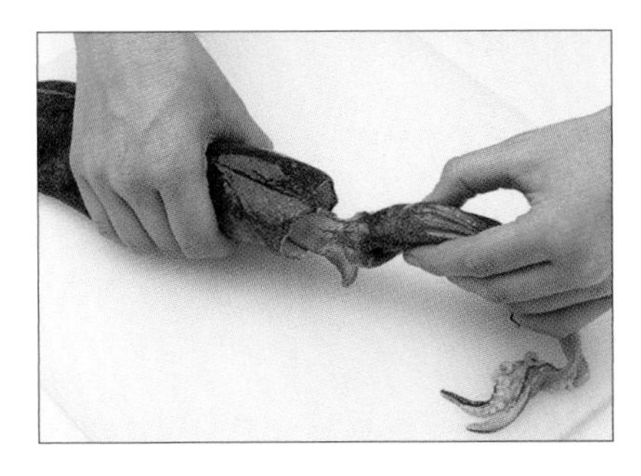

1 D'une main, tenez le corps du calmar et de l'autre, tirez doucement sur les tentacules pour dégager la tête. Sectionnez les tentacules juste devant les yeux, puis coupez la tête et jetez-la.

2 Enlevez la « plume » et les viscères et jetez-les. Pelez la fine membrane, puis rincez le corps et les tentacules sous l'eau froide.

3 Découpez le corps en anneaux ou détaillez-le en gros morceaux et incisez légèrement chacun d'eux en croisillons.

CUISSON DU POISSON

Les méthodes simples de cuisson permettent au poisson de conserver leur jus naturel. Contrairement à la viande, le poisson s'asséchera s'il n'est pas sorti de la mijoteuse électrique dès la fin de sa cuisson. Il est cuit lorsque sa chair est légèrement translucide et s'émiette facilement.

Pochage

Le pochage est un mode de cuisson approprié pour les gros morceaux de poisson relativement fermes, tels que les darnes ou les filets épais, ou les petits poissons entiers. Pour pocher, vous pouvez utiliser du fumet de poisson, du vin, de l'eau ou du lait.

1 Graissez légèrement le fond du récipient de cuisson. Placez quatre filets de saumon de 175-225 g (6-8 oz) ou de poisson semblable, en laissant un espace autour de chacun d'eux.

2 Versez 150 ml (⅔ tasse) de vin blanc sec et 300 ml (1 ¼ tasse) de liquide bouillant (fumet de poisson ou eau). Ajoutez 1 pincée de sel, 2 grains de poivre noir, quelques tranches d'oignons, 1 feuille de laurier et 1 brin de persil frais.

3 Couvrez et laissez cuire à haute température 45-90 minutes, ou jusqu'à ce que le poisson soit cuit. Servez chaud avec du beurre fondu ou une sauce, ou froid avec une salade.

Braisage

Dans ce mode de cuisson, le poisson est cuit dans une petite quantité de liquide, ce qui fait qu'il est en partie poché et en partie cuit à la vapeur. C'est une bonne technique pour les délicats filets de poissons plats. Le fait de rouler les filets aide à les protéger durant la cuisson et permet d'insérer une garniture pour ajouter de la saveur.

1 Versez un peu moins de 5 mm (¼ po) de vin blanc, de cidre ou de fumet de poisson dans le récipient de cuisson, couvrez et chauffez à haute température.

2 Mélangez ensemble 25 g (1 oz) de beurre, du zeste de citron ou d'orange, du sel et du poivre. Sur une planche, étalez quatre grands filets de limande-sole sans peau et tartinez-les de beurre.

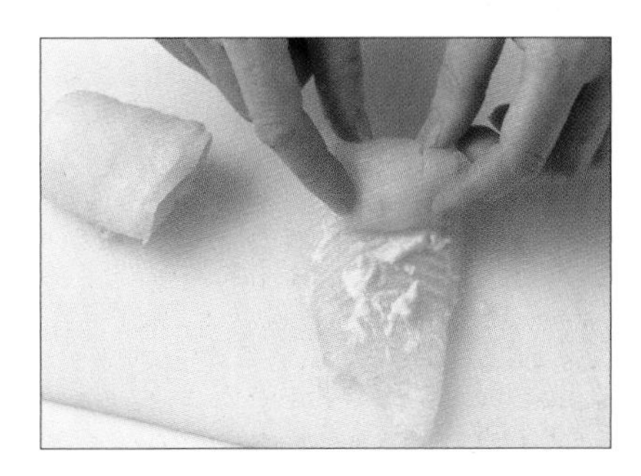

3 Roulez chaque filet pour enfermer le beurre et déposez délicatement les roulades, ouverture dessous, dans le récipient de cuisson.

4 Arrosez le poisson de 15 ml (1 c. à soupe) de jus de citron. Couvrez et laissez cuire 45-90 minutes, ou jusqu'à ce que le poisson soit cuit. Transférez les roulades sur des assiettes de service. Incorporez un peu de crème sure et d'herbes fraîches hachées (persil, aneth ou coriandre) au jus de cuisson et arrosez la sauce sur le poisson.

LÉGUMES

La cuisson des légumes à la mijoteuse électrique est un bon moyen de s'assurer qu'ils seront tendres sans être trop cuits, afin de ne pas altérer leur texture et leur saveur délicate.

Oignons

Les oignons sont des ingrédients essentiels dans beaucoup de recettes à la mijoteuse électriques. Étant longs à cuire, ils sont souvent revenus dans l'huile avant d'être mis dans le récipient de cuisson.

Selon leur type, les oignons sont plus ou moins piquants. Souvent appelés oignons espagnols ou des Bermudes, les gros oignons jaunes sont doux. Les oignons blancs, le type le plus courant, sont plus petits et plus forts. Les oignons rouges sont doux et sucrés. Bien qu'étant de la même famille, les poireaux sont plus doux que les oignons et cuisent plus rapidement.

Ci-dessus : La famille des oignons comprend les oignons verts, les rouges et les blancs, ainsi que les échalotes rondes et longues.

NETTOYAGE DU POIREAU

Le poireau doit être soigneusement lavé pour ôter la terre entre ses feuilles.

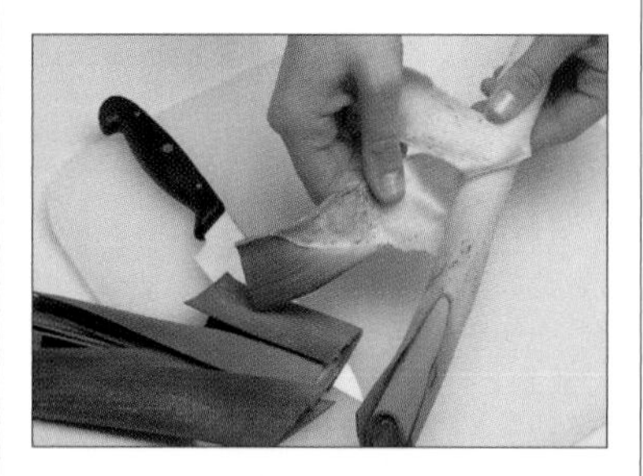

1 Coupez et jetez les racines et l'extrémité vert foncé des feuilles. Enlevez les feuilles extérieures abîmées ou dures.

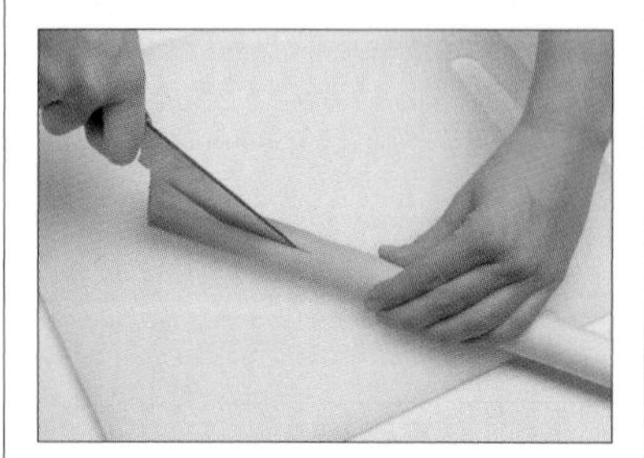

2 Tranchez la partie verte dans le sens de la longueur, jusqu'à environ un tiers de la partie blanche. Rincez bien sous l'eau froide, en séparant les couches au fur et à mesure.

L'ail ajoute de la saveur ; il donne un goût plus doux s'il est entier et plus fort s'il est écrasé ou haché. La cuisson à la mijoteuse adoucissant le goût piquant, il faudra parfois augmenter la quantité d'oignons dans les plats cuits pendant plus de 4 heures. Les oignons verts ou les ciboules, souvent utilisés crus, ont une saveur délicate lorsqu'ils sont cuits.

Racines et tubercules

pomme de terre, ont une chair dense et parfois farineuse. Ce sont les légumes qui prennent le plus de temps à cuire à la mijoteuse.

Coupez les racines et les tubercules en petits morceaux d'au plus 2,5 cm (1 po)

d'épaisseur et mettez-les au fond du récipient en céramique, qui est la partie la plus chaude durant la cuisson. Immergez les légumes dans le liquide de cuisson pour assurer leur ramollissement et la conservation de leur couleur – l'exposition à l'air cause la décoloration de certaines racines et tubercules, comme la pomme de terre.

Dans les braisés qui utilisent peu de liquide, il faudra parfois étager les ingrédients, en terminant par la viande – la partie non immergée cuira à la vapeur. Si le plat contient des ingrédients qui ne demandent pas une longue cuisson, comme le poisson, faites sauter les racines et les tubercules au préalable.

Champignons

Les champignons rehaussent la couleur et le goût de nombreux mets. Comme ils rejettent beaucoup d'eau, l'ajout ou l'augmentation de leur quantité dans une recette nécessitera un ajustement du liquide de cuisson en conséquence.

Les espèces les plus couramment cultivées sont les champignons de couche, dont les blancs à chapeau rond (champignons de Paris), les grands à chapeau plat et ceux à chapeau brun (champignons café). Les champignons de Paris ont un goût doux – les petits champignons entiers étant parfaits pour les casseroles. Les champignons plats ont un goût plus fort et sont généralement tranchés ou laissés entiers et farcis. Les champignons café ont une peau marron foncé, une texture plus ferme et un goût de noisette plus prononcé que celui des champignons de Paris. Les gros champignons bruns portobellos ont un goût de viande.

Les rosés des prés, les pieds-bleus, les cèpes, les morilles et les shiitakes sont des variétés sauvages à grande saveur. Les champignons délicats, comme les pleurotes en forme d'huître et les enokis, devraient être ajoutés dans la mijoteuse vers la fin de la cuisson. Les champignons séchés sont utilisés pour épaissir des plats en absorbant le liquide. Avant utilisation, ils devraient être

Ci-dessus : Les champignons ont un goût particulier et une texture dense.

trempés dans l'eau bouillante quelques minutes pour enlever toute poussière ou terre.

Citrouilles et courges

Les citrouilles et courges ont des formes, tailles et couleurs variées. La cuisson à la mijoteuse électrique aide à développer leur saveur et à conserver leur texture ferme. Comme elles ont tendance à produire beaucoup de liquide durant la cuisson, n'ajoutez pas trop de liquide pour braiser des plats qui en contiennent.

Les courges peuvent être divisées en deux variétés : les courges d'été et les courges d'hiver. Les courges d'hiver, telles que la citrouille, la courge poivrée et la courge musquée, ont une chair orange foncé, dense et fibreuse, au goût sucré. Les courges d'été sont notamment les pâtissons et les courgettes.

Elles sont cueillies jeunes et ont une haute teneur en eau. Leur chair délicate cuisant rapidement, surveillez bien leur cuisson.

Pousses

Cette catégorie renferme un grand nombre de légumes dont l'apparence et les caractéristiques varient grandement. Certains, comme le fenouil, l'endive et le céleri, se cuisent bien à la mijoteuse, tandis que d'autres, comme l'asperge et l'artichaut, sont meilleurs lorsqu'ils cuits selon une méthode conventionnelle.

FRUITS

Bien qu'on les utilise généralement en légumes, les tomates, les poivrons et les aubergines sont des fruits.

Tomates

La cuisson à la mijoteuse convient particulièrement aux tomates. Elles ajoutent de la couleur et de la saveur à beaucoup de plats. Étant juteuses, elles peuvent constituer une partie du liquide de cuisson. Une cuisson prolongée pouvant rendre leur peau dure et leurs graines amères, il est préférable de les peler et de les épépiner.

Poivrons

Les poivrons ont des couleurs différentes, dont le rouge, l'orange, le jaune, le vert et le violet. Tous les poivrons sont des « poivrons verts » avant d'arriver à maturité. Les poivrons verts ont tendance à se décolorer et à devenir amers dans les plats mijotés, à moins d'être coupés en très petits morceaux et ajoutés vers la fin de la cuisson.

Ci-dessous (à partir de la gauche) : La courge musquée, la courge poivrée et le pâtisson sont des légumes parfaits pour les plats mijotés.

Aubergines

Il y a beaucoup de types d'aubergines, allant de la grosse aubergine violette à la petite aubergine crème en forme d'œuf – d'où son nom américain eggplant. Les très grosses aubergines étant parfois un peu amères, détaillez-les en tranches ou en cubes, salez-les, laissez-les dégorger une demi-heure, puis rincez-les bien. Ce processus permet aussi d'enlever le liquide qui autrement diluerait la sauce du plat.

Crucifères et légumes verts en feuilles

Les crucifères, comme le brocoli et le chou-fleur, devraient être défaits en bouquets pour assurer une cuisson égale dans la mijoteuse. Pour préserver le goût et la texture des gros légumes en feuilles, tels que le chou et les épinards, émincez-les finement et plongez-les toujours dans un liquide chaud.

LÉGUMES EN CONSERVE ET SURGELÉS

Ce sont des ingrédients utiles pour les plats de dernière minute. Ils sont surtout pratiques pour gagner du temps, puisqu'ils sont déjà prêts à l'emploi. Égouttez bien les légumes en conserve et ajoutez-les simplement 15 minutes avant la fin de la cuisson.

Les légumes surgelés, comme les petits pois et le maïs, devraient être décongelés au préalable et nécessitent un temps de cuisson un peu plus long. (Pour activer la décongélation, mettez-les dans une passoire et passez-les sous l'eau froide.) Ils devraient cuire de 15 à 20 minutes dans la mijoteuse.

CÉRÉALES, PÂTES et HARICOTS SECS

Les céréales, les pâtes et les haricots secs sont tous utilisés de multiples façons, en accompagnement ou en ingrédient principal de plats classiques, tels que risottos, pilafs, lasagnes, gratins de pâtes et ragoûts ou currys de haricots.

RIZ

La cuisson à mijoteuse électrique ne convient pas au riz à grain long ordinaire. En revanche, elle donne d'excellents résultats avec le riz étuvé. Aussi appelé riz précuit, le riz étuvé a été trempé dans l'eau, puis cuit à la vapeur sous pression. Ses grains ne collant pas, il accepte très bien une cuisson à basse température, dans une eau à peine frémissante. Légèrement plus jaunes que ceux du riz ordinaire, ses grains secs perdent leur teinte en cuisant, devenant tout à fait blancs en fin de cuisson.

TYPES DE RIZ ÉTUVÉ

Outre le riz blanc, il existe plusieurs variétés de riz étuvé, chacune ayant ses propres propriétés de cuisson.

Riz brun étuvé : Appelé aussi riz complet ou cargo étuvé, le riz brun a conservé son enveloppe de son. Il a une texture plus élastique et un goût de noisette plus prononcé que le riz blanc à grain long. Il se démarque de tous les autres lorsqu'il est cuit à la mijoteuse, en gardant sa forme après plusieurs heures de cuisson à haute température.

Riz basmati étuvé : Le riz basmati est cultivé dans le nord de l'Inde, au Pendjab, dans certaines parties du Pakistan et aux contreforts de l'Himalaya. Il a un goût et une texture uniques – en hindi, le mot basmati signifie parfumé. Il est particulièrement approprié pour la confection des pilafs et pour accompagner les plats épicés de type indien.

Riz italien étuvé : Parfois appelé « riz à risotto étuvé », ce riz a des grains courts et arrondis, riches en amidon, qui donnent une texture riche et crémeuse aux plats tels que le risotto.

Préparation du riz

La mijoteuse électrique permet de confectionner facilement un plat d'accompagnement de riz, simple mais savoureux, pour quatre personnes

1 Graissez le fond du récipient de cuisson avec 15 g (1 c. à soupe) de beurre ou 15 ml (1 c. à soupe) d'huile de tournesol. Parsemez 4-6 oignons verts finement hachés sur la surface graissée et laissez cuire 20 minutes à haute température.

2 Incorporez 1,5 ml (¼ c. à thé) de curcuma moulu ou 1 pincée de filaments de safran et 750 ml (3 tasses) de bouillon de légumes bouillant. Si le bouillon n'est pas assaisonné, ajoutez 1 pincée de sel.

3 Versez 300 g (1 ½ bonne tasse) de riz étuvé sur le bouillon et remuez bien. Couvrez et laissez cuire environ 1 heure, ou jusqu'à ce que le riz soit tendre et ait absorbé tout le bouillon. Servez le riz chaud ou mettez-le dans un plat peu profond, ajoutez 30 ml (2 c. à soupe) de vinaigrette, mélangez et servez tiède ou froid.

Risotto

Un bon risotto doit être crémeux et humide. Selon la méthode conventionnelle, il faut ajouter du liquide de cuisson graduellement, tout en remuant constamment. En utilisant du riz italien étuvé dans une mijoteuse électrique, il suffit de verser le liquide en une seule fois pour obtenir un risotto crémeux. Cette recette de risotto à la milanaise est donnée pour 3 à 4 personnes.

1 . Dans une poêle, faites suer 1 oignon finement haché dans 15 g (1 c. à soupe) de beurre et 15 ml (1 c. à soupe) d'huile d'olive. Versez 120 ml (½ tasse) de vin blanc sec et chauffez jusqu'à ce que le liquide fume sans bouillir.

2 Transférez la préparation dans le récipient de cuisson, couvrez et faites cuire à haute température 30 minutes ou jusqu'à ébullition.

3 Ajoutez 225 g (1 ¼ tasse) de riz italien étuvé et 1 pincée de filaments de safran. Versez 750 ml (3 tasses) de bouillon bouillant et remuez bien. Couvrez et laissez cuire environ 45 minutes, en remuant une fois à mi-cuisson. Le riz devrait être presque tendre et avoir absorbé la plupart du bouillon.

4 Arrêtez la mijoteuse. Saupoudrez le risotto de 50 g (¾ tasse) de parmesan fraîchement râpé et remuez. Assaisonnez de poivre noir du moulin.

5 Couvrez le récipient et laissez reposer environ 5 minutes pour permettre au risotto de finir de cuire. Goûtez et rectifiez l'assaisonnement au besoin. Servez avec de fins copeaux de parmesan.

CONSEIL DU CHEF

Cette recette est celle du classique risotto à la milanaise. Variez les ingrédients pour créer d'autres risottos, par exemple, en ajoutant des champignons poêlés ou du poulet cuit 15 minutes avant la fin de la cuisson.

AUTRES CÉRÉALES

À l'instar du riz, beaucoup d'autres céréales peuvent être cuites avec succès dans une mijoteuse électrique. Les céréales complètes, comme l'orge, le quinoa et le blé entier, peuvent servir d'accompagnement, à la place du riz ou des pommes de terre, ou faire partie d'un plat principal. Avant leur cuisson, faites tremper les grains de seigle entier toute une nuit dans l'eau froide. La plupart des céréales ne nécessitent pas de trempage ; toutefois, cette étape raccourcira leur temps de cuisson.

Cuisson des céréales

Les temps de cuisson varient selon les céréales ; le quinoa et le millet prennent le moins de temps, tandis que d'autres céréales, comme l'orge et le seigle, en demandent bien davantage. Pour activer la cuisson et rehausser la saveur, faites frire les grains dans un peu d'huile de 2 à 3 minutes avant de les transférer dans la mijoteuse électrique.

1 Pour un plat principal, prévoyez environ 75 g (3 oz) par personne. Si la quantité de liquide de cuisson n'est pas indiquée sur l'emballage, mettez les céréales dans une tasse à mesurer pour vérifier leur volume. La quantité de liquide bouillant (bouillon ou eau) sera de trois fois ce volume, à l'exception du millet qui en requiert quatre.

2 Mettez les céréales dans une passoire et rincez-les sous l'eau froide, puis versez-les dans le récipient de cuisson. Ajoutez l'eau ou le bouillon, couvrez et laissez cuire à haute température 40-120 minutes ou jusqu'à tendreté.

PÂTES

La cuisson à la mijoteuse électrique convient aussi bien aux pâtes ordinaires qu'aux pâtes à cuisson rapide. Vous obtiendrez de meilleurs résultats avec les pâtes à cuisson rapide ; toutefois, une cuisson prolongée durant toute une journée n'est pas appropriée – les pâtes seront molles et collantes. En règle générale, les pâtes 100 % blé dur conservent mieux leur forme que celles contenant des œufs. Les pâtes fraîches ne se cuisent pas à la mijoteuse, car elles doivent être ébouillantées dans une grande quantité d'eau. Les pâtes sont vendues dans une très grande variété de formes et de tailles qui auront une incidence sur le temps de cuisson.

Les plats cuisinés précuits, couverts de sauce blanche ou au fromage, comme les lasagnes à la viande ou aux légumes et les cannellonis farcis, prendront environ 2 heures à cuire à haute température ou 1 heure à haute température suivie de 2 heures à basse température. Le temps de cuisson dépendra aussi de la température initiale de la sauce ; plus elle est chaude au départ, plus les pâtes cuiront vite.

Les grosses et moyennes pâtes ajoutées dans des casseroles presque cuites ou dans une sauce frémissante cuiront en 30-45 minutes à haute température. Elles prendront moins de temps s'il y a beaucoup de liquide de cuisson et si la sauce est légère. Les pâtes de blé entier demanderont 10 minutes de plus que les pâtes blanches.

Les petites pâtes, comme les pâtes à potage, prendront environ 20 minutes à haute température. Elles peuvent aussi servir à épaissir les casseroles ou les soupes en fin de cuisson, en absorbant une partie du liquide.

LÉGUMES SECS

La mijoteuse électrique a été inventée pour la confection des fèves au lard, les cuisant jusqu'à tendreté tout en préservant leur forme. Elle est donc excellente pour tous les types de légumes secs.

Cuisson des légumes sæecs

Avant la cuisson, la plupart des haricots, pois et lentilles nécessitent un trempage dont la durée dépend de leur variété et de leur âge. Les lentilles rouges et les pois cassés n'ont pas besoin d'être trempés, tandis que beaucoup d'autres légumes secs doivent l'être pendant au moins 6 heures et certains, comme les pois chiches, pendant 8 à 12 heures. Lorsqu'ils ont bien trempé, leur peau devrait être rebondie et lisse.

1 Dans un grand saladier, faites tremper les graines dans au moins deux fois leur volume d'eau froide.

2 Égouttez les graines, rincez-les sous l'eau froide et versez-les dans une grande casserole. Couvrez d'eau froide jusqu'à environ 4 cm (1½ po) au-dessus des graines. Portez à ébullition et laissez bouillir 10-15 minutes à découvert. (Tous les légumes secs, sauf les lentilles et les pois cajans, devraient être bouillis avant d'être transférés dans la mijoteuse pour détruire les toxines.)

3 Retirez la casserole du feu et écumez l'eau. Laissez refroidir 5 minutes, puis versez les graines et l'eau dans le récipient de cuisson. Le liquide devrait dépasser les graines d'au moins 2 cm (¾ po) ; au besoin, ajoutez de l'eau bouillante.

4 Ajoutez des ingrédients aromatiques, tels que des feuilles de laurier ou des brins de thym, mais n'ajoutez pas de sel ni d'ingrédients acides, comme du jus

de tomate, qui font durcir les graines et les empêchent de cuire correctement. Couvrez et laissez cuire à haute température 1¼-5 heures. (Le temps de cuisson varie selon le type de légumes secs : environ 1½ heure pour les haricots rouges et 4½-5 heures pour les graines de soja. Les haricots ou les pois en conserve n'ont besoin que d'être réchauffés ; ajoutez-les environ 30 minutes avant la fin de la cuisson.)

FRUITS

La mijoteuse électrique est idéale pour cuire toutes sortes de fruits à la perfection. Elle est parfaite pour pocher les fruits délicats qui ont tendance à se défaire durant la cuisson, y compris les fruits mous, comme le raisin et la rhubarbe. Elle permet aussi de cuire des desserts tels que les tourtes et les crumbles.

PRÉPARATION DES FRUITS

Avant leur cuisson, beaucoup de fruits n'ont besoin que d'être lavés, tandis que d'autres doivent être pelés, évidés, épépinés ou dénoyautés.

Pelage

Les pommes, les poires, les pêches et autres fruits de ce type devraient être épluchés avant leur cuisson.

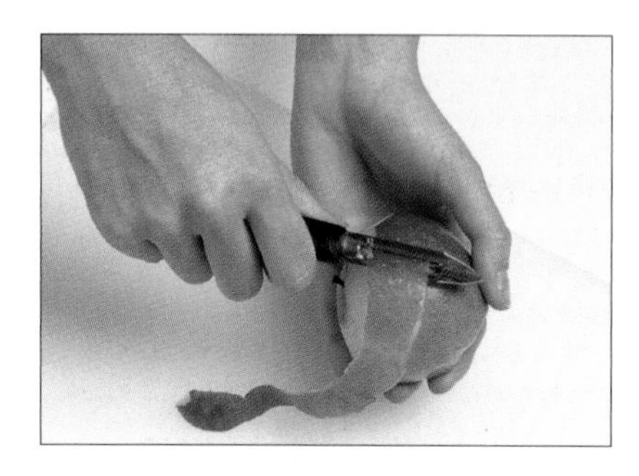

La peau des fruits, tels que les pommes et les poires, se pèle en lanières minces au moyen d'un économe ou d'un éplucheglégumes. Il est possible d'éplucher une pomme en une seule lanière en spirale.

Pour peler des fruits tels que les pêches et les abricots, assouplissez d'abord leur peau. Faites une petite entaille dans la peau, puis placez le fruit dans un bol. Couvrez d'eau bouillante et laissez reposer 20-30 secondes. Retirez le fruit avec une écumoire, rincez-le sous l'eau froide et la peau devrait s'enlever facilement.

Évidage

Avant la cuisson, le trognon, les pépins et la queue devraient être retirés du fruit pour ne pas altérer le goût du plat.

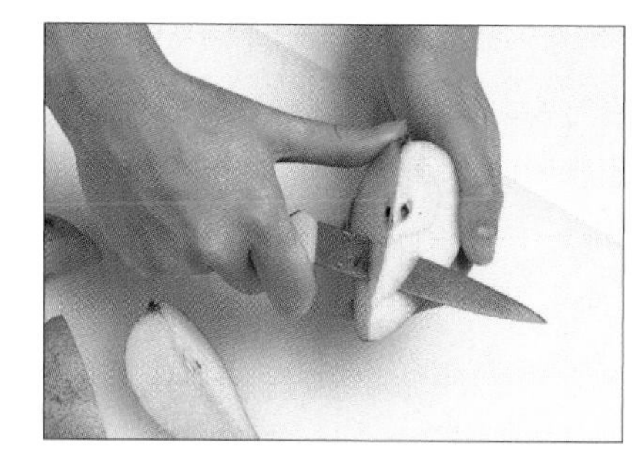

Si le fruit doit être cuit en morceaux, coupez-le en quartiers dans le sens de la longueur. Avec un petit couteau, retirez le trognon et les pépins, pelez les quartiers et détaillez-les en morceaux de la taille requise.

Si le fruit doit être cuit entier (par exemple, une pomme au four), mettez le bout tranchant d'un vide-pomme au niveau de la queue du fruit, pressez fermement et tournez. Le trognon sortira avec le vide-pomme.

Dénoyautage

Comme le noyau se détache du fruit durant la cuisson, enlevez-le au préalable.

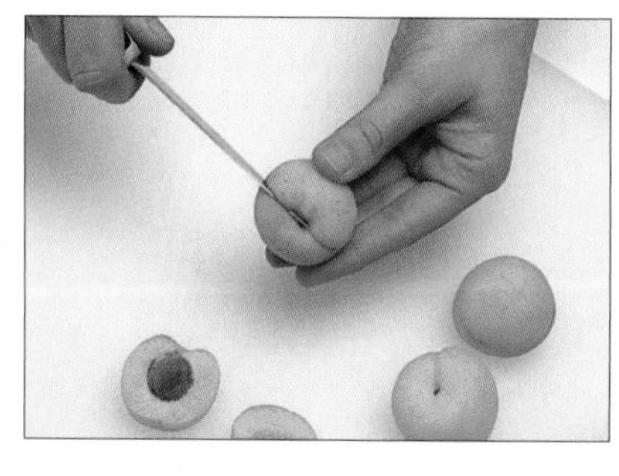

Pour retirer un noyau assez gros, comme celui d'une prune ou d'un abricot, coupez dans le repli du fruit. Séparez les deux moitiés et soulevez le noyau avec la pointe d'un petit couteau.

Pour dénoyauter facilement une cerise, utilisez un dénoyauteur. Mettez le fruit dans l'instrument, le bout où était la queue vers le haut, puis poussez la tige pour éjecter le noyau.

CUISSON DES FRUITS

La mijoteuse électrique permet de cuire les fruits en compote, pochés ou « au four ».

Pochage et « compotage »

Ces deux techniques sont légèrement différentes. Le pochage consiste à cuire le fruit dans un sirop chaud et convient aux poires, aux fruits à noyau et aux figues. Le « compotage » est utilisé pour des fruits tels que les pommes, les baies et la rhubarbe dont la recette est donnée ci-dessous.

1 Coupez 900 g (2 lb) de rhubarbe en morceaux de 2,5 cm (1 po). Dans le récipient de cuisson, disposez les morceaux en couches, en saupoudrant chacune d'elles de sucre semoule (150-200 g / ¾-1 tasse au total). Arrosez du jus de 1 grosse orange et de 120 ml (½ tasse) d'eau.

2 Faites cuire à haute température 1½ heure, ou jusqu'à ce que la rhubarbe soit ten-dre sans perdre sa forme. Remuez dou-cement à mi-cuisson.

Cuisson au four

Les fruits tels que pommes entières, pêches en moitiés et figues peuvent être « cuits au four » dans la mijoteuse électrique, avec une quantité infime de liquide pour amorcer le processus de cuisson.

1 Pour des pommes au four, vous pouvez utiliser des pommes à cuire ou de table. En laissant le fruit entier, ôtez le trognon et pelez autour de l'ouverture.

2 Mélangez ensemble 115 g (½ tasse) de cassonade dorée et 50 g (¼ tasse) de fruits secs finement hachés. Farcissez les pommes de cette préparation et garnissez d'un morceau de beurre. Placez les pommes farcies dans le récipient de cuisson, chacune sur une soucoupe de papier d'aluminium.

3 Versez 150 ml (⅔ tasse) d'eau très chaude autour des soucoupes d'aluminium. Couvrez et laissez cuire 2-3 heures à haute température. Si vous utilisez des pommes à cuire, vérifiez-les régulièrement et enlevez-les dès qu'elles semblent tendres (trop cuites, elles pourraient s'effondrer).

Pour des nectarines, des figues et des oranges au four, beurrez le récipient de cuisson et placez les moitiés de fruits. Arrosez d'un peu de jus de citron, saupoudrez légèrement de sucre et parsemez de beurre. Versez 75 ml (5 c. à soupe) d'eau autour des fruits, couvrez et laissez cuire à haute température 1½-2 heures ou jusqu'à tendreté.

Compote

Une compote peut être composée d'un ou de plusieurs fruits cuits dans un sirop parfumé. Servez-la chaude ou froide, en dessert ou au petit déjeuner. Les fruits devraient être mûrs mais encore fermes.

L'utilisation d'une mijoteuse permet de mettre tous les fruits au même moment et non selon leur temps de cuisson. Les compotes de fruits secs demandent moins de sucre, car ceux-ci sont déjà très sucrés.

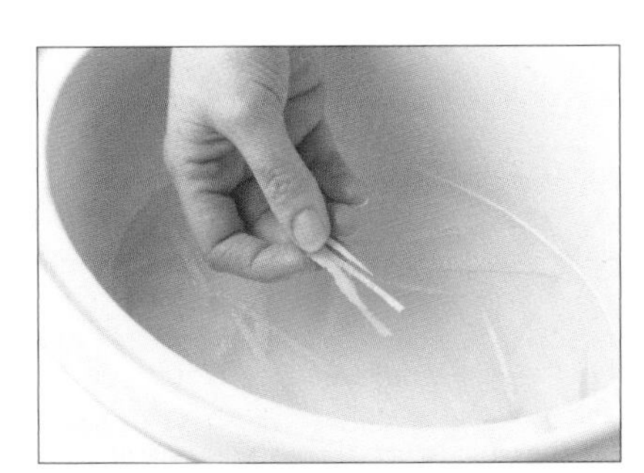

1 Dans le récipient de cuisson, mettez 200 g (1 tasse) de sucre et 300 ml (1¼ tasse) d'eau froide. Ajoutez des ingrédients aromatiques tels que du zeste de citron.

2 Chauffez environ 30 minutes à haute température. Remuez jusqu'à dissolution du sucre, couvrez et laissez cuire 30-45 minutes.

3 Versez les fruits dans le sirop – ce pourrait être une combinaison de trois fruits (450 g/1 lb de chacun), par exemple, pêches/abricots/cerises ou poires/prunes/pommes. Couvrez et faites cuire1-3 heures, ou jusqu'à ce que les fruits soient tendres. Servez la compote chaude ou laissez refroidir, transférez dans un contenant et rangez au réfrigérateur (elle s'y conservera plusieurs jours).

Tourte aux fruits

Les fruits en compote ou en conserve sont parfaits pour ce dessert habituellement cuit au four. L'ajout d'un peu de jus ou de sirop aux fruits produit de la vapeur et aide la tourte à lever.

1 Graissez légèrement le récipient de cuisson de beurre non salé. Ajoutez les fruits, couvrez et faites cuire à haute température – pour les fruits en conserve, comme les pêches et les baies : environ 1 heure jusqu'à ce qu'ils soient chauds et fumants ; pour les fruits crus, comme des pommes tranchées : 2-3 heures ou jusqu'à tendreté.

2 Lorsque les fruits sont presque cuits, préparez la pâte du cobblerde la tourte. Dans un bol, tamisez ensemble 50 g (½ tasse) de farine tout usage, 5 ml (1 c. à thé) de levure chimique et 1 pincée de sel. Incorporez 40 g (3 c. à soupe) de beurre et ajoutez le zeste finement râpé de ½ citron. Incorporez 75 ml (⅓ tasse) de lait pour obtenir une pâte épaisse. Déposez la pâte sur les fruits, couvrez et laissez cuire à haute température 45-60 minutes, ou jusqu'à ce qu'une brochette insérée dans la croûte en sorte propre.

Crumble

Le crumble cuit dans une mijoteuse électrique ne dore pas de la même façon que dans un four conventionnel, mais l'utilisation de farine de blé entier, de flocons d'avoine, de beurre et de sucre demerara, ajoutés à un mélange de fruits relativement sec, donne un résultat semblable.

1 Mélangez les fruits préparés (ex. : tranches de pomme et de pêche) avec un peu de sucre et 5 ml (1 c. à thé) de fécule de maïs. Ajoutez 30 ml (2 c. à soupe) de jus de fruits ou d'eau et chauffez à haute température.

2 Dans un bol, mettez 75 g (¾ tasse) de farine de blé entier et 50 g (½ tasse) de gros flocons d'avoine. Incorporez 75 g (6 c. à soupe) de beurre, puis 50 g (¼ tasse) de sucre demerara. Saupoudrez sur les fruits, couvrez et laissez cuire 3-4 heures, ou jusqu'à ce que les fruits et la garniture soient cuits.

HERBES, ÉPICES et CONDIMENTS

En cuisine, l'utilisation judicieuse d'ingrédients aromatiques est la clé du succès. Certains plats n'en demandent qu'un soupçon, tandis que d'autres en nécessitent davantage.

HERBES

L'emploi d'herbes fraîches est généralement préconisé dans les recettes. Toutefois, les herbes séchées donnent souvent de meilleurs résultats dans les plats cuits à la mijoteuse électrique. Les feuilles délicates des herbes fraîches perdent leur goût et leur couleur après une cuisson prolongée, tandis que les herbes séchées libèrent leur saveur lentement. En règle générale, les herbes fraîches devraient être ajoutées environ 30 minutes avant la fin de la cuisson ou juste avant de servir.

Certaines herbes sèchent mieux que d'autres. Le thym, la marjolaine, l'origan et la sauge sèchent très bien, alors que le persil et la ciboulette perdent leur force et leur couleur ; il est donc préférable de les ajouter en fin de cuisson. Les mélanges d'herbes séchées sont souvent bien parfumés et valent la peine d'être utilisés.

Achetez les herbes séchées en petits sachets dans un magasin où la rotation des marchandises est rapide. Elles se conserveront dans un endroit frais et sombre pendant 6 à 9 mois. Les herbes lyophilisées ont un bon goût frais. Essayez de vous procurer les herbes fraîches le jour même où vous en avez besoin. Elles se garderont plusieurs jours au réfrigérateur.

Ci-dessous : *Utilisez avec parcimonie le romarin et la sauge au goût prononcé.*

Herbes tendres

Manipulez délicatement ces herbes aux feuilles douces et fragiles. Ajoutez-les en toute fin de cuisson ou au plat prêt à servir. Les herbes tendres populaires sont notamment le goûteux basilic qui se marie à merveille aux tomates et aux plats de style méditerranéen ; le cerfeuil au goût anisé, l'aneth et l'estragon qui rehaussent délicatement la saveur du poisson, des œufs et des sauces à la crème ; la menthe forte et rafraîchissante ; la coriandre aromatique ; la livèche au goût doux de céleri ; et l'incontournable persil.

Herbes robustes

Elles ont généralement une tige dure, ligneuse, et des feuilles goûteuses qui supportent une cuisson prolongée. Ajoutez-les en début de cuisson, pour extraire leur saveur et libérer leur suavité, et ôtez-les juste avant de servir. Parmi les herbes robustes populaires, citons les feuilles de laurier qui parfument les bouillons, les casseroles, les marinades et certains plats sucrés ; les odorants origan, marjolaine et thym qui agrémentent les plats de style méditerranéen ; le romarin qui accompagne admirablement l'agneau ; la sauge qui relève la saveur du porc ; et les feuilles de combava (lime kaffir) qui aromatisent les mets thaïlan-dais et malaisiens.

Épices

Les épices parfumées sont habituellement ajoutées en début de cuisson. Cependant, certaines peuvent devenir amères si elles cuisent pendant plusieurs heures et devraient être ajoutées à mi-cuisson. Dans les plats cuisinés dans la mijoteuse électrique, la plupart des épices sont meilleures entières plutôt que moulues. Rangez les épices dans un endroit frais et sombre.

Avant de les utiliser, vérifiez leur date limite de vente, car elles perdent leur saveur et leur arôme avec le temps. Les épices entières peuvent se conserver jusqu'à un an ; la force des épices moulues s'amenuise après six mois.

À gauche : *L'aneth a une douce saveur anisée qui se marie bien au poisson.*

BOUQUET GARNI

Cette simple botte d'herbes est un ingrédient aromatique classique, utilisé dans les soupes, les casseroles et les sauces.

Avec un long bout de ficelle, liez ensemble une feuille de laurier et des brins de persil et de thym. Mettez le bouquet dans la mijoteuse et attachez la ficelle à la poignée pour en faciliter le retrait.

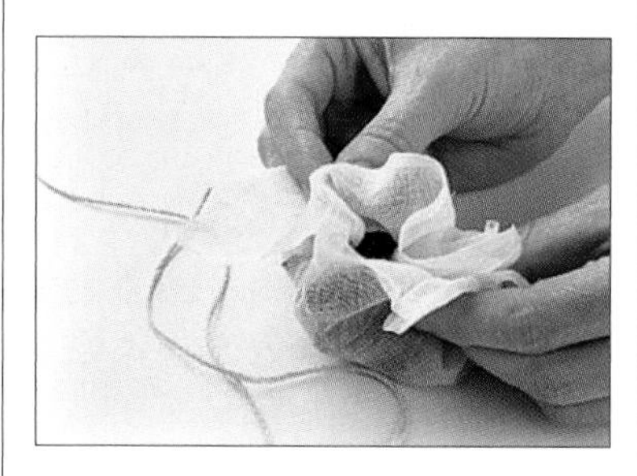

Sinon, placez les herbes sur un carré d'étamine, repliez en forme de sachet et ficelez. Si vous le désirez, ajoutez des aromates tels que des grains de poivre.

Épices piquantes

Beaucoup d'épices ajoutent une note piquante aux plats – certaines apportent un soupçon de chaleur dans le palais, d'autres mettent le feu à la bouche. Les principales épices piquantes sont le piment, le gingembre, le poivre et la moutarde.

Il y a plus de 200 types de piments, variant en forme, taille, couleur et force. Ils peuvent être achetés frais, séchés, en flocons ou en poudre. L'assaisonnement au chili (poudre chili) peut être fort ou doux – du piquant piment de Cayenne au doux piment de Hongrie (paprika). Les piments se vendent aussi sous forme de sauce, comme le Tabasco ou la sauce chili thaïlandaise. Tous les piments et produits du piment peuvent devenir amers après une longue cuisson et devraient être ajoutés à mi-cuisson.

Doux et poivré, le gingembre est utilisé dans les plats sucrés ou salés. Il est vendu frais, séché, moulu et en conserve. Son parent proche, le galanga, se retrouve dans de nombreux plats de l'Asie du Sud-Est. Le rhizome du curcuma frais, chaud et épicé, ressemble à celui du gingembre frais et s'emploie dans les currys.

Les grains de poivre noir, blanc ou vert ajoutent du piquant aux plats. Le poivre noir est le plus aromatique. Les graines de moutarde noire, brune ou blanche ont un arôme et un goût beaucoup plus forts, les graines de moutarde noire étant les plus piquantes. Les graines perdant leur ardeur en cuisant, ajoutez-les vers la fin de la cuisson.

Épices aromatiques

Certaines plantes sont cultivées pour leurs graines aromatiques, qui sont vendues entières ou moulues. La cuisson prolongée à basse température ramollit les graines entières et libèrent leur saveur. Les épices en grains populaires sont notamment les odorantes graines de cumin et de coriandre qui sont utilisées dans les cuisines indienne, nord-africaine et moyen-orientale ; les graines de carvi au goût prononcé qui sont présentes dans beaucoup de plats européens, en particulier ceux à base de porc et de chou, et dans certains pains et gâteaux ; et les graines de pavot qui ont souvent leur place dans les desserts d'Europe de l'Est et sur les pains croustillants. Parmi les autres épices parfumées se trouvent les ravigotants piment de la Jamaïque (toute épice), cannelle, casse (cannelle de Chine) et noix de muscade ; l'aromatique cardamome ; le puissant clou de girofle ; l'odorant anis étoilé ; la vanille qui est utilisée surtout dans les mets sucrés ; les baies de genièvre au parfum de gin qui se marient bien au porc, au gibier et au chou ; le délicat safran doux-amer qui agrémente souvent les plats de riz et de poisson ; et le tamarin suret qui est couramment utilisé dans les cuisines indienne et asiatique du Sud-Est.

Ci-dessus : Les variétés de piments sont nombreuses.

Épices mélangées

À l'instar des épices individuelles, un certain nombre de mélanges d'épices sont largement utilisés dans les plats aussi bien sucrés que salés. Les mélanges populaires sont, entre autres, les épices pour tartes ux pommes qui parfument les gâteaux et les desserts ; le cinq-épices chinois qui relève le goût de nombreux plats salés chinois et asiatiques ; le garam masala, un populaire mélange d'épices indien, qui s'ajoute en fin de cuisson ; et une grande variété de curry en poudre qui va du doux au très piquant – le curry est également disponible en pâte.

AUTRES CONDIMENTS

Outre les herbes et les épices, beaucoup d'autres condiments peuvent vivifier les plats, allant des sauces relevées aux eaux de fleur délicates.

Sauces salées

De nombreuses sauces salées peuvent être utilisées pour rehausser la saveur des plats. Comme elles sont fortement parfumées et souvent salées, une toute petite quantité suffit généralement. Le ketchup aux champignons et la sauce Worcestershire peuvent ajouter une saveur riche et ronde aux ragoûts et aux casseroles. Les sauces soja ordinaires ou allégées et autres sauces à base de soja, comme la sauce hoisin, sont bonnes dans les plats braisés et les soupes de style asiatique. Beaucoup de cuisines font appel aux sauces de poisson fermenté, telles que les sauces d'anchois et d'huîtres et le nam pla (sauce de poisson thaïlandaise). Elles devraient être ajoutées en début de cuisson.

Essences

Les essences à l'arôme riche et parfumé servent généralement à aromatiser les mets sucrés. Une toute petite quantité, parfois juste quelques gouttes, suffit à parfumer un plat entier. Achetez les essences naturelles et non artificielles. Les essences d'amande et de vanille sont utilisées dans les gâteaux et les desserts. L'eau de fleur d'oranger et l'eau de rose ont un parfum délicat. Tirez le meilleur de leur saveur en les ajoutant seulement en fin de cuisson.

Alcool

L'alcool s'évapore plus lentement dans une mijoteuse électrique, en raison de sa chaleur douce, et donne en conséquence un goût plus fort. Lorsque vous adaptez une recette conventionnelle, réduisez légèrement la quantité d'alcool. Utilisez la bière, le cidre et le vin dans les marinades et les casseroles. Donnez un goût riche à vos plats sucrés ou salés en ajoutant en fin de cuisson quelques cuillerées de vin fortifié tel que du xérès, du porto, du marsala ou du madère. Les eaux-de-vie de fruits incolores, comme le kirsch, et les liqueurs sucrées, comme l'amaretto, peuvent servir à parfumer les desserts et les mets sucrés.

MOUDRE DES ÉPICES

Lorsqu'une recette demande des épices moulues, utilisez de préférence des épices entières que vous aurez moulues vous-même.

1 Grillez les épices à sec, en secouant la poêle sur un feu moyen-fort pendant une à deux minutes jusqu'à ce que les épices exhalent leur parfum.

2 Mettez les épices dans un mortier et réduisez-les en poudre. Pour moudre une grande quantité d'épices, utilisez un moulin à épices ou à café dédié à cet usage.

TECHNIQUES DE BASE : BOUILLONS

Un bon bouillon constitue la base de nombreux plats, allant des soupes si mples aux sauces classiques des chaleureuses casseroles et des rôtis en cocotte. Des bouillons prêts à l'emploi sont disponibles dans les supermarchés, mais pourquoi ne pas les concocter vous-même ? C'est facile et peu onéreux. La plupart des bouchers et des poissonniers vous fourniront des os et des parures de viande et de poisson.

Un bouillon se prépare facilement dans une grande casserole sur la cuisinière. Toutefois, l'emploi d'une mijoteuse électrique simplifie le processus davantage, en vous évitant d'avoir à surveiller la cuisson pendant des heures. Pour ne pas être trouble, un bon bouillon devrait cuire doucement, d'où l'utilité d'une mijoteuse qui le maintient à peine frémissant.

Il y a deux types de bouillon : le brouillon brun, où les os et les légumes sont rôtis au four préalablement, et le bouillon blanc, où les ingrédients sont seulement bouillis. Bien lavées, les épluchures de légumes, les feuilles de céleri et les tiges d'herbes fraîches sont des ajouts utiles pour enrichir la saveur du bouillon.

Commencez toujours un bouillon avec de l'eau froide ; idéalement, l'eau et les légumes devraient être à température ambiante. Utilisez du poivre en grains, car la cuisson prolongée rend le goût du poivre moulu amer. Servez-vous d'un bouillon sans sel dans les plats contenant des ingrédients salés, comme de la viande ou du poisson fumés, et comme base pour les sauces réduites.

Ci-dessous : *Les ingrédients utilisés dans les bouillons varient selon leur disponibilité.*

Un bon bouillon devrait être limpide. Comme la graisse et les impuretés rendront le liquide trouble, il importe d'écumer sa surface dès qu'il commence à atteindre son point d'ébullition et au moins une fois durant la cuisson. Passez le bouillon au tamis fin dans un saladier et laissez égoutter lentement, sans presser les légumes pour ne pas altérer la limpidité du bouillon.

Pour les recettes qui suivent, vous aurez besoin d'une mijoteuse électrique d'une capacité d'au moins 3,5 l (10¼ tasses). Si votre mijoteuse est trop petite, divisez les quantités par deux, mais conservez le même temps de cuisson.

Bouillon de viande de base

Utilisé dans des mets de viande, tels que les casseroles, et comme base de potages clairs, le bouillon de viande est traditionnellement fait à partir d'os de veau. Un bouillon d'os de bœuf aura un goût plus prononcé. Un bouillon d'os d'agneau ne servira qu'aux plats d'agneau. Certaines recettes demandent de la viande à ragoût maigre, comme du jarret de bœuf, qui donne un goût de viande beaucoup plus fort. Dans ce cas, vous aurez besoin de 450 g (1 lb) d'os et de 450 g (1 lb) de viande.

DONNE ENVIRON 1,2 L (5 TASSES)

675 g (1½ lb) d'os de bœuf ou de veau
1 oignon non pelé, en quartiers
1 carotte émincée
1 branche de céleri émincée
6 grains de poivre noir
1 bouquet garni frais
environ 1,2 l (5 tasses) d'eau froide

1 Avec un couperet, coupez les gros os pour les faire entrer dans la mijoteuse. (Les os en morceaux donneront plus de goût au bouillon.)

2 Mettez les légumes dans le récipient de cuisson. Ajoutez les grains de poivre et le bouquet garni. Déposez les os en une seule couche. Mouillez d'eau à hauteur, en laissant un espace d'au moins 4 cm (1½ po) entre l'eau et le haut du récipient. Couvrez et laissez cuire 2 heures à haute température ou à la position AUTO.

3 Écumez et poursuivez la cuisson 5 heures à basse température ou à la position AUTO.

4 Passez le bouillon au tamis fin et laissez refroidir. Cette étape devrait se faire rapidement, idéalement en plaçant le bol de bouillon dans un récipient d'eau glacée.

5 Réfrigérez le bouillon au moins 4 heures, puis dégraissez.

Bouillon brun de viande

Ce bouillon est utilisé comme base pour le classique consommé de bœuf et autres potages clairs, comme la soupe à l'oignon. Il ajoute aussi de la profondeur à la couleur et au goût des casseroles et des braisés. Le secret des riches couleur et saveur d'un bouillon réside dans la façon dont l'oignon et les os sont caramélisés avant de mijoter. Toutefois, prenez garde de ne pas les laisser brûler, sinon, votre bouillon goûtera amer.

DONNE ENVIRON 1,2 L (5 TASSES)

675 g (1 ½ lb) d'os de bœuf ou de veau
1 oignon non pelé, en quartiers
1 carotte émincée
1 branche de céleri émincée
6 grains de poivre noir
1 bouquet garni frais
environ 1,2 l (5 tasses) d'eau froide

1 Préchauffez le four à 220 °C (425 °F/ gaz 7). Avec un couperet, coupez les gros os et placez-les sur une grande plaque à rôtir épaisse. Faites rôtir les os 15 minutes, en les tournant plusieurs fois en cours de cuisson.

2 Ajoutez les légumes et poursuivez la cuisson 15 minutes jusqu'à ce que les os soient bien dorés et les légumes, légèrement colorés.

3 Transférez les os et les légumes dans la mijoteuse et ajoutez les grains de poivre et le bouquet garni. Mouillez d'eau à hauteur, en laissant un espace d'au moins 4 cm (1 ½ po) entre l'eau et le haut du récipient de cuisson. Couvrez et laissez cuire 2 heures à haute température ou à la position AUTO.

4 Écumez et poursuivez la cuisson 4 heures à basse température ou à la position AUTO.

5 Passez le bouillon au tamis fin et faites refroidir rapidement. Couvrez et réfrigérez ou congelez. Dégraissez le bouillon avant utilisation.

CONSERVATION DU BOUILLON

Couvrez et réfrigérez le bouillon frais dès qu'il a refroidi et utilisez-le dans les 3 jours. Sinon, congelez-le en petites portions, idéalement de 300 ml (1 ¼ tasse), dans des sacs pour congélateur. Mettez chaque sac dans un contenant à bords droits, en le laissant dépasser largement au-dessus de l'ouverture du contenant. Versez la quantité mesurée de bouillon dans les sacs et mettez les contenants au congélateur. Quand le bouillon est bien congelé, retirez les sacs, fermez-les hermétiquement, étiquetez-les et rangez-les dans le congélateur.

Bouillon blanc de volaille

Pour faire ce bouillon, vous pouvez utiliser des os de volaille et des ailes de poulet crus ou une carcasse de volaille cuite. Il est excellent comme base de soupes et de sauces blanches, ou comme liquide de cuisson pour les braisés ou les ragoûts de viande blanche. La pelure de l'oignon n'ajoute pas de goût au bouillon, mais elle lui donne une belle couleur riche et dorée.

DONNE ENVIRON 1 L (4 TASSES)

1 carcasse de volaille fraîche ou cuite
1 oignon non pelé, haché grossièrement
1 poireau haché grossièrement
1 branche de céleri émincée
1 carotte émincée
6 grains de poivre blanc
2 brins de thym frais
2 feuilles de laurier
environ 1 l (4 tasses) d'eau froide

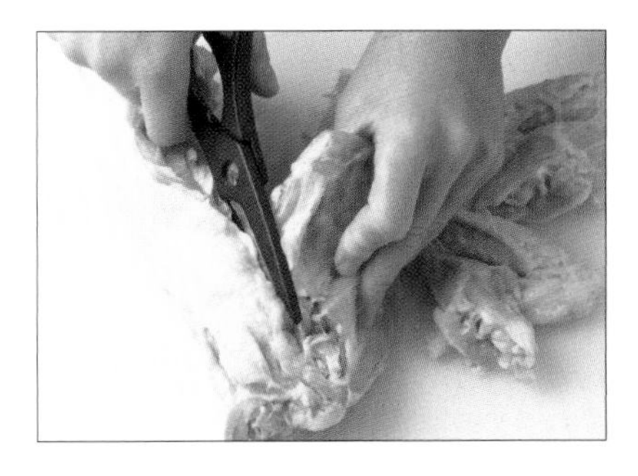

1 Avec des ciseaux à volaille, coupez la carcasse en morceaux pour la faire entrer dans la mijoteuse. (Cela aidera aussi à extraire la saveur des os.)

2 Mettez l'oignon haché, le poireau, le céleri et la carotte au fond du récipient de cuisson. Parsemez les grains de poivre, ajoutez les herbes et déposez les morceaux de carcasse.

3 Mouillez d'eau à hauteur, en laissant un espace d'au moins 4 cm (1½ po) entre l'eau et le haut du récipient de cuisson. Couvrez et faites cuire 2 heures à haute température ou à la position AUTO.

4 Écumez, couvrez et poursuivez la cuisson 3-4 heures à basse température ou à la position AUTO.

5 Passez le bouillon au tamis fin et faites refroidir rapidement – idéalement, en plaçant le bol de bouillon dans un récipient d'eau glacée.

6 Couvrez et réfrigérez ou congelez. Avant utilisation, dégraissez le bouillon.

BOUILLON D'ABATTIS DE DINDE

Faites ce bouillon exactement de la même façon que le bouillon blanc de volaille. Au lieu de la carcasse de poulet, utilisez des abattis internes (y compris le foie) et le cou de la dinde et mouillez de 900 ml (3¾ tasses) d'eau.

Fumet de poisson

Utilisez ce bouillon comme base de soupes de poissons délicats et de ragoûts consistants, ou comme liquide de pochage. De tous les bouillons, il est le plus rapide et le plus facile à faire.

Contrairement aux autres bouillons, le fumet de poisson deviendra amer s'il mijote trop longtemps. Une fois qu'il a atteint son point de frémissement (environ au bout d'une heure), laissez-le à peine frémir au plus pendant une heure.

Utilisez seulement les arêtes de poissons maigres telles que la sole et le carrelet. (Les arêtes de poissons gras, comme le maquereau, ne conviennent pas.) Vous pouvez ajouter les têtes, en prenant soin de retirer les yeux et les branchies qui donnent un mauvais goût. Vous pouvez aussi mettre des carapaces de crevettes. Tranchez finement les légumes pour extraire le maximum de leur saveur durant la cuisson. Pour donner un goût plus riche au fumet, remplacez environ 150 ml (⅔ tasse) d'eau par du vin blanc sec.

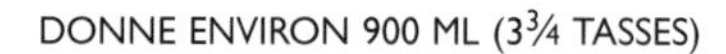

DONNE ENVIRON 900 ML (3¾ TASSES)

900 g (2 lb) d'arêtes et de parures de poisson
2 carottes émincées finement
1 oignon pelé et émincé
6 grains de poivre blanc
1 bouquet garni
900 ml (3¾ tasses) d'eau froide

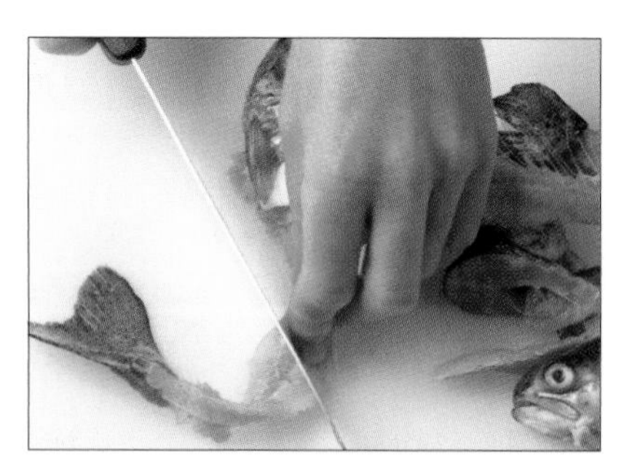

1 Rincez bien les arêtes et les parures sous l'eau froide. Coupez les gros morceaux pour qu'ils se logent facilement dans le récipient de cuisson.

2 Mettez les légumes au fond du récipient de cuisson. Parsemez les grains de poivre, ajoutez le bouquet garni et déposez les arêtes et parures.

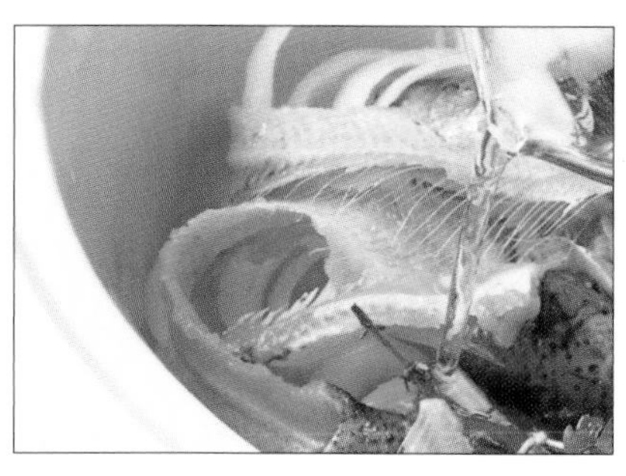

3 Mouillez à hauteur, en laissant un espace d'au moins 4 cm (1½ po) entre l'eau et le haut du récipient. Couvrez et faites cuire à haute température ou à la position AUTO 1 heure ou jusqu'à ébullition.

4 Écumez, couvrez et poursuivez la cuisson 1 heure à basse température ou à la position AUTO. (Ne cuisez pas plus longtemps.)

5 Passez le fumet au tamis fin – ou à la passoire tapissée d'une étamine rincée sous l'eau froide – et faites refroidir rapidement, en plaçant idéalement le bol de fumet dans un récipient d'eau glacée. Couvrez de pellicule plastique et réfrigérez ou congelez.

Bouillon de légumes

Vous pouvez varier les légumes indiqués dans cette recette, en prenant soin de bien les laver et de les couper en morceaux relativement petits. Utilisez avec parcimonie des légumes tels quele navet et le panais, dont le goût fort risque de dominer celui des autres. Évitez les légumes riches en féculents, comme les pommes de terre, qui rendront le bouillon trouble.

DONNE ENVIRON 1,5 L (6¼ TASSES)

1 gros oignon non pelé, haché
1 poireau haché grossièrement
2 carottes émincées finement
1 branche de céleri émincée finement
2 feuilles de laurier
1 brin de thym frais
quelques tiges de persil frais
6 grains de poivre blanc
environ 1,5 l (6¼ tasses) d'eau froide

1 Mettez les légumes, les herbes et les grains de poivre dans le récipient de cuisson et versez l'eau. Couvrez et laissez cuire 2 heures à haute température ou à la position AUTO.

2 Écumez et poursuivez la cuisson 2 heures à basse température ou à la position AUTO.

3 Passez le bouillon au tamis fin et laissez refroidir. Couvrez le bol et réfrigérez ou congelez.

Dégraissage

Avant d'être utilisé, un bouillon devrait être débarrassé de son gras. Pour faciliter le dégraissage, faites refroidir le bouillon, puis réfrigérez-le.

Versez le bouillon dans un bol, couvrez et réfrigérez au moins 4 heures ou toute la nuit. Le gras montera à la surface et s'y figera en gouttelettes ou en une seule couche s'il y en a beaucoup. Soulevez simplement le gras de la surface et retirez-le.

1 Si vous n'avez pas le temps de faire refroidir le bouillon, laissez-le reposer quelques minutes, puis enlevez autant de gras que possible avec une écumoire.

2 Déposez une feuille de papier essuie-tout sur la surface pour éponger le reste de gras. Répétez l'opération jusqu'à ce que tout le gras ait disparu.

Autre méthode de dégraissage : Laissez le bouillon refroidir. Déposez plusieurs glaçons, faites-les tourner délicatement pendant quelques secondes, puis retirez-les. Le gras se solidifiera et s'accrochera aux glaçons. (Cette méthode ne fonctionne que si le bouillon est froid.)

Réduction d'un bouillon

Une fois passé et dégraissé, un bouillon peut être réduit pour donner un concentré (ou fond). Remettez le bouillon dans la mijoteuse et laissez-le cuire à haute température plusieurs heures à découvert, pour permettre l'évaporation d'une partie de l'eau. Si vous désirez faire un bouillon très concentré, par exemple, pour une sauce réduite, la mijoteuse n'est pas adéquate. Versez plutôt le bouillon dans une casserole et portez-le rapidement à ébullition sur la cuisinière.

BOUILLONS PRÊTS À L'EMPLOI

Si le temps vous manque, procurez-vous des cartons de bouillon frais dans le rayon réfrigéré des supermarchés. Ce sont de bons produits de remplacement. S'ils sont de bonne qualité, les bouillons en poudre ou en conserve conviennent aussi. Toutefois, les bouillons cubes sont souvent très assaisonnés et riches en sel. Respectez les consignes de dilution et utilisez-les dans les plats au goût prononcé.

SOUPES

Bien qu'elles soient longues à cuire, beaucoup de soupes cuisinées à la mijoteuse électrique ne demandent qu'un temps minimal de préparation. Vous pouvez les laisser mijoter à basse température toute la journée ou toute la nuit sans surveillance. En outre, une cuisson prolongée à basse température est profitable à la plupart d'entre elles ; vous n'avez donc pas à vous en faire si elles cuisent plus longtemps que prévu.

Comme il constitue la base de nombreuses soupes, un bon bouillon maison vaut la peine d'être préparé en grande quantité, puis congelé en portions individuelles. À défaut, utilisez un bouillon commercial prêt à l'emploi de bonne qualité.

À la mijoteuse électrique, les soupes se préparent selon deux techniques de base. La plus facile consiste à mettre les ingrédients préparés dans le récipient de cuisson, avec soit de l'eau froide soit du bouillon frémissant. Cette méthode, qui donne une soupe parfumée mais pauvre en gras, est parfaite pour les potages aux légumes. Toutefois, elle convient moins aux soupes contenant des oignons qui mettent beaucoup de temps à s'attendrir. La seconde technique, plus courante, consiste à faire sauter à la poêle les oignons, les autres légumes et/ou la viande, avant de les mettre dans le récipient de cuisson. Dans certaines recettes, les légumes sont simplement attendris ; dans d'autres, ils sont légèrement dorés et donnent une saveur plus riche et une couleur plus profonde.

Soupe de légumes mélangés

Une soupe peut être composée de presque tous les légumes, les meilleurs résultats étant obtenus avec les ingrédients de saison les plus frais.

POUR 4 À 6 PERSONNES

675 g (1 ½ lb) de légumes mélangés, comme des carottes, du céleri, du panais, des pommes de terre
25 g (2 c. à soupe) de beurre
1 oignon haché finement
5 ml (1 c. à thé) d'herbes séchées mélangées
900 ml (3¾ tasses) de bouillon de légumes frémissant
150 ml (⅔ tasse) de lait ou de crème légère (facultatif)
sel et poivre noir moulu

1 Préparez les légumes mélangés et détaillez-les en tranches, bâtonnets ou cubes de 5 mm (¼ po), pour assurer une cuisson égale au terme du temps recommandé.

2 Faites fondre le beurre dans une poêle, ajoutez l'oignon et faites-le frire doucement en remuant fréquemment pendant 10 minutes, ou jusqu'à ce qu'il soit tendre sans être coloré.

3 Ajoutez les légumes en morceaux et faites sauter 2-3 minutes. Transférez dans le récipient de cuisson et chauffez à basse température.

4 Saupoudrez les herbes mélangées, puis versez le bouillon. Si vous utilisez des légumes riches en eau, tels que des courgettes ou des courges, réduisez la quantité de liquide. Dans le cas de ceux qui absorbent le jus de cuisson, comme les pommes de terre et les légumes secs, augmentez le liquide pour compenser. (Gardez à l'esprit qu'il est plus facile de diluer une soupe en fin de cuisson que d'essayer d'épaissir une soupe trop liquide.)

5 Assurez-vous qu'il y a un espace d'au moins 2 cm (¾ po) entre le liquide et le haut du récipient de cuisson. Couvrez et laissez cuire 7-12 heures, ou jusqu'à ce que les légumes soient tendres.

6 S'il y a lieu, ajoutez le lait ou de la crème et prolongez la cuisson de 30 minutes pour ramener la soupe au point d'ébullition. (Ne cuisez pas plus longtemps, car une cuisson prolongée risque de séparer la soupe.) Salez et poivrez au goût, puis servez.

ADAPTATION D'UNE RECETTE DE SOUPE

Adaptation d'une recette de soupe Inspirez-vous de cette recette simple de soupe aux légumes pour concocter différents potages. Si vous voulez ajouter de la viande ou de la volaille, placez les morceaux dans le récipient de cuisson en début de cuisson et faites cuire à haute température pendant au moins une heure avant de passer à basse température. Si vous désirez utiliser des herbes fraîches plutôt que séchées, doublez-en la quantité et mettez-les en fin de cuisson. Essayez des mélanges de bouillon et de jus de tomate, ou de bouillon et d'un peu de vin blanc ou de cidre. Vous pourriez aussi remplacer la crème légère par de la crème fraîche.

Ci-dessus : L'utilisation d'un mélangeur à main est l'un des moyens les plus faciles de faire des soupes lisses, mais assurez-vous de garder le pied immergé pour éviter les éclaboussures.

Réduction d'un potage en purée

Vous pouvez réduire quelques louches de soupe en purée, puis les remettre dans la soupe pour l'épaissir, ou réduire toute la soupe en purée pour obtenir un délicieux potage onctueux. Pour faire un potage-purée froid, il vaut mieux ajuster la consistance après avoir réfrigéré la soupe, car elle s'épaissira considérablement en refroidissant.

L'utilisation d'un mélangeur à main est la façon la plus simple de faire un potage-purée. En réduisant la soupe en purée directement dans le récipient de cuisson, vous n'aurez pas à la réchauffer. Si vous recourez à un robot culinaire ou à un mélangeur à bol, ne remplissez pas trop le contenant pour éviter un débordement. La plupart du temps, vous aurez à répéter l'opération au moins deux fois. Par conséquent, à moins de le servir froid, il vous faudra réchauffer le potage-purée dans la mijoteuse ou dans une casserole sur le feu.

Vous pouvez réduire les légumes mous à la main. Passez la soupe au tamis fin en pressant les légumes avec une grosse cuillère de bois. Sinon, passez les légumes au moulin à légumes et remettez-les dans le liquide de cuisson. Réchauffez le potage s'il doit être servi chaud.

Épaississement d'un potage

Il y a plusieurs moyens d'épaissir un potage, le plus facile étant l'utilisation de fécule de maïs ou d'arrow-root. Délayez la fécule dans un peu d'eau froide pour obtenir une pâte lisse, puis incorporez-la au potage chaud en remuant ou en fouettant. La fécule fera épaissir le liquide bouillant instantanément, mais prendra environ 10 minutes pour perdre son goût cru. L'arrow-root provoquera l'épaississement du liquide dès qu'il aura atteint son point d'ébullition. Toutefois, comme le potage redeviendra légèrement plus fluide après une cuisson prolongée, n'ajoutez l'arrow-root qu'en toute fin de cuisson.

Vous pouvez aussi épaissir un potage avec de la farine tout usage. En début de cuisson : saupoudrez les oignons frits de farine avant de les ajouter dans le bouillon. En fin de cuisson : mélangez la farine à une quantité égale de beurre ramolli ou de crème épaisse ; tout en fouettant, incorporez la préparation peu à peu au potage cuit et laissez épaissir quelques minutes – le potage doit cuire au moins 5 minutes pour éviter le goût cru de la farine.

Des œufs battus (entiers ou jaunes seulement) ou un mélange d'œufs et de crème peuvent servir à épaissir et à enrichir les potages-crèmes. Avant d'ajouter le mélange aux œufs, arrêtez toujours la mijoteuse pour laisser le potage refroidir légèrement, sinon, il pourrait tourner.

On utilise parfois de la chapelure pour épaissir les potages rustiques ou froids. La chapelure ajoutée en fin de cuisson absorbe le liquide et l'épaissit.

Garniture des potages

Une belle garniture agrémente l'aspect du potage au moment du service. Elle peut être aussi simple ou aussi élaborée que vous le désirez. Un tourbillon de crème, de crème fraîche ou de yogourt, saupoudré d'un peu de paprika ou de poivre noir, donnera une touche attrayante à un potage-crème. Des herbes fraîches ciselées sont également une garniture simple mais élégante, ajoutant couleur, saveur et texture. Utilisez avec parcimonie les herbes fortes, comme la sauge et le romarin.

Pour une garniture richement parfumée, ajoutez une cuillerée ou un tourbillon de pesto. Le pesto se marie particulièrement bien aux potages italiens et méditerranéens. Les fromages râpés, en copeaux ou émiettés donnent aussi de bons résultats, surtout avec les potages aux légumes ou aux haricots secs. Les fromages forts, comme le parmesan et le cheddar, ou les fromages friables, comme le stilton, sont idéaux.

Pour ajouter de la substance, de la saveur et de la texture, parsemez le potage de croûtons ou de miettes de pain frites. Cette garniture classique apporte une touche croustillante à toutes les soupes, qu'elles soient lisses ou avec des morceaux. Pour faire les croûtons, coupez des tranches épaisses de pain vieux d'un jour, de n'importe quelle sorte, puis détaillez-les en dés. Faites-les frire dans un peu d'huile d'olive, en les tournant constamment de façon à les dorer uniformément, puis égouttez-les sur du papier essuie-tout. Les miettes de pains frites sont préparées de la même manière, mais cuisent plus rapidement. Pour griller les croûtons au four, enrobez-les d'un peu d'huile, étalez-les sur une plaque à pâtisserie et enfournez-les 12-15 minutes à 200 °C (400 °F/gaz 6).

Les tranches de baguette gratinées au fro-mage sont l'accompagnement classique de la soupe à l'oignon française. L'effet de ces tran-ches flottant sur la surface d'une soupe fumante est spectaculaire. Frottez d'ail pelé de fines tranches de baguette de la veille. Faites dorer chaque côté légèrement sous le gril chaud. Garnissez chaque tranche de fromage râpé, comme du cheddar ou du parmesan, ou d'une tranche de fromage de chèvre, et faites gratiner sous le gril chaud. Déposez une ou deux tranches sur la soupe juste avant de servir.

Ci-dessous : Les tranches de pain croustillantes, recouvertes de fromage doré, agrémentent une soupe toute simple.

MARINADES

La marinade attendrit et rehausse le goût de la viande, de la volaille, du gibier, du poisson et même des légumes et du fromage. Elle n'est généralement pas justifiée pour attendrir les aliments qui doivent être cuits à la mijoteuse électrique. Toutefois, elle vaut la peine d'être utilisée pour la saveur qu'elle ajoute aux plats. Il y a trois sortes de marinade de base : liquide, sèche et en pâte. Marinez toujours les ingrédients dans un récipient non métallique.

Marinade liquide de base

La marinade liquide est généralement faite d'huile et de vinaigre ou autre ingrédient acide, comme du vin, du jus de fruits ou du yogourt. Elle ajoute de l'humidité ainsi que de la saveur.

La viande rouge, la volaille et le gibier peuvent être marinés jusqu'à 2 heures à température ambiante ou jusqu'à 24 heures au réfrigérateur. Marinez les petites pièces de viande, telles que les biftecks, les côtes et les côtelettes, au plus 2 heures à température ambiante ou 12 heures au réfrigérateur ; le poisson entier, en filets ou en darnes, au plus 30 minutes à température ambiante ou 2 heures au réfrigérateur ; les légumes, 30 minutes à température ambiante ou 2 heures au réfrigérateur ; les fromages et le tofu, 1 heure à température ambiante ou environ 8 heures au réfrigérateur.

QUANTITÉ SUFFISANTE POUR 900 G (2 LB) DE VIANDE OU DE POISSON OU 675 G (1½ LB) DE LÉGUMES

90 ml (6 c. à soupe) d'huile d'olive
15-30 ml (1-2 c. à soupe) de vinaigre de cidre
1 gousse d'ail écrasée
5 ml (1 c. à thé) de thym séché
2,5 ml (½ c. à thé) de grains de poivre écrasés

1 Mélangez tous les ingrédients, en utilisant 15 ml (1 c. à soupe) de vinaigre pour le poisson et 30 ml (2 c. à soupe) de vinaigre pour la viande ou les légumes.

2 Si vous marinez de la viande ou du poisson avec la peau, faites plusieurs petites incisions dans chaque morceau, puis placez-les dans un plat peu profond.

3 Arrosez ou badigeonnez les aliments de marinade, en veillant à bien enrober tous les morceaux, puis laissez-les mariner, en les retournant régulièrement.

Autres marinades liquides

Les techniques de préparation et d'utilisation de la marinade liquide de base s'appliquent à plusieurs autres marinades.

Épicée au yogourt : Mélangez ensemble 175 ml (1 tasse) de yogourt nature, 2 gousses d'ail écrasées, 2,5 ml (½ c. à thé) chacun de cumin, de cannelle et de grains de poivre noir écrasés et 1 pincée chacun de gingembre moulu, de clou de girofle moulu, de poivre de Cayenne et de sel. Marinade pour poulet, agneau et poisson.

À la sauce hoisin : Mélangez ensemble 175 ml (1 tasse) de sauce hoisin, 30 ml (2 c. à soupe) chacun d'huile de sésame, de xérès sec et de vinaigre de riz, 4 gousses d'ail finement hachées, 2,5 ml (½ c. à thé) de cassonade dorée et 1,5 ml (¼ c. à thé) de cinq-épices. Marinade chinoise pour côtelettes et morceaux de poulet.

À la noix de coco et à l'ananas : Mélangez au robot culinaire ¼ d'ananas pelé et haché, le jus de ½ lime et 150 ml (¼ tasse) de lait de noix de coco. Marinade pour poulet et porc.

Thaïlandaise : Faites ramollir 30 ml (2 c. à soupe) de pulpe de tamarin dans 45 ml (3 c. à soupe) d'eau bouillante. Passez le tamarin au tamis fin dans une casserole, en écrasant sa pulpe. Hachez finement 1 tige de citronnelle, 1 morceau de 2,5 cm (1 po) de galanga ou de gingembre frais, 2 échalotes, 2 gousses d'ail, 2 piments verts épépinés et 2 feuilles de combava. Dans un robot culinaire, mettez les épices et 30 ml (2 c. à soupe) cha-cune d'huile d'arachide et de sauce soja. Réduisez en pâte et incorporez au tamarin. Portez à ébullition, puis laissez refroidir. Marinade pour bœuf, porc et poulet.

Au vin : Mélangez ensemble 75 ml (5 c. à soupe) de vin, 30 ml (2 c. à soupe) d'huile d'olive, 2 échalotes finement hachées, 1 pincée d'herbes séchées ou 10 ml (2 c. à thé)) d'herbes fraîches hachées, telles que du romarin. Utilisez du vin rouge pour la viande rouge et le canard et du vin blanc pour le poulet et le poisson.

Marinade sèche de base

Parfois appelée « épices à frotter », la marinade sèche s'applique sur les aliments peu avant leur cuisson. Comme elle sert purement à parfumer, on l'utilise de préférence sur des morceaux de viande et de poisson gras ou dans les braisés. Vous pouvez varier la saveur en utilisant différentes épices, comme de la cardamome, des graines de cumin grillées à sec ou un peu de poudre chili, ou un mélange d'herbes séchées avec du zeste d'agrume râpé.

QUANTITÉ SUFFISANTE POUR 900 G (2 LB) DE VIANDE OU DE POISSON

15 ml (1 c. à soupe) de thym séché
15 ml (1 c. à soupe) d'origan séché
15 ml (1 c. à soupe) d'ail granulé
15 ml (1 c. à soupe) de cumin moulu
15 ml (1 c. à soupe) de paprika
2,5 ml (½ c. à thé) de poivre de Cayenne
2,5 ml (½ c. à thé) de poivre noir moulu

1 Mélangez les ingrédients dans un bol, puis étalez-les en une couche homogène dans un plat peu profond.

2 Pressez chaque morceau de viande ou de poisson dans le mélange pour les enrober également. Secouez-les doucement pour enlever l'excédent d'épices. Disposez sur un plat, recouvrez de pellicule plastique et laissez mariner à température ambiante 30 minutes, ou utilisez immédiatement.

Marinade en pâte

Les aliments enrobés de marinade en pâte devraient être cuits au-dessus du niveau de liquide, par exemple, sur un lit de légumes.

Aux herbes : Chauffez 50 g (¼ tasse) de beurre dans une poêle et faites revenir doucement 115 g (4 oz) d'échalotes finement hachées et 1,5 ml (¼ c. à thé) de graines de fenouil, jusqu'à ce que les échalotes soient tendres. Retirez du feu et incorporez 1 morceau de 2,5 cm (1 po) de gingembre fraîchement râpé, 30 ml (2 c. à soupe) chacun d'aneth et de persil frais, ciselés, et 15 ml (1 c. à soupe) de câpres finement hachées. Ajoutez 15-30 ml (1-2 c. à soupe) d'huile de tournesol pour former une pâte. Tartinez sur des morceaux de poulet ou insérez-la sous la peau, ou farcissez-en l'intérieur d'un poisson entier. Laissez mariner au plus 1 heure à température ambiante ou faites cuire immédiatement. Pâte pour aliments à cuisson courte.

Mexicaine au chili : Mélangez ensemble le zeste finement râpé de 1 lime, 4 gousses d'ail écrasées, 30 ml (2 c. à soupe) de poudre chili, 15 ml (1 c. à soupe) de paprika, 5 ml (1 c. à thé) de cumin moulu, 2,5 ml (½ c. à thé) d'origan séché et 1 pincée chacun de cannelle moulue et de sel. Ajoutez 15 ml (1 c. à soupe) d'huile d'olive et suffisamment de jus de lime pour former une pâte. Utilisez sur du poulet ou du porc. Laissez mariner au plus 1 heure à température ambiante ou faites cuire immédiatement.

Tandoori : Mélangez 30 ml (2 c. à soupe) chacun de coriandre et de cumin moulus ainsi que de poudre d'ail, 15 ml (1 c. à soupe) chacun de paprika et de gingembre moulu, 10 ml (2 c. à thé) chacun de curcuma moulu et de poudre chili avec suffisamment d'huile d'arachide pour former une pâte. Utilisez sur de l'agneau, du bœuf, du poulet ou du poisson gras. Laissez mariner au plus 2 heures à température ambiante ou couvrez et réfrigérez toute la nuit. Grattez l'excédent de pâte avant de cuire.

Marinade aux fruits

Certains fruits contiennent des enzymes qui attendrissent les fibres de la viande et des fruits de mer coriaces, comme le calmar. La papaye, l'ananas et le kiwi renferment tous de la papaïne, une enzyme qui dégrade les protéines et qui est utilisée commercialement comme attendrisseur chimique de la viande. Ajoutez un peu de jus de fruits dans une marinade, ou tranchez les fruits et placez-les sur la viande ou le poisson. Laissez mariner au plus 15 minutes.

ASTUCES POUR MARINER

- Plus le morceau est gros, plus il devra mariner longtemps.
- Pour les viandes qui s'assèchent à la cuisson, comme le gibier ou le poisson maigre, optez pour des marinades contenant moins de vinaigre, de vin ou de jus de fruits. Ces dernières conviennent aux viandes plus grasses, comme l'agneau ou le poisson gras.
- Par temps humide ou chaud, il est plus sécuritaire de mariner la viande et le poisson au réfrigérateur. Par temps frais ou pour une courte période, les aliments peuvent être marinés sans danger à température ambiante.
- En règle générale, les herbes séchées sont meilleures dans les marinades que les herbes fraîches. Si vous utilisez des herbes fraîches ligneuses, comme du romarin et du thym, écrasez les feuilles pour libérer leur arôme.
- Si vous faites frire ou griller des aliments marinés avant de les mettre dans la mijoteuse électrique, épongez-les au préalable sur du papier essuie-tout.
- Évitez d'ajouter du sel dans les marinades, car il absorbe l'humidité des aliments – si vous voulez saler les aliments, faites-le après les avoir marinés.

RAGOÛTS et CASSEROLES

La chaleur douce et régulière de la mijoteuse électrique est parfaite pour la confection des ragoûts et des casseroles. La cuisson prolongée rend tous les morceaux de viande tendres et succulents. Même les pièces les plus coriaces donneront des plats savoureux.

Les ragoûts, les casseroles, les carbonades et les navarins sont tous des noms donnés à un même type de plats à base de viande et/ou de légumes mijotés dans un liquide. Les termes « ragoût » et « casserole » désignent des mets cuits lentement en cocotte, sur le feu (ragoût) ou au four (casserole). En cuisine à la mijoteuse, ces deux termes sont largement interchangeables.

Choix d'une coupe

Pour la cuisson à la mijoteuse électrique, les viandes idéales sont les morceaux économiques, tels que la poitrine, les tranches d'épaule, la palette et le jarret. Ces morceaux proviennent de la partie de l'animal (généralement le quartier avant) qui travaille le plus fort. Ils ont une texture plus lâche et des bonnes marbrures de gras. Durant la cuisson, les tissus conjonctifs et le gras se dissolvent et donnent une sauce riche ; les fibres s'ouvrent et laissent l'humidité pénétrer, rendant la viande juteuse. En outre, leur goût est plus prononcé que celui des morceaux très maigres.

Les morceaux plus onéreux, comme les filets de bœuf et de porc, au grain fin et à la texture dense, sont délicieux lorsqu'ils sont cuits à point ou saignants, grillés à la poêle ou au four. La cuisson à la mijoteuse électrique leur convient moins car, même s'ils deviennent plus tendres, leurs fibres serrées les empêchent d'absorber le liquide environnant. Au final, le ragoût manquera de succulence et de saveur.

Découpage de la viande en cubes

La viande coriace, comme celle à ragoût, cuit plus également et rapidement si elle est taillée en petits cubes égaux, idéalement de 2,5 cm (1 po). Les cubes devraient être légèrement plus gros que les morceaux de légumes, car ces derniers prennent un peu plus de temps à cuire. Bien que l'excédent de gras doive être enlevé, quelques marbrures sont utiles pour aider la viande à rester juteuse. Tout gras résiduel pourra être écumé après la cuisson.

1 Parez la viande, en ôtant l'excédent de gras ainsi que tout cartilage, tendon ou membrane.

2 Avec un grand couteau, détaillez la viande en tranches de 2,5 cm (1 po), en veillant à couper perpendiculairement au grain ; les fibres seront ainsi moins longues, ce qui rendra la viande plus tendre.

3 Pour faire des cubes, coupez les tranches en larges lanières dans le sens de la longueur. Le cas échéant, retirez le gras ou le cartilage au fur et à mesure.

4 Recoupez chaque lanière en morceaux de 2,5 cm (1 po). (Dans certaines pièces de viande, comme l'épaule d'agneau, des cubes parfaits sont difficiles à obtenir ; essayez de faire des morceaux de tailles égales et enlevez le gras ou le cartilage au fur et à mesure.)

Préparation des côtelettes

Bien que les côtelettes soient normalement vendues parées et assez maigres, il faut généralement les dégraisser davantage pour faciliter leur cuisson et améliorer leur goût.

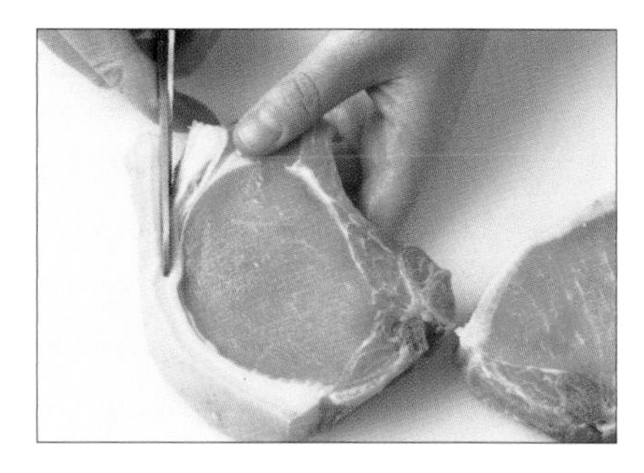

1 Avec des ciseaux à volaille ou un couteau, coupez le gras autour de chaque côtelette, en conservant une bande d'un peu moins de 5 mm (¼ po).

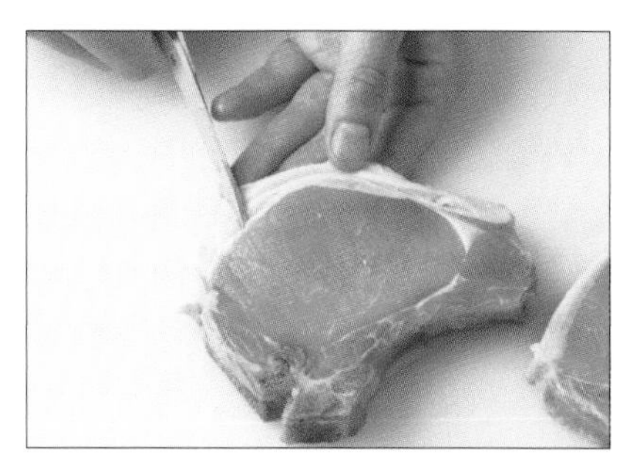

2 Si vous devez saisir des morceaux tels que côtelettes et tranches de lard maigre ou de jambon fumé, entaillez leur bord pour les empêcher de se retrousser et de gondoler ; au contact de la chaleur, le bord s'étalera et la viande restera bien à plat sur la poêle.

Préparation des côtelettes

De la poitrine entière ou en cubes, aux pilons et hauts de cuisses, diverses parties de la volaille et du gibier à plumegibier à plumes se cuisinent en ragoût et en casserole. Laissez les os pour renforcer la saveur ou, si vous le préférez, enlevez-les et réservez-les pour faire du bouillon. Généralement, il vaut mieux retirer la peau de la volaille, car la cuisson humide ne la rendra pas croustillante.

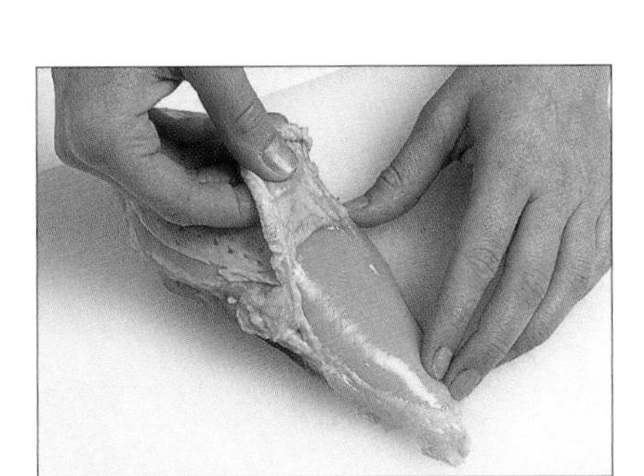

Pour enlever la peau et la fine membrane d'une demi-poitrine, détachez-les de la viande en les tirant délicatement vers vous. Pour désosser la demi-poitrine, séparez la viande du bréchet avec un petit couteau et ôtez tout morceau d'os résiduel. Retirez également les fins tendons blancs au centre de la viande.

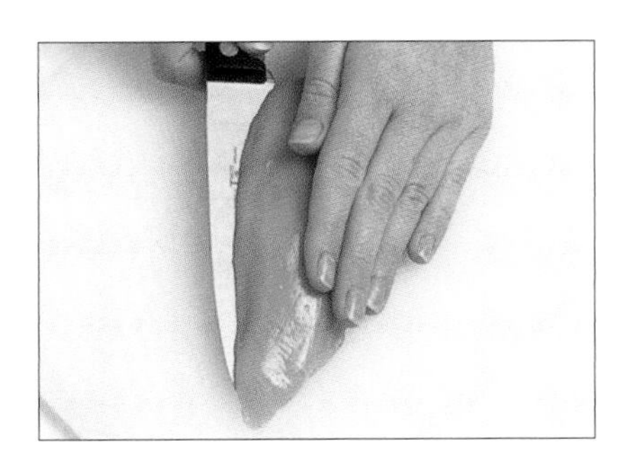

Pour préparer des escalopes, posez votre main sur le filet et coupez-le en deux dans le sens de l'épaisseur. Vous obtiendrez deux escalopes avec un filet de poulet, trois avec celui d'un canard et au moins quatre avec celui d'une dinde.

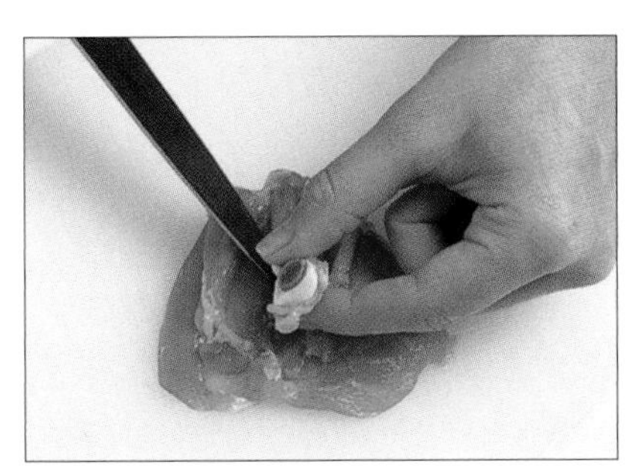

Pour enlever la peau d'un haut de cuisse, soulevez la peau avec un couteau, puis détachez-la de la viande en tirant dessus. Pour désosser, coupez prudemment la chair dans le sens de la longueur, le long de l'os. Découpez tout autour de l'os et retirez-le.

Préparation des côtelettes

L'un des problèmes caractéristiques de la cuisson à basse température, c'est que de nombreux types de légumes mettent plus de temps à cuire que la viande. Pour s'assurer qu'ils cuiront tous à l'intérieur du temps recommandé, veillez à les couper en morceaux égaux, légèrement plus petits que ceux de viande.

Les oignons étant longs à cuire, émincez-les ou hachez-les finement avant de les ajouter dans la mijoteuse. Si vous préférez des morceaux plus gros, faites-les revenir préalablement à la poêle jusqu'à ce qu'ils soient tendres.

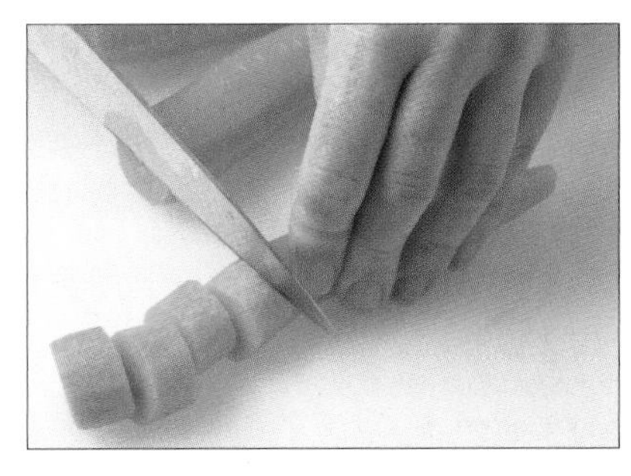

Les légumes racines durs, comme les carottes, les pommes de terre et les navets, sont les plus longs à cuire dans une mijoteuse électrique. Coupez-les en dés, en rondelles ou en tronçons de 5 mm (¼ po). (Les pommes de terre se décolorant à l'air, assurez-vous qu'elles sont bien immergées dans le liquide durant leur cuisson.)

CONSEIL DU CHEF

Certains légumes, tels que les poivrons, deviennent amers s'ils sont cuits trop longtemps et certains types, particulièrement les poivrons verts, peuvent se décolorer. Comme ils cuisent relativement vite, mettez-les dans la mijoteuse 45-60 minutes avant la fin du temps de cuisson.

LIQUIDES POUR CASSEROLES ET RAGOÛTS

La sauce finale résulte du mélange de jus de viande et de légumes avec le liquide utilisé en début de cuisson. Le long temps de cuisson garantit une sauce pleine de saveur avec de l'eau et plus riche avec d'autres liquides. Il vous faudra parfois ajuster la quantité de liquide en fonction des ingrédients principaux du mets ; par exemple, les légumes tels que les champignons produiront du liquide qui diluera la sauce.

Bouillon : Un bouillon maison est l'idéal. À défaut, prenez du bouillon frais prêt à l'emploi ou du bouillon de bonne qualité en cubes ou en poudre – utilisez ces derniers en proportion adéquate (dans certains cas, une moitié de cube pourrait suffire), car une trop grande quantité pourrait donner un goût artificiel très salé. Employez de préférence un bouillon dont la saveur correspond à celle du plat. Si vous n'avez pas le bon bouillon de viande, utilisez un bouillon de légumes.

Vin : Le vin rouge ou blanc ajoute du goût au plat et son acidité attendrit la viande. Choisissez un vin que vous aimez boire ; un vin de piètre qualité, trop acide, gâchera la saveur de votre plat. En général, il vaut mieux utiliser un mélange de vin et de bouillon que du vin seul.

Cidre : À l'instar du vin, le cidre parfume et attendrit la viande. Il est excellent dans les plats de poulet et de porc, en particulier ceux qui contiennent des fruits. À moins que vous ne désiriez obtenir un mets très sucré, utilisez du cidre sec ou demi-sec.

Bière : La bière, blonde ou brune, ou la stout donnent une riche sauce foncée. Bien qu'elle perde son amertume en cuisant, son goût peut être trop fort. Un mélange de bière et de bouillon serait donc plus approprié.

Tomates : Les tomates ajoutent de la saveur au plat. Vous pouvez utiliser des tomates fraîchement hachées ou des tomates en conserve, en purée (passata), en pâte ou en jus.

TECHNIQUES DE BASE

Les deux façons de faire un ragoût à la mijoteuse électrique sont la méthode en une étape (à blanc), où les ingrédients sont placés crus dans le récipient de cuisson, et la méthode en deux étapes (à brun), où la viande et la totalité ou une partie des légumes sont revenus à la poêle au préalable.

Ragoût à blanc

Le ragoût irlandais est un ragoût à blanc classique. Inspirez-vous de la recette qui suit pour faire vos ragoûts en une seule étape. Tous les ingrédients sont mis dans le récipient de cuisson sans avoir été rissolés, ce qui réduit le temps de préparation et convient bien aux personnes qui suivent un régime faible en gras. Le bouillon ou le liquide de cuisson de départ est généralement froid, mais il peut être chaud pour activer le processus de cuisson. Pour une tendreté optimale, les casseroles devraient cuire à basse température. Toutefois, lorsque les ingrédients sont froids, en particulier les gros morceaux de viande, il est préférable de commencer la cuisson à haute température ou à la position AUTO pendant 1 à 2 heures.

POUR 4 PERSONNES

900 g (2 lb) d'épaule d'agneau avec os ou 8 tranches de collier d'agneau
450 g (1 lb) d'oignons
900 g (2 lb) de pommes de terre
1 carotte émincée (facultatif)
brin de thym ou feuille de laurier (facultatif)
environ 600 ml (2½ tasses) de bouillon d'agneau ou de légumes
sel et poivre noir moulu

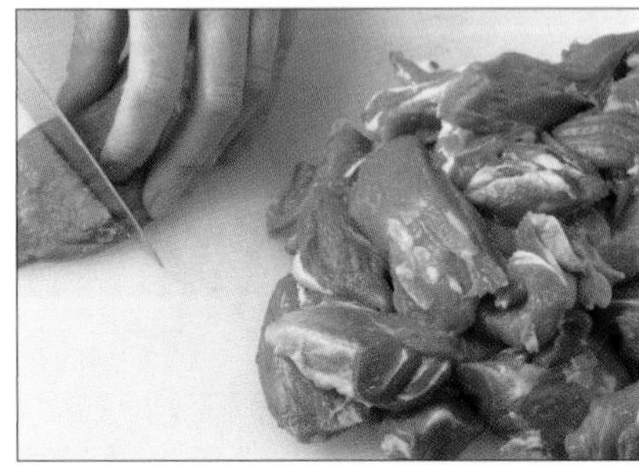

1 Enlevez l'excédent de gras et coupez la viande en morceaux de 3 cm (1¼ po). (Les tranches d'agneau peuvent être laissées entières.)

2 Tranchez les oignons et les pommes de terre aussi finement que possible.

3 Placez les oignons au fond du récipient de cuisson, puis disposez en couches les pommes de terre, la carotte et les herbes, si vous en utilisez, et la viande. Salez et poivrez légèrement entre chaque couche.

4 Mouillez à hauteur de bouillon, couvrez et faites cuire 2 heures à haute température ou à la position AUTO.

5 Écumez, couvrez et poursuivez la cuisson à basse température ou à la position AUTO 4-6 heures, ou jusqu'à ce que la viande et les légumes soient très tendres et juteux.

Ragoût à brun

Cette méthode est utilisée pour la majorité des ragoûts et des casseroles, car elle ajoute de la couleur et une saveur riche intense. Le rissolage décompose les sucs naturels des ingrédients et en fait ressortir les saveurs sucrées et complexes. La viande rissolée améliore l'apparence et le goût d'une casserole. Ce traitement est également profitable aux légumes, surtout aux oignons qui, dans une mijoteuse, mettent beaucoup plus de temps à s'attendrir que la viande.

POUR 4 À 6 PERSONNES

900 g (2 lb) de bœuf à ragoût maigre
45 ml (3 c. à soupe) de farine tout usage
50 g (¼ tasse) de beurre
30 ml (2 c. à soupe) d'huile
12 petits oignons blancs pelés
115 g (4 oz) de champignons de Paris
1 gousse d'ail écrasée
300 ml (1¼ tasse) de vin rouge
150 ml (⅔ tasse) de bouillon de bœuf frémissant
1 feuille de laurier
30 ml (2 c. à soupe) de persil frais haché
sel et poivre noir moulu

1 Parez la viande et coupez-la en cubes de 2,5 cm (1 po). Assaisonnez la farine

de sel et de poivre noir et étalez-la sur une assiette ou versez-la dans un sac de plastique. Roulez la viande dans la farine ou mettez quelques cubes dans le sac, secouez pour bien les enrober et retirez-les – répétez l'opération jusqu'à épuisement des cubes. Secouez l'excédent de farine et réservez-le.

2 Dans une grande poêle, faites fondre la moitié du beurre avec la moitié de l'huile. (Si vous le désirez, réduisez la quantité de matières grasses en utilisant une poêle anti-adhésive.)

3 Lorsque le beurre grésille, faites revenir la viande, une petite quantité à la fois. (N'essayez pas de cuire trop de viande en même temps car, au lieu de dorer, elle commencera à cuire dans son jus.) Retournez les cubes fréquemment pour les faire dorer de tous côtés. Retirez avec une écumoire et transférez dans le récipient de cuisson.

4 Chauffez le reste de beurre et d'huile dans la poêle. Ajoutez les oignons et faites-les cuire jusqu'à ce qu'ils soient glacés et bien dorés. Retirez avec une écumoire et transférez dans le récipient de cuisson. Mettez les champignons et l'ail dans la poêle et laissez-les cuire 2-3 minutes jusqu'à ce qu'ils soient dorés. Transférez dans le récipient de cuisson.

5 Saupoudrez le reste de farine sur le jus dans la poêle et remuez pour mélanger. Tout en remuant, ajoutez graduellement le vin rouge puis le bouillon.

6 Remuez la sauce en grattant le fond de la poêle pour en détacher les sucs de viande et de légumes et portez à frémissement. Versez sur la viande et les légumes et ajoutez la feuille de laurier en l'enfonçant dans le liquide.

7 Couvrez et faites cuire 1 heure à haute température ou à la position AUTO. Poursuivez la cuisson à basse température ou à la position AUTO 6-8 heures, ou jusqu'à ce que la viande et les légumes soient tendres – sinon, cuisez à haute température 4-5 heures. Juste avant de servir, saupoudrez le ragoût de persil.

Épaississement

Divers moyens permettent d'épaissir la sauce d'un ragoût ou d'une casserole.
Farine : Avant de placer les morceaux de viande dans le récipient de cuisson, on les fait souvent rissoler à la poêle après les avoir enrobés de farine (celle-ci fera épaissir la sauce pendant la cuisson). La farine donnant un goût amer si elle est brûlée, retirez la viande dès qu'elle est dorée.

Sinon, vous pouvez lier la sauce en fin de cuisson, en incorporant un mélange de farine et de beurre en quantités égales. Prolongez un peu le temps de cuisson pour permettre à la farine de cuire et de perdre son goût cru.

Fécule de maïs ou arrow-root :
Ces farines très fines peuvent toutes deux être utilisées pour lier une sauce. Elles devraient être mélangées avec un peu d'eau ou autre liquide froid avant d'être incorporées au ragoût.

Pâtes et riz : À mi-cuisson, s'il devient évident que le plat demande à être épaissi, l'ajout d'un peu de pâtes ou de riz étuvé permettra d'absorber une partie du liquide. Ajoutez-les environ 45 minutes avant la fin de la cuisson. (Vous pouvez aussi utiliser des lentilles et des céréales, telles que l'orge perlé, mais ajoutez-les vers le début de la cuisson car elles mettent plus de temps à cuire.)
Réduction : Si la sauce est trop liquide en fin de cuisson, retirez la viande et les légumes avec une écumoire et réservez-les. Versez le liquide dans une casserole large ou une grande poêle et portez à ébullition pour réduire. Ajoutez la viande et les légumes à la sauce réduite et réchauffez doucement. C'est une technique utile pour le poisson et le poulet qui risquent de se défaire s'ils sont trop cuits.

Dégraissage

Si le mets a produit beaucoup de gras durant sa cuisson, vous voudrez sans doute le dégraisser avant de servir. La plupart du gras montera à la surface. Enlevez-le simplement avec une grande cuillère de cuisine, puis épongez le gras résiduel avec du papier essuie-tout – déposez le papier sur la surface du ragoût et retirez-le aussitôt qu'il a absorbé le gras. Si vous avez préparé le plat à l'avance, réfrigérez-le de façon à figer le gras à la surface. Vous n'aurez plus qu'à soulever le gras et à l'ôter.

BRAISAGE

Le braisage consiste à faire cuire un mets à feu doux, dans un plat recouvert d'un couvercle hermétique, avec très peu de liquide. La vapeur enfermée garde les aliments humides durant la cuisson. Au lieu d'être coupée en petits morceaux, la viande est détaillée en grandes tranches égales ou laissée entière dans le cas, par exemple, de côtes ou de jarrets d'agneau. Le braisage convient aussi aux gros poissons à chair ferme que l'on place sur un lit de légumes à peine recouverts d'eau. La mijoteuse électrique est parfaite pour le braisage, car elle produit une chaleur très douce et possède un couvercle bien hermétique qui permet à la vapeur condensée de retourner dans le récipient.

Préparation d'une viande à braiser

Avant de braiser une viande, enlevez toujours l'excédent de gras et, avant de servir, dégraissez le jus de cuisson. Pour assurer une cuisson égale, tous les morceaux de viande devraient avoir la même épaisseur.

1 Coupez la viande en tranches d'environ 2 cm (¾ po) d'épaisseur. À l'extrémité plus étroite, coupez des tranches plus épaisses.

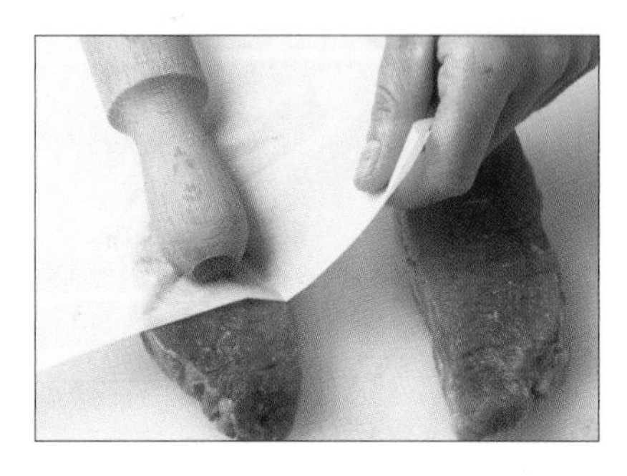

2 Placez les tranches plus épaisses sur une planche, couvrez de papier ciré et aplatissez en battant doucement avec un rouleau à pâtisserie ou un maillet à viande.

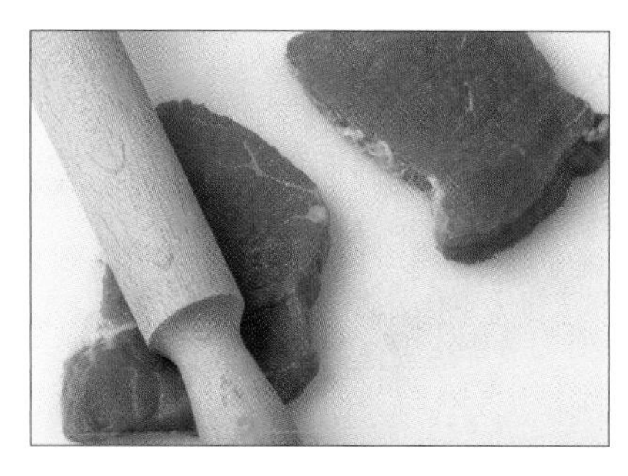

Battre la viande aide à l'attendrir. Si vous le désirez, coupez la viande en tranches d'environ 3 cm (1 ¼ po) d'épaisseur et battez pour aplatir.

Braisage des jarrets d'agneau

Dans l'ensemble, les morceaux d'agneau sont tendres et assez gras et n'ont donc pas avantage à être braisés. En revanche, une longue cuisson humide à basse température est tout indiquée pour les jarrets maigres et durs. Les tranches épaisses de viande, comme les steaks à braiser, et les petits rôtis peuvent être cuits de la même façon.

POUR 4 PERSONNES

4 jarrets d'agneau
1 oignon rouge haché très finement
1 gousse d'ail écrasée
brin de thym frais
5 ml (1 c. à thé) de romarin frais haché
5 ml (1 c. à thé) de paprika
15 ml (1 c. à soupe) de vinaigre balsamique
60 ml (4 c. à soupe) d'huile d'olive
175 ml (¾ tasse) de vin rouge
150 ml (⅔ tasse) de bouillon d'agneau
ou de légumes
persil frais haché
sel et poivre noir moulu

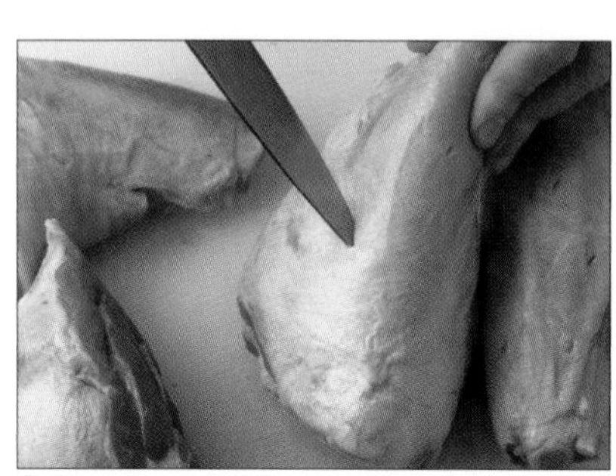

1 Avec la pointe d'un couteau, piquez doucement les jarrets partout, à intervalles réguliers.

2 Mélangez ensemble l'oignon, l'ail, le thym, le romarin, le paprika, le vinaigre et la moitié de l'huile. Badigeonnez les jarrets, placez dans un plat peu profond non métallique, couvrez et laissez mariner 2 heures à température ambiante ou jusqu'à 24 heures au réfrigérateur. (Le fait de laisser mariner met en route le processus d'attendrissage, mais il n'est pas essentiel.)

3 Retirez la viande et réservez la marinade. Chauffez le reste d'huile dans une poêle et faites dorer légèrement les jarrets de tous côtés. Transférez dans le récipient de cuisson, salez et poivrez.

4 Dans la poêle, ajoutez la marinade réservée, le vin et le bouillon. Portez presque à ébullition, en remuant, puis versez sur les jarrets.

5 Couvrez et laissez cuire 1 heure à haute température ou à la position AUTO. Poursuivez la cuisson à basse température ou à la position AUTO 6-8 heures, ou jusqu'à ce que la viande soit très tendre, en la retournant une fois à mi-cuisson.

6 Avec une écumoire, transférez les jarrets sur un plat de service chaud. Dégraissez le jus de cuisson et rectifiez l'assaisonnement au besoin. Ajoutez le persil et versez sur les jarrets.

Braisage du chou rouge

Le braisage rend de nombreux types de légumes fondants et pleins de saveur. Le chou rouge est donné comme exemple. Le fenouil et le céleri sont également très bons braisés. Coupez le fenouil en tranches très fines et égales, du haut jusqu'au bout de la racine. Laissez le céleri entier ou détaillez-le en tronçons.

POUR 4 À 6 PERSONNES

1 chou rouge d'environ 900 g (2 lb)
450 g (1 lb) de pommes à cuire pelées, évidées et hachées
30 ml (2 c. à soupe) de cassonade dorée ou brune
30 ml (2 c. à soupe) de vinaigre de vin rouge
175 ml (¾ tasse) d'eau frémissante
sel et poivre noir moulu

1 Jetez les feuilles extérieures dures. Coupez le chou en quatre et ôtez le trognon. Émincez le chou finement.

2 Mettez le chou, les pommes, la cassonade, le vinaigre, le sel et le poivre dans le récipient de cuisson. Mélangez, tassez fermement et ajoutez l'eau.

3 Couvrez et laissez cuire 6-8 heures à haute température ou à la position AUTO, en remuant à mi-cuisson.

Réchauffage des braisés, casseroles et ragoûts

Les braisés, les casseroles et les ragoûts sont souvent servis le lendemain de leur confection, car ils développent davantage de goût en reposant et en réchauffant. Cette amélioration du goût est moins évidente lorsque les plats sont cuits à la mijoteuse électrique. En effet, la longue cuisson à basse température aura déjà permis aux saveurs de se développer et de se mêler. Si vous prévoyez réchauffer un plat, il importe que vous le fassiez refroidir le plus rapidement possible – toutefois, ne plongez jamais le récipient en céramique dans l'eau froide, car la différence de température pourrait le faire craquer.

1 Lorsque la cuisson est terminée, retirez le récipient de la mijoteuse et laissez reposer au moins 10 minutes à découvert, pour permettre à la vapeur de s'échapper. (S'il s'agit de légumes braisés, n'enlevez pas le couvercle pour conserver leur humidité.)

2 Placez le récipient de cuisson dans une bassine à vaisselle contenant de l'eau pas très froide. Attendez environ 15 minutes ou jusqu'à ce que l'eau de la bassine ait réchauffé. (Ne remplissez pas trop la bassine, sinon l'eau pourrait déborder dans le mets cuisiné ; l'eau devrait arriver à mi-hauteur du récipient de cuisson.)

3 Retirer le récipient de cuisson et jetez l'eau tiède de la bassine. Remplissez la bassine d'eau très froide, replacez le récipient de cuisson et ajoutez quelques glaçons ou blocs réfrigérants pour activer le processus de refroidissement. Laissez le récipient dans la bassine jusqu'à ce que la nourriture ait complètement refroidi.

4 Mettez le couvercle sur le récipient et réfrigérez ou, si vous le préférez, transférez le contenu dans un autre contenant.

5 Au plan de la sécurité alimentaire, la mijoteuse électrique n'est pas convenable pour réchauffer un plat, car la nourriture prendrait trop de temps pour ce faire. Vérifiez si le récipient de cuisson peut aller sur le feu ou au four. Sortez le plat du réfrigérateur au moins 30 minutes avant de le réchauffer.

6 Au besoin, transférez la nourriture dans une casserole ou un plat approprié. Réchauffez à feu doux sur la cuisinière ou au four à 170 °C (325 °F/gaz 3) jusqu'à frémissement. Pour la sécurité, les plats de viande devraient être maintenus frémissants au moins 30 minutes. Ajoutez les herbes fraîches quelques minutes avant de servir.

GARNITURES

L'ajout d'une garniture transforme une casserole ou un braisé en un plat spécial. Beaucoup de garnitures font partie intégrante d'une casserole ou d'un braisé ; elles sont disposées sur le dessus du plat et cuisent en même temps que lui. D'autres sont cuites séparément, puis servies avec le mets.

Boulettes de pâte

Les boulettes de pâte (dumplings) sont idéales pour les casseroles et les ragoûts, mais pas pour les braisés, car elles doivent cuire dans beaucoup d'eau frémissante. Assurez-vous que le liquide de cuisson a chauffé au moins 30 minutes à haute température avant d'y plonger les boulettes. La recette est donnée pour 4 personnes.

1 Dans un bol, tamisez ensemble 115 g (1 tasse) de farine à levure et un peu de sel et de poivre. Incorporez 50 g (2 oz) de graisse de bœuf ou végétale. Ajoutez environ 75 ml (5 c. à soupe) d'eau très froide et remuez pour former une pâte molle non collante.

2 Farinez vos mains et façonnez la pâte en 8 boulettes moyennes ou 12 petites boulettes. Sinon, roulez la pâte pour former une corde d'environ 2,5 cm (1 po) de diamètre et découpez en tronçons de 2,5 cm (1 po).

3 Découvrez la mijoteuse. En travaillant rapidement pour éviter une perte de chaleur, plongez les boulettes dans le liquide de cuisson, en les espaçant légèrement. Couvrez et laissez cuire à haute température 45-60 minutes, ou jusqu'à ce que les boulettes soient bien gonflées et fermes. Ne soulevez pas le couvercle durant la cuisson, sinon, les boulettes ne lèveront pas correctement. (Comme alternative, faites cuire les boulettes séparément 30 minutes à couvert, dans une casserole peu profonde contenant du bouillon. Retirez avec une écumoire et servez avec le mets.)

BOULETTES DE PÂTE ASSAISONNÉES

Les boulettes peuvent être assaisonnées de plusieurs façons. Par exemple, utilisez des herbes ou remplacez l'eau par des liquides tels que du bouillon, du vin blanc ou du cidre.

Herbes et moutarde : Pour les riches casseroles de bœuf. Tamisez 5 ml (1 c. à thé) de moutarde en poudre avec la farine et incorporez 30-45 ml (2-3 c. à soupe) de persil frais haché.

Citron et estragon : Pour les casseroles de poulet, de dinde et de poisson. Incorporez le zeste finement râpé de ½ citron et 45 ml (3 c. à soupe) d'estragon frais haché.

Carvi et crème sure : Pour la goulache de bœuf ou de veau. Ajoutez 5 ml (1 c. à thé) de graines de carvi aux ingrédients secs et incorporez une préparation de crème sure et d'eau très froide en quantités égales.

Champignons : Pour les casseroles de bœuf et de porc. Incorporez 50 g (2 oz) de champignons hachés très finement.

Romarin : Pour les casseroles d'agneau. Incorporez 2,5-5 ml (½-1 c. à thé) de romarin frais haché.

Garnitures aux pommes de terre

Les pommes de terre tranchées, râpées ou en purée font de bonnes garnitures pour les casseroles et certains braisés. Si vous le désirez, faites-les dorer au four ou sous le gril avant de servir. Les pommes de terre tranchées ou râpées sont généralement ajoutées en début de cuisson et les pommes de terre en purée, vers la fin. Toutes ces recettes sont données pour 4 personnes.

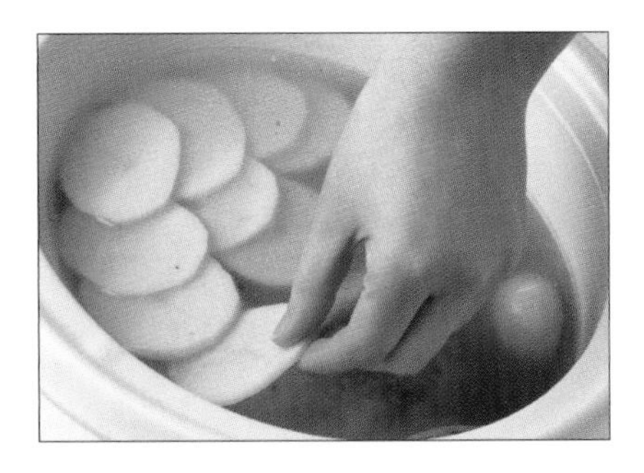

Pommes de terre tranchées : Tranchez finement 675 g (1½ lb) de pommes de terre et disposez les tranches sur le mets. Assurez-vous qu'il y a juste assez de liquide pour couvrir les pommes de terre. Couvrez la mijoteuse et laissez cuire jusqu'à tendreté 8-10 heures à basse température ou 4-5 heu-res à haute température. Pour dorer la garniture avant de servir, badigeonnez les pommes de terre d'un peu de beurre fondu et passer sous le gril chaud 3-4 minutes.

Pommes de terre râpées : Râpez 675 g (1½ lb) de pommes de terre. Blanchissez 5 minutes à l'eau bouillante salée. Égouttez bien et pressez l'excédent de liquide. Mélangez à 15 ml (1 c. à soupe) de beurre fondu ou d'huile et répartissez également sur le mets. Laissez cuire 4-6 heures à basse température ou 2-3 heures à haute température. Si vous le désirez, faites dorer sous le gril.

Pommes de terre en purée crémeuse : Faites bouillir jusqu'à tendreté 900 g (2 lb) de pommes de terre farineuses pelées (par ex. : Idaho, Russet, bintje, King Edward). Égouttez, remettez dans la casserole et ajoutez 50 g (¼ tasse) de beurre ou 30 ml (2 c. à soupe) d'huile d'olive. Écrasez avec un presse-purée jusqu'à consistance lisse, puis incorporez 75 ml (5 c. à soupe) de lait chaud ou de crème, du sel, du poivre et de la noix de muscade râpée. Étalez en une couche égale sur le mets. Couvrez la mijoteuse et laissez cuire 1 heure. Sinon, faites cuire 30 minutes dans le four préchauffé à 190 °C (375 °F/gaz 5) ou faites dorer sous le gril à feu moyen.

Garnitures à la polenta

Cette garniture à la semoule de maïs dorée se marie bien aux ragoûts de style méditerranéens. Mélangée avec de la farine, du lait et un œuf, la polenta donne une garniture au pain de maïs.

Polenta de base : Dans une grande casserole à fond épais, portez à ébullition 2 l (8 tasses) d'eau avec 5 ml (1 c. à thé) de sel. Retirez la casserole du feu et versez 375 g (3 tasses) de polenta fine, en fouettant constamment. Re-mettez la casserole sur le feu et remuez pen-dant 15 minutes jusqu'à épaississement. Assaisonnez bien de sel et de poivre. Cette polenta molle peut être utilisée de la même façon que la garniture à la purée de pommes de terre.

Triangles de polenta : Déposez la préparation de polenta de base sur une planche mouillée et étalez-la en une couche de 1 cm (½ po) d'épaisseur. Laissez reposer 1 heure, puis découpez en triangles. Une heure avant la fin de la cuisson, disposez les triangles sur le mets. Pour servir, badigeonnez d'huile d'olive, saupoudrez de parmesan râpé et passez sous le gril.

Garniture au pain de maïs : Mélangez ensemble 175 g (1½ tasse) de semoule de maïs fine, 15 ml (1 c. à soupe) de farine de blé entier et 5 ml (1 c. à thé) de levure chimique. Faites un puits au centre et ajoutez 1 œuf battu et 175 ml (¾ tasse) de lait. Mélangez et étalez rapidement sur le mets. Couvrez la mijoteuse et laissez cuire 1 heure jusqu'à ce que la garniture soit ferme. Si vous le désirez, faites dorer sous le gril.

Garniture sablée

Cette garniture peut être cuite à la mijoteuse électrique, mais elle est bien meilleure au four. Avec peu de sauce, elle agrémente les braisés et les casseroles riches en morceaux. La recette est donnée pour 4 personnes.

1 Dans un bol, tamisez ensemble 175 g (1½ tasse) de farine tout usage blanche ou complète et 1 pincée de sel. Incorporez 90 g (7 c. à soupe) de beurre ou de margarine, en travaillant du bout des doigts, jusqu'à ce que le mélange ressembleà une panure très fine.

2 Ajoutez 50 g (½ tasse) de noix hachées ou 30-45 ml (2-3 c. à soupe) de flocons d'avoine, 25 g (1 oz) de cheddar fort râpé ou 25 g (1 oz) de graines de tournesol.

3 Préchauffez le four à 190 °C (375 °F/gaz 5). Saupoudrez la garniture également sur le mets et faites cuire au four, sans couvrir, pendant 30 minutes ou jusqu'à ce que la garniture soit dorée.

Garnitures au pain

Du pain de mie lisse au pain de blé entier texturé, en tranches, en dés ou émiettés, de nombreux types de pain peuvent servir de garniture.

Chapelure : Préchauffez le four à 150 °C (300 °F/gaz 2). Mélangez ensemble 75 g (1½ tasse) de chapelure, 30 ml (2 c. à soupe) de persil frais haché et 2 gousses d'ail finement hachées. Saupoudrez sur le mets et laissez cuire au four 30-40 minutes jusqu'à ce que la garniture soit dorée

Tranches de baguettes gratinées : Coupez 6 à 12 tranches de baguette de la veille et faites-les griller légèrement des deux côtés. Coupez une gousse d'ail en deux et frottez-en un côté de chaque tranche. Badigeonnez d'un peu de moutarde de Dijon et saupoudrez de gruyère grossièrement râpé (115 g/1 tasse). Passez sous le gril jusqu'à ce que le fromage soit fondu et doré. Disposez sur le mets et servez immédiatement.

RÔTISSAGE EN COCOTTE

Ce mode de cuisson à court-bouillon, généralement avec des herbes et des légumes, est idéal pour les coupes moins tendres de viande, de volaille ou de gibier pauvres en graisses naturelles. Il les rend superbement tendres et succulents et minimise leur rétrécissement. On saisit presque toujours la viande avant de la placer dans la mijoteuse, avec un peu de liquide et d'autres ingrédients. Parfois, on la marine avant la cuisson, en particulier celle qui peut être sèche comme le bœuf et le gibier.

Choisissez idéalement des petites pièces de viande pesant au plus 1,2 kg (2½ lb). Si la viande est de forme irrégulière, elle cuira moins uniformément et pourrait être difficile à découper. Avant de rôtir en cocotte, ficelez les morceaux désossés, comme la surlonge et la ronde ; désossez et ficelez l'épaule d'agneau.

Ficelage d'une viande désossée

Utilisez une ficelle mince pour attacher une pièce de viande désossée. Ne laissez pas la ficelle traîner dans un tiroir, mettez-la plutôt dans un sac ou une boîte de plastique pour la garder propre.

1 Roulez la viande, ou façonnez-la de

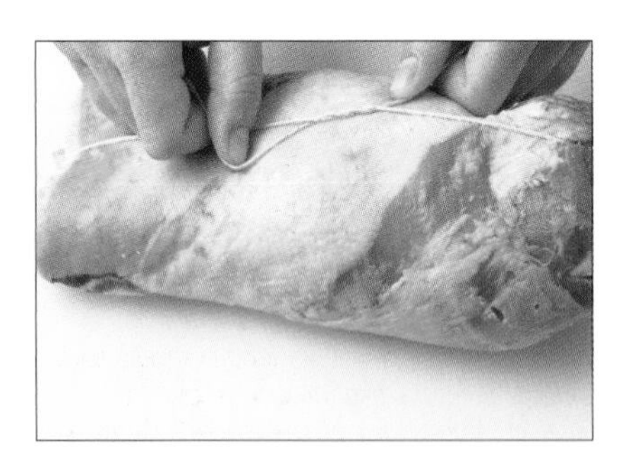

manière à lui donner une forme régulière. Ficelez le rôti dans le sens de la longueur, en serrant fermement et en faisant un nœud double, car la viande rétrécira un peu durant la cuisson. (Au besoin, demandez à quelqu'un de vous aider.)

2 Ficelez ensuite le rôti dans le sens de la largeur, à intervalles réguliers d'environ 2,5 cm (1 po), en nouant et en coupant les extrémités de ficelle au fur et à mesure. Lorsque vous nouez, appliquez une pression égale pour donner une forme aussi régulière que possible au rôti.

Désossage d'une épaule d'agneau

L'épaule d'agneau comprend trois os : l'omoplate, l'os du manche et celui du jarret.

1 Posez l'épaule sur une planche et enlevez l'excédent de gras. Insérez un couteau dans la partie la plus large de l'épaule et tranchez-la le long de l'omoplate, en allant vers le centre. Retournez l'épaule et répétez l'opération. Retirez l'omoplate.

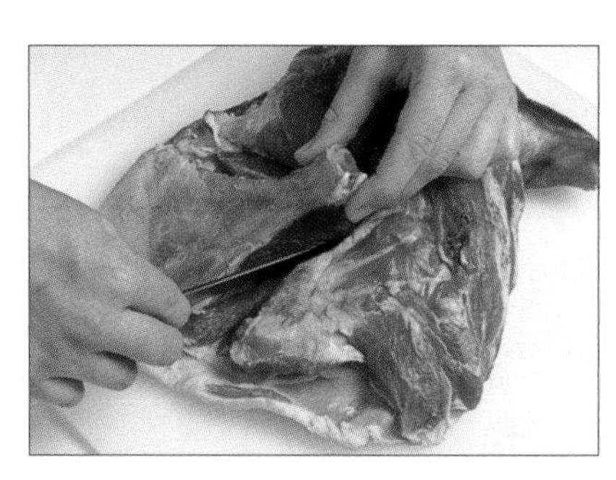

2 Posez l'épaule, peau en dessous. Coupez le long des os du manche et du jarret, en grattant la viande pour la détacher. Retirez les os.

3 Coupez à l'endroit où se trouvait l'omoplate pour ouvrir la viande. Elle peut maintenant être farcie, puis roulée et ficelée.

Ficelage « en melon »

Comme alternative à l'épaule d'agneau roulée, ficelez la viande en forme de melon. Le rôti ressemblera à un coussin rond et sera servi découpé en quartiers.

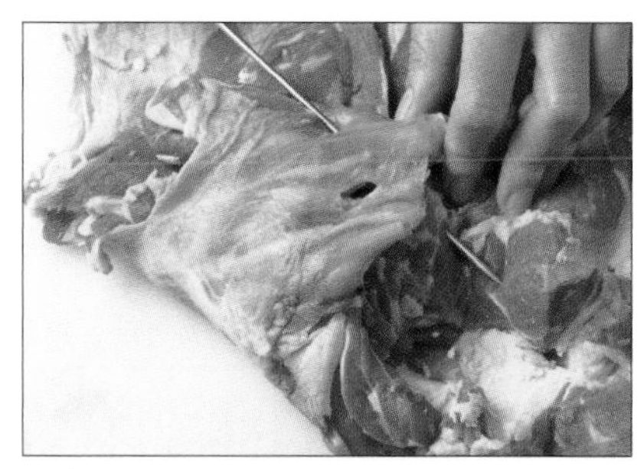

1 Étalez la viande, peau en dessous. Si vous le désirez, déposez une farce au milieu. Rabattez un coin du morceau vers le centre et maintenez-le en place avec une brochette.

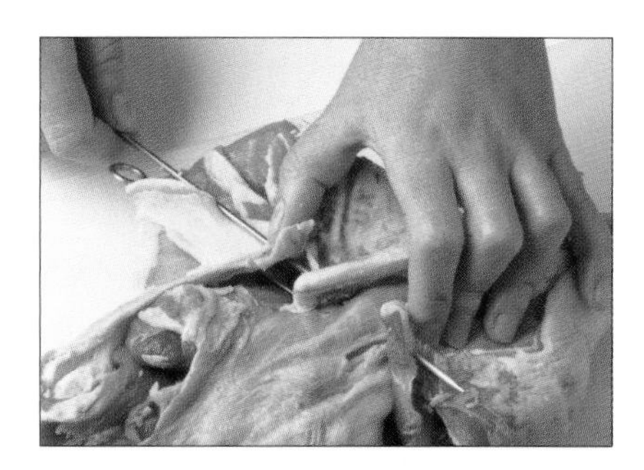

2 Répétez l'opération avec les autres coins, en enfermant le bout de jarret à l'intérieur. Passez une ficelle sous le melon, ramenez les bouts au centre et nouez fermement.

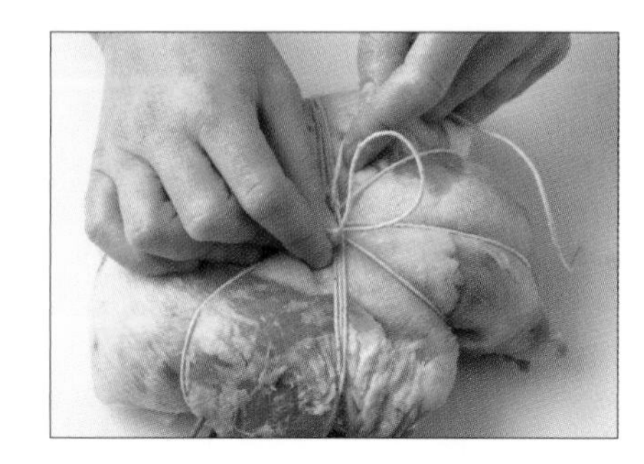

3 Retournez le rôti et continuez à ficeler à intervalles réguliers autour du melon, de façon à obtenir six ou huit sections. Au fur et à mesure, faites un nœud au point d'intersection d'un côté comme de l'autre.

Rôtissage d'une poitrine de bœuf

Cette méthode convient aussi à d'autres coupes de bœuf, comme l'intérieur et l'extérieur de ronde, ainsi qu'aux poitrines ou épaules d'agneau farcies.

POUR 4 À 6 PERSONNES

1,2 kg (2 ½ lb) de poitrine roulée
25 g (2 c. à soupe) de graisse de rôti de bœuf ou de graisse blanche végétale
2 oignons coupés en 8
2 carottes coupées en quatre
2 branches de céleri en tronçons de 5 cm (2 po)
2 feuilles de laurier
2 brins de thym frais
300 ml (1 ¼ tasse) de bouillon de bœuf frémissant
sel et poivre noir moulu

1 Salez et poivrez la viande. Chauffez la graisse dans une grande casserole à fond épais. Ajoutez la viande et tournez-la fréquemment avec deux cuillères jusqu'à ce qu'elle soit dorée. Si la graisse devient trop chaude avant que la viande ne brunisse, ajoutez un peu d'eau froide pour la refroidir. Retirez la viande et transférez-la sur une assiette.

2 Enlevez une partie de la graisse, de façon à laisser environ 15 ml (1 c. à soupe) dans la casserole. Ajoutez les oignons, les carottes et le céleri et laissez cuire quelques minutes jusqu'à ce qu'ils soient légèrement dorés et commencent à ramollir. Les légumes revenus ajouteront de la saveur et de la couleur au plat. Toutefois, ne les laissez pas trop brunir, sinon, ils rendront le bouillon amer. Disposez une couche de légumes au fond du récipient de cuisson, déposez la viande et versez le jus récolté dans l'assiette. Répartissez le reste de légumes autour de la viande et ajoutez les herbes fraîches.

3 Versez le bouillon dans la casserole et portez à ébullition, en grattant le fond pour décoller les sucs de viande et de légumes.

4 Versez le bouillon sur la viande et les légumes. Il devrait recouvrir tout juste les légumes, laissant la plus grande partie de la viande exposée.

5 Couvrez la mijoteuse et laissez cuire 4 heures à haute température. Poursuivez la cuisson à basse température 2-3 heures, ou jusqu'à ce qu'à ce que la viande soit complètement cuite et très tendre. Tournez la viande une fois ou deux durant la cuisson. N'utilisez pas d'ustensiles coupants pour ne pas percer la viande et laisser son jus s'échapper.

6 Retirez la viande et mettez-la sur un plat de service chaud. Couvrez de papier d'aluminium et laissez reposer une quinzaine de minutes pour permettre aux fibres de se détendre et aux sucres de se répartir, ce qui rendra la viande plus facile à découper.

7 Entre-temps, dégraissez le bouillon et servez-le comme sauce. (Si vous le désirez, épaississez le bouillon avec de la fécule de maïs ou de l'arrow-root.) Les légumes sont habituellement jetés, mais rien ne vous empêche de les servir avec la viande.

Rôtissage d'un poulet

Un poulet entier peut être rôti en cocotte de la même manière qu'un rôti de bœuf ou d'agneau. Cependant, ce mode de cuisson ne convient pas aux poulets pesant plus de 1,6 kg (3½ lb). Évitez de farcir la cavité du poulet, sauf avec des quartiers d'oignon ou de citron pour parfumer.

POUR 4 PERSONNES

150 ml (⅔ tasse) de vin blanc sec ou de cidre sec
2 feuilles de laurier
1 poulet de 1,2-1,3 kg (2½-3 lb)
1 citron coupé en quatre
15 ml (1 c. à soupe) d'huile de tournesol
25 g (2 c. à soupe) de beurre non salé
150 ml (⅔ tasse) de bouillon de poulet bouillant
15 ml (1 c. à soupe) de fécule de maïs mélangée à 30 ml (2 c. à soupe) d'eau ou de vin
sel et poivre noir moulu

1 Versez le vin dans le récipient de cuisson. Ajoutez les feuilles de laurier et chauffez à haute température. Entre-temps, rincez ou essuyez le poulet et séchez-le avec du papier essuie-tout. Salez et poivrez la cavité, puis ajoutez les quartiers de citron.

2 Chauffez l'huile et le beurre dans une grande poêle à fond épais. Faites dorer le poulet de tous côtés, puis transférez-le dans le récipient de cuisson – si le poulet est bridé, détachez-le pour permettre à la chaleur de pénétrer plus facilement.

3 Versez le bouillon sur le poulet et couvrez. Laissez cuire à haute température 3½2-4½ heures, ou jusqu'à ce que le jus qui s'écoule d'une piqûre de brochette soit transparent, ou qu'un thermomètre à viande inséré dans la partie la plus épaisse du haut de cuisse indique 77 °C (170 °F). (Le poulet et les autres volailles doivent être cuits à haute température du début à la fin.)

4 Retirez la volaille et placez-la sur un plat de service chaud, couvrez de papier d'aluminium et laissez reposer 10-15 minutes avant de servir. En attendant, dégraissez le jus, incorporez le mélange de fécule, laissez cuire à haute température 10 minutes et servez comme sauce.

POCHAGE

Le pochage est une cuisson à basse température qui garde la viande agréablement humide. À la différence de la cuisson à gros bouillons, sa chaleur est si faible que seules quelques bulles occasionnelles se forment à la surface du liquide. Il est idéal pour les viandes délicates, comme la volaille et le poisson, qui peuvent être trop cuits et se défaire si elles sont bouillies. Le pochage vous permet aussi d'enlever l'écume et le gras au fur et à mesure, tandis que la cuisson à gros bouillons les refoule dans le liquide, altérant la limpidité et la saveur. La mijoteuse électrique est parfaite pour le pochage, car elle maintient une chaleur constante et demande peu d'attention.

Pochage d'un poulet

Vous ne pouvez pas rôtir en cocotte un gros poulet, ou autre volaille, dans la mijoteuse électrique. En revanche, vous pouvez le pocher s'il entre facilement dans le récipient de cuisson. Il doit y avoir suffisamment d'espace pour que le liquide submerge complètement le poulet et puisse circuler tout autour. Comme la cavité du poulet sera remplie de liquide de pochage, l'oiseau sera cuit de l'intérieur vers l'extérieur.

POUR 4 PERSONNES

1 poulet prêt à cuire de 1,3 kg (3 lb)
1 oignon
2 carottes
2 poireaux
2 branches de céleri
quelques tiges de persils frais
2 feuilles de laurier
6 grains de poivre noir noir
2,5 ml (½ c. à thé) de sel

1 Débridez le poulet. Enlevez tout morceau de gras à l'intérieur du poulet. Rincez la cavité sous l'eau froide et placez le poulet dans le récipient de cuisson.

2 Coupez la tige et la racine de l'oignon sans le peler (la peau ajoutera une riche couleur dorée au bouillon). Détaillez l'oignon en six ou huit quartiers. Lavez et parez les carottes, les poireaux et le céleri et hachez-les grossièrement ou tranchez-les. Mettez-les dans le récipient de cuisson, en les tassant autour du poulet.

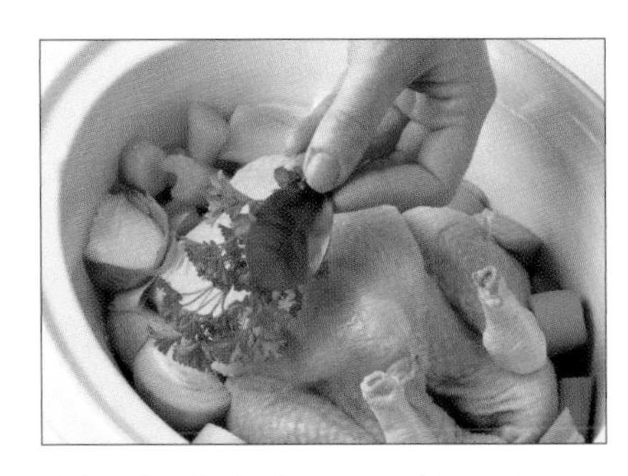

3 Attachez les herbes ensemble et ajoutez-les dans le récipient, avec les grains de poivre et le sel.

4 Mouillez à hauteur d'eau frémissante. Couvrez et laissez cuire 1 heure à haute température.

5 Écumez, couvrez et poursuivez la cuisson 2-2½ heures, ou jusqu'à ce que le poulet soit cuit et tendre. Pour vérifier si le poulet est cuit, insérez un thermomètre à viande dans la partie la plus dodue du haut de cuisse ; le thermomètre devrait indiquer 77 °C (170 °F). (Sinon, piquez la partie la plus charnue avec une brochette ; le jus qui en sort ne devrait montrer aucune trace de rose.)

6 Retirez le poulet en le soulevant avec une grande fourchette insérée dans la cavité. Laissez le poulet reposer 10 minutes avant de le découper. S'il doit être consommé froid, laissez-le refroidir complètement sur une grille placée au-dessus d'une grande assiette pour récupérer le jus. (La grille permettra à l'air de circuler autour du poulet pour activer le processus de refroidissement.)

7 Laissez le liquide de cuisson refroidir quelques minutes, puis versez-le dans une passoire placée au-dessus d'un grand bol. Laissez égoutter. Ne pressez pas les légumes pour ne pas rendre le bouillon trouble. Refroidissez rapidement en plaçant le bol dans de l'eau froide.

8 Si le poulet doit être consommé froid, couvrez-le de pellicule plastique et réfrigérez-le. (Laissez la peau, car elle aide à garder l'humidité de la viande.) Utilisez le poulet dans les deux jours de sa cuisson.

9 Lorsqu'il a refroidi, couvrez le bouillon de pellicule plastique et réfrigérez-le. Le gras montera à la surface du bouillon et pourra être facilement enlevé et jeté. Le bouillon se conservera jusqu'à 3 jours au réfrigérateur et jusqu'à 6 mois au congélateur, dans des contenants hermétiques.

Pochage d'un jambon salé

Cette cuisse de porc salée par injection peut être vendue crue ou précuite, fumée ou non. Si vous prévoyez servir le jambon en tranches, le pochage est le meilleur mode de cuisson, rendant la viande tendre et juteuse. Si vous désirez le servir entier, pochez-le, glacez-le et passez-le rapidement au four.

POUR 6 À 8 PERSONNES

1 jambon salé désossé de 1,8 kg (4 lb)
1 oignon
6 clous de girofle
2 carottes coupées en deux
1 bouquet garni
10 grains de poivre noir
cidre sec (facultatif)

1 Mettez le jambon dans le récipient de cuisson, couvrez d'eau froide et laissez-le tremper 2-24 heures pour le dessaler. (Le temps de trempage varie selon la teneur en sel du jambon, le plus long étant préférable pour un jambon fumé.)

2 Égouttez le jambon et remettez-le dans le récipient de cuisson. Pelez l'oignon, piquez-le de clous de girofle et ajoutez-le au jambon, avec les carottes, les herbes et les grains de poivre. Si l'oignon ne s'insère pas bien à côté du jambon, coupez-le en deux.

3 Mouillez d'eau froide ou de cidre, ou d'un mélange des deux. Couvrez la mijoteuse et laissez cuire 1 heure à haute température. Écumez, couvrez et poursuivez la cuisson 4-5 heures. Vérifiez le liquide une fois ou deux durant la cuisson et écumez au besoin.

4 Retirez le jambon et placez-le sur une planche. Tranchez et servez chaud, ou laissez refroidir, enveloppez dans du papier d'aluminium et conservez au réfrigérateur jusqu'à 5 jours.

5 Passez le liquide de cuisson dans un bol et laissez refroidir. (Goûtez le bouillon lorsqu'il est chaud ; s'il est très salé, utilisez-le avec parcimonie dans les plats et n'ajoutez pas de sel.) Réfrigérez le bouillon et dégraissez. Conservez au réfrigérateur au plus 2 jours ou au congélateur jusqu'à 6 mois.

GLAÇAGE D'UN JAMBON

Après le pochage, mettez le jambon dans un plat tapissé d'aluminium et laissez refroidir 15 minutes. Enlevez la couenne, en conservant une mince couche égale de gras. Incisez le gras en lignes diagonales dans un sens, puis de l'autre, de façon à former un quadrillage en losanges. Badigeonnez le jambon chaud d'environ 45 ml (3 c. à soupe) de marmelade de lime et saupoudrez de 45 ml (3 c. à soupe) de sucre demerara (sucre brut). Si vous le désirez, piquez un clou de girofle dans chaque losange. Faites cuire au four préchauffé à 220 °C (425 °F/gaz 7) pendant environ 20 minutes jusqu'à ce que le gras soit doré et croustillant. Servez chaud ou froid.

Pochage d'un poisson

La texture délicate du poisson tire avantage d'une cuisson simple. Le pochage fait ressortir sa saveur et le garde humide. La mijoteuse électrique permet de pocher des poissons entiers ou en filets. Assurez-vous toutefois qu'il y a suffisamment d'espace pour le poisson et pour la spatule qui servira à l'enlever.

Le poisson poché dans un liquide froid ou chaud conservera sa forme et sa texture. Les gros morceaux de poisson, comme les darnes, cuiront en 45 minutes à haute température ou en 1½-2 heures à basse température. Vérifiez leur cuisson fréquemment pour ne pas qu'ils cuisent trop. Le poisson est prêt lorsque sa chair est légèrement translucide lorsqu'on la détache de l'arête, ou s'émiette lorsqu'on la pique avec la lame d'un couteau ou une brochette.

Pochage des fruits

Les pommes, les poires, les fruits à noyaux (ex. : prunes) et les fruits mous (ex. : figues) peuvent être pochés entiers, coupés en deux ou tranchés. Même les fruits les plus fragiles, comme la rhubarbe, conserveront leur forme en cuisant à la mijoteuse électrique. Les temps de cuisson dépendront de la taille et de la maturité du fruit. En règle générale, à haute température, les fruits tendres (ex. : figues, rhubarbe) prendront environ 1½ heure à cuire ; les fruits mûrs ou presque mûrs (ex. : prunes, pomme), environ 2 heures ; et les fruits durs, moins mûrs (ex. : poires), de 3 à 5 heures ou de 6 à 8 heures à basse température.

Le liquide classique de pochage est un sirop composé généralement d'une mesure de sucre pour deux mesures d'eau. On peut y ajouter des ingrédients aromatiques, comme une lanière de zeste de citron ou des épices, ainsi que du vin rouge ou blanc, du cidre ou du jus de fruits additionné de sucre.

1 Mettez le sucre, le liquide de pochage et les ingrédients aromatiques dans le récipient de cuisson et laissez chauffer 1 heure à haute température, en remuant de temps en temps pour dissoudre le sucre.

2 Ajoutez les fruits, couvrez et faites cuire jusqu'à ce que les fruits soient à peine tendres. Laissez les fruits refroidir dans le sirop ou enlevez-les et placez-les sur un plat de service. Passez le sirop sur les fruits, ou laissez-le mijoter doucement pour épaissir.

UTILISATION de la MIJOTEUSE comme BAIN-MARIE

La plupart des mets se cuisent directement dans le récipient de cuisson et d'autres au bain-marie, dans un moule ou un plat placé à l'intérieur du récipient et entouré d'eau à peine frémissante. Cette méthode convient à la confection de pâtés, de terrines, de gâteaux, de poudings à la vapeur et de desserts à base de crème anglaise. Pour permettre à l'eau de circuler librement autour du moule, on place une soucoupe renversée ou un emporte-pièce de métal au fond du récipient de cuisson électrique. Cet élément est essentiel si le récipient de cuisson a une base légèrement concave.

Pâté ou terrine

Lorsque vous utilisez de la viande et des œufs crus, assurez-vous que la hauteur de la préparation ne dépasse pas 6 cm (2¼ po), sinon, le pâté pourrait ne pas cuire complètement. Ce point est particulièrement important lorsqu'il s'agit deporc et de poulet. Une terrine ou un moule à pain de 450 g (1 lb), d'environ 20 X 10 X 5,5 cm/ 8 X 4 X 2¼ po et d'une capacité de 900 ml (3¾ tasses), sont les ustensiles de la taille idéale.

Pâté de porc classique

Cette recette de base vous servira à réaliser d'autres pâtés. Variez les proportions d'ingrédients principaux ; remplacez le veau par du bœuf ou du porc maigre haché.

POUR 6 PERSONNES

225 g (8 oz) de tranches de bacon
225 g (8 oz) de poitrine de porc désossée
175 g (6 oz) de veau
115 g (4 oz) de foies de poulet
45 ml (3 c. à soupe) de vin blanc sec
15 ml (1 c. à soupe) de brandy
2,5 ml (½ c. à thé) de thym séché
2,5 ml (½ c. à thé) de romarin séché
1 gousse d'ail écrasée
2,5 ml (½ c. à thé) de sel
1,5 ml (¼ c. à thé) de macis moulu
poivre noir moulu

1 Déposez une soucoupe renversée ou un emporte-pièce de métal au fond du réci-pient de cuisson. Versez environ 2,5 cm (1 po) d'eau très chaude et chauffez à hau-te température.

2 Prenez 150 g (5 oz) du bacon et étirez chaque tranche sur une planche en passant le dos d'un grand couteau. Tapissez-en un moule à pain de 450 g (1 lb) ou un plat rond de 900 ml (3¾ tasses), en laissant dépasser sur les côtés.

3 Hachez finement le reste du bacon et mettez-le dans un grand bol. Parez la poitrine de porc, le veau et les foies de poulet. Passez au hachoir, en utilisant la lame moyenne, ou hachez grossièrement au robot culinaire. Ajoutez au bacon dans le bol.

4 Versez le vin blanc et le brandy sur la viande. Ajoutez le reste des ingrédients et mélangez bien. Transférez la préparation dans le moule tapissé, en tassant légèrement. Rabattez le bacon sur la viande et couvrez d'une feuille d'aluminium.

5 Placez le moule dans le récipient de cuisson et versez de l'eau très chaude presque jusqu'en haut du moule. Faites cuire à haute température 4-6 heures. Pour vérifier si le pâté est cuit, piquez le centre avec une brochette fine et pressez légèrement autour du trou ; le liquide qui en sort doit être limpide et non trouble ou rose.

6 Retirez le moule avec précaution, posez-le sur une grille de métal et découvrez-le. Une fois le pâté refroidi, couvrez et réfrigérez pendant plusieurs heures. Démoulez le pâté et gardez-le couvert jusqu'à utilisation. (Si vous le désirez, pressez le pâté avant de le réfrigérer.)

PRESSAGE D'UN PÂTÉ

Après avoir refroidi le pâté cuit, vous pouvez le « presser » pour lui donner une texture plus ferme qui facilitera sa découpe. Couvrez le pâté de papier ciré ou de pellicule plastique. Posez une planche de la taille appropriée sur le pâté et placez plusieurs poids ou boîtes de conserve sur la planche. (Comme alternative, utilisez des sacs de riz ou de lentilles en ajustant leur forme de façon à recouvrir le pâté.) Laissez refroidir complètement, puis réfrigérez toute la nuit (sans enlever les poids si vous voulez une texture très ferme.)

Mousse

Contrairement au pâté, la mousse a une texture légère, lisse et crémeuse. Prévoyez beaucoup de temps pour sa confection, car vous devrez réfrigérer la préparation entre chaque étape. Comme les mousses sont extrêmement riches, servez-les en tranches minces avec du pain ou de la salade.

POUR 8 PERSONNES

15 g (1 c. à soupe) de beurre
1 échalote hachée finement
15 ml (1 c. à soupe) de brandy ou de xérès
225 g (8 oz) de poitrine de poulet désossée, sans peau
50 g (2 oz) de foies de poulet parés
15 ml (1 c. à soupe) de chapelure fraîche
1 œuf séparé
300 ml (1 ¼ tasse) de crème épaisse
sel et poivre blanc moulu

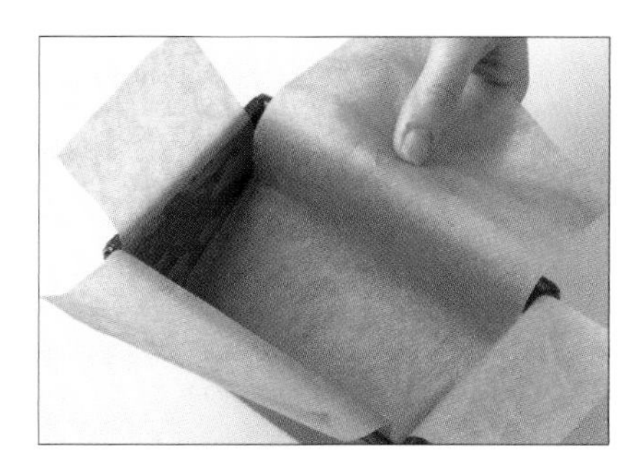

1 Graissez légèrement un moule à pain ou une terrine de 450 g (1 lb) ou un plat allant au four de 900 ml (3¾ tasses). Tapissez le moule de papier parchemin. Faites fondre le beurre dans une petite casserole et faites suer l'échalote environ 5 minutes. Fermez le feu, puis incorporez le brandy ou le xérès. Mettez la préparation dans un bol et laissez refroidir.

2 Entre-temps, hachez grossièrement la poitrine et les foies de poulet et réduisez en purée au robot culinaire environ 30 secondes. Ajoutez la préparation à l'échalote et la chapelure et mixez jusqu'à consistance très lisse. Remettez la préparation dans le bol et réfrigérez 30 minutes.

3 En attendant, placez une soucoupe renversée ou un emporte-pièce de métal au fond du récipient de cuisson. Versez environ 2,5 cm (1 po) d'eau très chaude et chauffez à haute température.

4 Placez le bol de purée de poulet dans un bol plus grand rempli de glace broyée et d'eau. Battez légèrement le blanc d'œuf à la fourchette jusqu'à consistance mousseuse et incorporez à la purée, peu à peu et en fouettant. Ajoutez le jaune d'œuf tout en battant.

5 Ajoutez la crème graduellement, en mélangeant bien entre chaque addition. Assaisonnez de sel et de poivre blanc. Avec une cuillère, déposez la préparation dans le moule tapissé et égalisez la surface. Couvrez de pellicule plastique ou de papier d'aluminium.

6 Placez le moule dans le récipient de cuisson. Versez de l'eau chaude presque jusqu'en haut du moule. Laissez cuire à haute température 3-4 heures, ou jusqu'à ce que la mousse soit ferme.

7 Retirez le moule avec précaution et laissez refroidir sur une grille de métal. Réfrigérez bien avant de couper en tranches.

Terrine

Confectionnez d'attrayantes terrines à partir d'une préparation de mousse. Garnissez la mousse de légumes ou disposez-la en couches avec d'autres viandes telles que des lanières de poulet ou de jambon cuit.

POUR 8 PERSONNES

75 g (3 oz) d'asperges minces
75 g (3 oz) de haricots verts parés
115 g (4 oz) de carottes pelées, en julienne
½ préparation de mousse

1 Graissez légèrement un moule à pain ou une terrine de 450 g (1 lb) ou un plat allant au four de 900 ml (3¾ tasses). Faites blanchir 1 minute les légumes, un type à la fois. Égouttez, plongez dans l'eau froide et égouttez de nouveau.

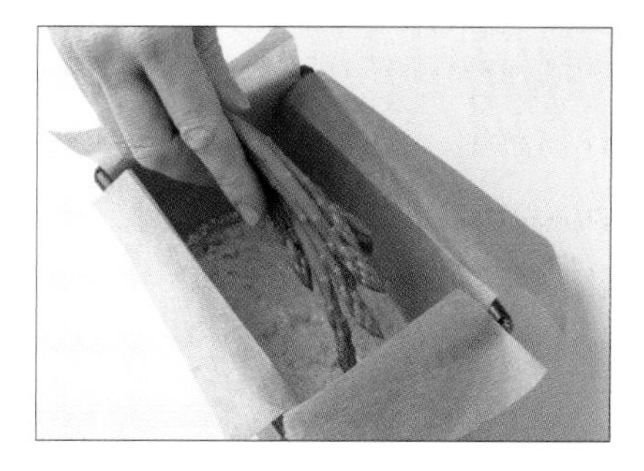

2 Étalez une couche de préparation de mousse au fond du moule. Disposez les asperges dans le sens de la longueur, en les espaçant, puis recouvrez-les d'une mince couche de préparation.

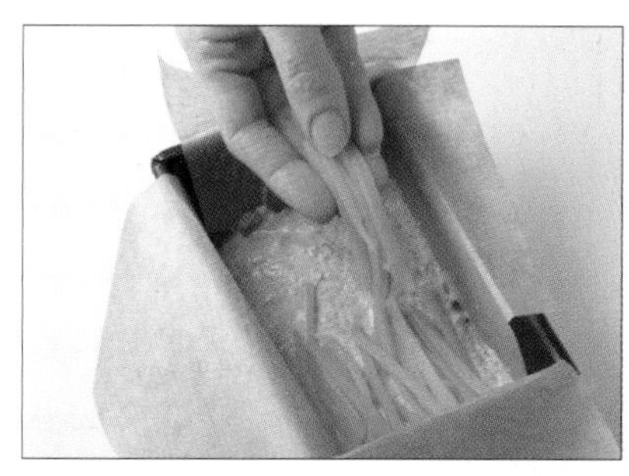

3 Répétez l'opération avec les haricots et les carottes, en terminant par une couche de préparation. Égalisez la surface. Couvrez de pellicule plastique ou de papier d'aluminium et faites cuire 2½-3½ heures à la manière d'une mousse de poulet.

POUDINGS ET DESSERTS À LA VAPEUR

La mijoteuse électrique est parfaite pour cuire des poudings et des flans à la vapeur. Elle maintient l'eau à un doux frémissement, ce qui réduit le risque que l'eau déborde et gâche le plat.

Pouding vapeur

Les poudings cuits à la vapeur ont une texture étonnamment légère et humide. Dans cette version moderne du pouding, on remplace le suif de bœuf ou la graisse végétale par un mélange crémeux au beurre. Assurez-vous que tous les ingrédients ont reposé à température ambiante avant de commencer.

POUR 4 À 6 PERSONNES

115 g (½ tasse) de beurre à température ambiante
115 g (4 oz) de sucre semoule
2,5 ml (½ c. à thé) d'essence de vanille
2 œufs battus légèrement
175 g (1½ tasse) de farine à levure
environ 45 ml (3 c. à soupe) de lait

1 Placez une soucoupe renversée ou un emporte-pièce de métal au fond du récipient de cuisson. Versez environ 2,5 cm (1 po) d'eau très chaude et chauffez à

haute température. Graissez un bol à pouding de 900 ml (3¾ tasses) et tapissez le fond d'un rond de papier ciré ou de papier parchemin.

2 Dans un grand bol, maniez le beurre, le sucre et l'essence de vanille jusqu'à l'obtention d'une crème pâle et légère. Incorporez les œufs, un peu à la fois, en battant énergiquement. Si la préparation commence à tourner, ajoutez une cuillerée de farine.

3 Tamisez la moitié de la farine sur la préparation au beurre et remuez avec une grande cuillère de métal pour incorporer. Tamisez l'autre moitié de farine, ajoutez

30 ml (2 c. à soupe) du lait et mélangez. Au besoin, ajoutez le reste du lait pour obtenir une consistance molle, versable, et déposez à la cuillère dans le bol à pouding.

4 Couvrez le pouding selon la méthode indiquée dans l'encart. Déposez le bol dans le récipient de cuisson, puis versez de l'eau jusqu'à mi-hauteur du bol. Couvrez et laissez cuire à haute température 4-5 heures, ou jusqu'à ce que le pouding soit bien levé et spongieux au toucher. Retirez le bol et découvrez-le. Démoulez le pouding sur une assiette de service, détachez le rond de papier ciré et servez.

COMMENT COUVRIR UN POUDING VAPEUR

1 Badigeonnez de beurre fondu une feuille de papier ciré, puis mettez le côté non beurré sur une feuille de papier d'aluminium. Faites un pli d'environ 2 cm (¾ po) de largeur au centre pour permettre au pouding de lever. (Si le pouding contient des fruits frais, vous devez utiliser du papier ciré ; dans le cas contraire, une double épaisseur de papier d'aluminium fera l'affaire.)

2 Couvrez le bol avec les deux papiers plissés, en les laissant dépasser d'environ 2,5 cm (1 po) tout autour de l'ouverture. Fixez solidement le papier d'aluminium au bol avec de la ficelle fine.

3 Passez la ficelle au-dessus du bol et attachez-la de façon à obtenir une anse solide. Vous pourrez ainsi soulever facilement le bol pour le retirer du récipient de cuisson.

Flan aux œufs

Un flan léger, à la texture crémeuse, est un dessert idéal à servir chaud ou froid, seul ou en accompagnement d'autres entremets, tels qu'une tarte aux fruits, un pouding vapeur ou un crumble.

POUR 4 À 6 PERSONNES

beurre ou huile sans goût, pour graisser
475 ml (2 tasses) de lait
3 œufs
45 ml (3 c. à soupe) de sucre semoule
pincée de noix de muscade fraîchement râpée

1 Placez une soucoupe renversée ou un emporte-pièce de métal au fond du récipient de cuisson. Versez environ 2,5 cm (1 po) d'eau très chaude et chauffez à haute température.

2 Graissez légèrement l'intérieur d'un plat résistant à la chaleur de 900 ml (3¾ tasses). Dans une casserole, chauffez le lait jusqu'à ce qu'il soit brûlant, sans le laisser bouillir.

3 Dans un bol, battez légèrement les œufs et le sucre et versez lentement dans le lait chaud tout en fouettant constamment. Passez la préparation au tamis fin dans le plat graissé et saupoudrez la surface de noix de muscade râpée.

4 Couvrez le plat de pellicule plastique et placez-le dans le récipient de cuisson. Versez de l'eau frémissante jusqu'à un peu plus de la mi-hauteur du plat. Couvrez et faites cuire à basse température 4 heures, ou jusqu'à ce que la crème soit légèrement prise. Servez le flan chaud ou froid.

Crème brûlée

Utilisez la préparation de base du flan aux œufs pour réaliser d'autres desserts du même type, comme la crème brûlée – un riche flan crémeux surmonté d'une couche croustillante de sucre caramélisé.

1 Pour préparer le flan, battez 5 ml (1 c. à thé) d'essence de vanille avec la préparation aux œufs et au sucre, puis remplacez le lait par 150 ml (⅔ tasse) de crème épaisse et 300 ml (1 ¼ tasse) de crème légère.

2 Passez la préparation dans un pot, puis versez-la dans quatre ou six ramequins – assurez-vous au préalable qu'ils tiennent tous côte à côte dans le récipient de cuisson.

3 Couvrez chaque ramequin de pellicule plastique et placez dans le récipient de cuisson. Versez de l'eau frémissante jusqu'aux trois quarts de la hauteur des ramequins. Couvrez et laissez cuire à basse température environ 3 heures, ou jusqu'à ce que la crème soit prise.

4 Retirez les ramequins et laissez-les refroidir. Saupoudrez chaque flan de 115 g (½ tasse) de sucre semoule. Placez les ramequins sous le gril chaud et faites cuire jusqu'à ce que le sucre soit fondu et caramélisé. Laissez refroidir, puis réfrigérez.

Pouding au pain beurré

Ce dessert favori peut être fait avec la préparation de flan classique.

1 Faites le flan avec 300 ml (1 ¼ tasse) de lait et 75 ml (⅓ tasse) de crème épaisse.

2 Beurrez 8 tranches de pain de mie, puis tranchez-les en deux diagonalement. Disposez les triangles dans un plat allant au four de 1 l (4 tasses) beurré, en vous assurant au préalable qu'il se loge bien dans le récipient de cuisson.

3 Versez le flan sur le pain et saupoudrez de 30 ml (2 c. à soupe) de sucre demerara (sucre brut) et d'un peu de noix de muscade râpée. Couvrez de film plastique et mettez le plat dans le récipient de cuisson. Versez de l'eau frémissante jusqu'aux deux tiers du plat. Couvrez et faites cuire 3-4 heures, ou jusqu'à ce que le flan soit pris. Servez le pouding chaud.

Strata au fromage et aux légumes

Ce pouding salé peut être fait avec la préparation de flan. Omettez implement le sucre et assaisonnez bien de sel et de poivre noir.

1 Faites suer 1 poireau émincé et 1 gros oignon haché finement dans 25 g (2 c. à soupe) de beurre. Incorporez 30 ml (2 c. à soupe) de ciboulette ou de persil frais haché.

2 Retirez la croûte de 8 tranches de pain de mie, puis coupez-les en bâtonnets. Disposez un tiers des bâtonnets dans un moule à soufflé beurré de 1,75 l (7½ tasses). Recouvrez de la moitié de la préparation aux légumes. Répétez les couches en terminant par le pain.

3 Versez la préparation de flan sur la strata, puis parsemez de 75 g (¾ tasse) de cheddar finement râpé. Couvrez le moule de papier d'aluminium beurré, puis placez dans le récipient de cuisson. Versez de l'eau frémissante jusqu'à mi-hauteur du moule. Couvrez et laissez cuire à haute température 3-4 heures jusqu'à ce que le flan soit légèrement pris. Coupez en tranches et servez tiède.

Pouding au riz

Cuit à la mijoteuse électrique, le pouding au riz est merveilleusement riche et crémeux. La cuisson à la mijoteuse, contrairement à celle au four, n'entraîne pas la formation d'une peau épaisse à la surface du pouding. Ajoutez des ingrédients aromatiques, comme de la noix de muscade, en début de cuisson ou à mi-cuisson.

POUR 4 À 6 PERSONNES

25 g (2 c. à soupe) de beurre ramolli
75 g (⅓ bonne tasse) de riz à grains ronds, rincé et égoutté
50 g (4 c. à soupe) de sucre semoule
750 ml (3 tasses) de lait
175 ml (¾ tasse) de lait condensé non sucré

1 Beurrez généreusement le fond et la moitié inférieure du récipient de cuisson. Ajoutez le riz, le sucre, le lait, le lait condensé et tout ingrédient aromatique, puis remuez pour mélanger.

2 Couvrez et faites cuire à haute température 3-4 heures ou à basse température 5-6 heures, ou jusqu'à ce que le riz soit presque cuit et ait absorbé la grande partie du lait.

3 Remuez le pouding au moins deux fois au cours des 2 dernières heures. Si la préparation devient trop épaisse vers la fin de la cuisson, ajoutez un peu de lait.

GÂTEAUX

La mijoteuse électrique permet de cuire avec succès de nombreux gâteaux – en particulier, ceux qui ont une texture moite, comme le gâteau aux carottes et le pain d'épice, qui demandent normalement un long temps de cuisson à basse température. Sauf s'ils sont cuits à la mijoteuse électrique, ces types de gâteaux ont besoin d'une période de maturation pour se bonifier. La mijoteuse convient aussi pour la cuisson des gâteaux éponges légèrement texturés et richement parfumés. Toutefois, elle n'est pas appropriée pour les gâteaux roulés qui demandent une cuisson rapide à haute température.

Les gâteaux peuvent être cuits dans un moule à fond fixe ou un moule à soufflé à bords droits. Avant de tapisser et de remplir le moule, assurez-vous qu'il se loge bien dans le récipient de cuisson. Vérifiez aussi son étanchéité ; remplissez-le d'eau et attendez quelques minutes pour voir s'il fuit.

Pour faciliter le démoulage du gâteau, tapissez le moule de papier ciré badigeonné d'un peu huile sans goût ou de papier parchemin.

Tapissage du fond

Dans certaines recettes, seul le fond du moule doit être tapissé. La présente technique s'applique à toutes les formes de moules.

Placez le moule sur une feuille de papier ciré ou de papier parchemin et tracez son contour au crayon. Découpez à l'intérieur du trait, de façon à ce que la forme du papier corresponde à celle du fond du moule. Graissez l'intérieur du moule au moyen d'un morceau de papier essuie-tout imbibé d'huile sans goût. Placez le papier ciré dans le fond, et pressez-en bien le contour.

Tapissage d'un moule rond

Il faudra souvent tapisser le fond ainsi que la paroi d'un moule rond à gâteau ou à soufflé.

1 Placez le moule à gâteau ou à soufflé sur une feuille de papier ciré et tracez son contour au crayon. Découpez à l'intérieur du trait. Coupez des bandes de papier d'environ 1 cm (½ po) plus larges que la hauteur du moule. Repliez chaque bande dans la longueur à 1 cm (½ po) du bord, puis entaillez le bord plié à intervalles d'environ 1 cm (½ po).

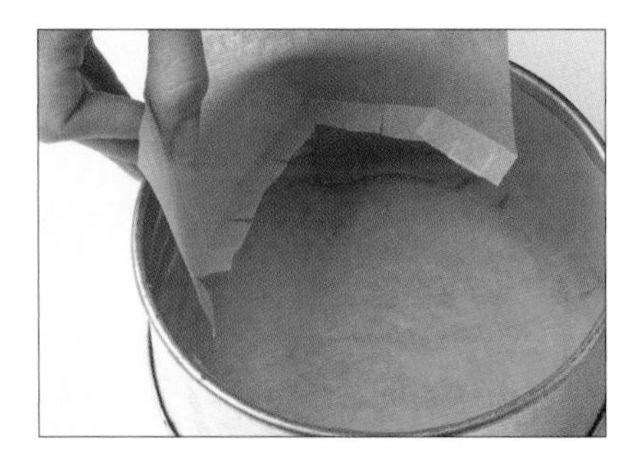

2 Badigeonnez d'huile l'intérieur du moule. Placez les bandes de papier tout autour de la paroi, de façon à ce que le bord entaillé repose sur le fond. Déposez le rond de papier sur le fond.

Tapissage d'un moule carré

Vous pouvez tapisser un moule carré avec une seule feuille de papier ciré.

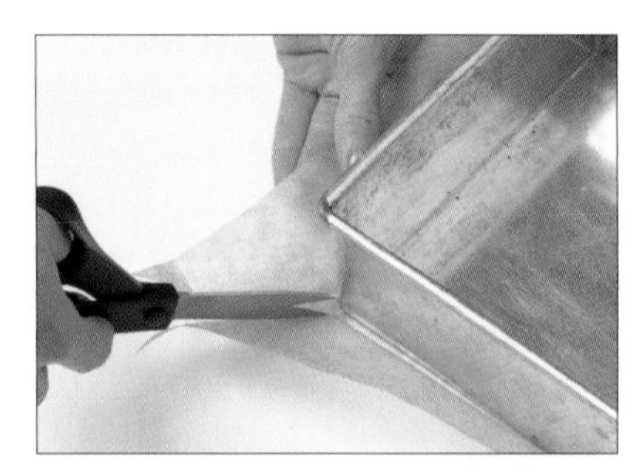

Découpez un carré de papier ciré suffisamment grand pour couvrir le fond et les parois du moule. Déposez le moule au centre du carré et tracez son contour. Coupez dans chaque coin jusqu'au trait de crayon. Repliez chaque côté le long du trait, en faisant une pliure bien nette. Badigeonnez l'intérieur du moule d'un peu d'huile. Placez le papier en repliant les coins de façon à couvrir les angles.

Tapissage d'un moule à pain

Contrairement au moule carré, un moule à pain est plus facile à tapisser avec deux bandes de papier.

1 Découpez une bande de papier ciré de la longueur du fond du moule et suffisamment large pour recouvrir le fond et les côtés longs du moule. Découpez une autre bande de la largeur du fond du moule et suffisamment long pour couvrir le fond et les côtés courts du moule.

2 Badigeonnez l'intérieur du moule d'un peu d'huile. Placez les deux bandes de papier, en faisant une pliure nette aux angles.

Gâteau au chocolat noir

La cuisson à la vapeur dans la mijoteuse électrique donne à ce gâteau riche une délicieuse moiteur.

POUR 8 À 10 PERSONNES

175 g (¾ tasse) de beurre à température ambiante
115 g (½ tasse) de cassonade dorée
50 g (¼ tasse) de miel liquide
3 œufs battus légèrement
150 g (1 ¼ tasse) de farine à levure
25 g (¼ tasse) de cacao en poudre non sucré
10 ml (2 c. à thé) de lait
5 ml (1 c. à thé) d'essence de vanille
crème fouettée, pour garnir (facultatif)

1 Placez une soucoupe renversée ou un emporte-pièce de métal au fond du récipient de cuisson. Versez environ 2,5 cm (1 po) d'eau très chaude et chauffez à hau-te température.

2 Graissez et tapissez un moule à gâteau ou à soufflé de 16 cm (7 po) de diamètre et d'au moins 7,5 cm (3 po) de profondeur.

3 Dans un bol, maniez le beurre, le sucre et le miel jusqu'à l'obtention d'une crème pâle et légère. Incorporez les œufs, un peu à la fois, en battant bien entre chaque addition. Si la préparation tourne, ajoutez un peu de la farine mesurée.

4 Tamisez la farine et le cacao sur la préparation au beurre. À l'aide d'une grande cuillère de métal, incorporez doucement le lait et l'essence de vanille. Déposez la préparation dans le moule tapissé et égalisez sa surface.

5 Recouvrez le gâteau de papier d'aluminium légèrement huilé. Mettez le moule dans le récipient de cuisson et versez de l'eau frémissante jusqu'à mi-hauteur du moule.

6 Couvrez et laissez cuire 3 heures à haute température. Pour vérifier le point de cuisson, insérez une brochette au centre du gâteau. Laissez-la quelques secondes, puis retirez-la. Si la brochette est propre, le gâteau est cuit. Dans le cas contraire, remettez le couvercle et prolongez la cuisson d'une trentaine de minutes.

7 Retirez le gâteau et laissez reposer 10 minutes sur une grille de métal. Démoulez et laissez refroidir. Si vous le désirez, coupez en deux dans l'épaisseur et garnissez de crème fouettée.

DÉCORATION D'UN GÂTEAU CUIT

Les gâteaux cuits à la mijoteuse électrique foncent mais ne dorent pas de la même façon que les gâteaux cuits au four. En conséquence, la plupart d'entre eux auront avantage à être décorés.

Décoration d'un gâteau non cuit

Beaucoup de gâteaux peuvent être décorés avant d'être cuits à la mijoteuse électrique. Toutefois, les préparations de texture légère ou mouillée ne supportent pas bien les décorations lourdes.

Sucre luisant : Le sucre décore facilement et efficacement les gâteaux. Différents types peuvent être saupoudrés sur la préparation, dont le sucre semoule, le sucre cristallisé ou le sucre demerara (sucre brut) aux cristaux plus gros, et le sucre en grains.

Noix hachées et effilées : À l'instar du sucre, les noix se parsèment sur les préparations. Grillez-les au préalable.

Cerneaux de noix et fruits confits : Disposez-les en motif décoratif sur les gâteaux aux fruits et les pâtes à gâteau fermes. Après la cuisson, badigeonnez-les d'un peu de miel ou de sirop chaud pour les glacer.

Décoration d'un gâteau cuit

Après la cuisson, les gâteaux peuvent être décorés de plusieurs façons.

Glaçage : Le glaçage donne un air de fête au gâteau le plus simple. Pour faire une glace au chocolat, mettez 50 g (2 oz) de morceaux de chocolat noir dans le récipient de cuisson et ajoutez 225 g (2 tasses) de sucre glace tamisé, 50 g (¼ tasse) de beurre, 45 ml (3 c. à soupe) de lait et 5 ml (1 c. à thé) d'essence de vanille. Faites cuire à haute température 15-25 minutes, ou jusqu'à ce que le chocolat soit fondu. Retirez le récipient de cuisson, mélangez, battez jusqu'à consistance épaisse et étalez sur le gâteau.

Glaçage américain : Placez un bol dans le récipient de cuisson. Versez de l'eau frémissante jusqu'à mi-hauteur du bol et chauffez à haute température. Dans le bol, mettez 350 g (12 oz) de sucre semoule, 2,5 ml (½ c. à thé) de crème de tartre et 2 blancs d'œufs. Battez constamment jusqu'à ce que la préparation garde sa forme. Étalez sur le gâteau en formant des pics.

SAUCES SALÉES

Les sauces ajoutent de la saveur, de la couleur, de la texture et de l'humidité aux aliments. La mijoteuse électrique permet de cuire de nombreuses sauces directement dans le récipient de cuisson ou dans un bain-marie (sauces émulsionnées). Voici quelques-unes des sauces classiques pour la cuisson d'un mets ou pour servir avec d'autres plats.

Sauce tomate fraîche

Cette sauce de base de plats de pâtes donne aussi une saveur riche aux mets mijotés de viande ou de poulet. Si vous le préférez, remplacez les tomates fraîches par 2 boîtes de 400 g (14 oz) de tomates italiennes concassées. La recette donne environ 475 ml (2 tasses) de sauce.

1 Versez 15 ml (1 c. à soupe) d'huile d'olive dans le récipient de cuisson. Ajoutez 2 gousses d'ail écrasées et le zeste finement râpé de ½ citron. Remuez, couvrez et laissez cuire 15 minutes à haute température.

2 Pelez et hachez grossièrement 900 g (2 lb) de tomates mûres, puis mettez-les dans le récipient de cuisson. Ajoutez 60 ml (4 c. à soupe) de bouillon de légumes ou de vin rouge, 5 ml (1 c. à thé) d'origan séché et 1 pincée de sucre semoule. Remuez, couvrez et laissez cuire 3 heures à basse température.

3 Incorporez 30-45 ml (2-3 c. à soupe) de basilic frais haché et assaisonnez au goût de sel et de poivre noir moulu.

Sauce blanche

Pour faire une sauce blanche à la mijoteuse électrique, chauffez le lait puis ajoutez un mélange de beurre et de farine. La recette donne environ 475 ml (2 tasses) de sauce.

1 Versez 400 ml (1 ⅔ tasse) de lait dans le récipient de cuisson. Ajoutez des ingrédients aromatiques, par exemple, une feuille de laurier, un morceau de macis, quelques tiges de persil, une moitié d'oignon pelé et quatre grains de poivre noir. Faites cuire à haute température 1 heure ou jusqu'à frémissement.

2 Mélangez 20 g (1 ½ c. à soupe) de beurre ramolli avec 20 g (¼ petite tasse) de farine tout usage pour former une pâte.

3 Avec une écumoire, retirez les ingrédients aromatiques du lait. Ajoutez la pâte en petites cuillerées et incorporez au lait chaud en fouettant jusqu'à épaississement.

4 Couvrez et poursuivez la cuisson une trentaine de minutes, en remuant de temps en temps. Salez et poivrez au besoin.

Sauces émulsionnées

Utilisée comme bain-marie, la mijoteuse électrique permet de très bien réussir ces sauces riches et crémeuses.

Sauce hollandaise

La saveur riche de la sauce hollandaise se marie bien au poisson, aux fruits de mer et à de nombreux légumes. Prenez votre temps pour la faire, car elle peut tourner très facilement si vous ajoutez le beurre trop rapidement. La recette donne environ 300 ml (1 ¼ tasse) de sauce.

1 Environ 30 minutes avant de faire la sauce, sortez 150 g (¾ tasse) de beurre non salé du réfrigérateur, coupez-le en petits dés et laissez-le reposer à température ambiante.

2 Versez environ 5 cm (2 po) d'eau frémissante dans le récipient de cuisson. Couvrez la mijoteuse électrique pour retenir la chaleur et chauffez à haute température.

3 Dans une casserole, mettez 60 ml (4 c. à soupe) de vinaigre de vin blanc, 4 grains de poivre noir, 1 feuille de laurier et 1 morceau de macis (facultatif). Portez à ébullition et laissez frémir jusqu'à ce que le vinaigre soit réduit à 15 ml (1 c. à soupe). Retirez du feu et plongez la base de la casserole dans l'eau froide pour arrêter le processus d'évaporation.

4 Battez 3 jaunes d'œufs avec 15 g (1 c. à soupe) de beurre et 1 pincée de sel dans un bol résistant à la chaleur et pouvant se loger dans le récipient de cuisson. Passez le vinaigre réduit dans le bol. Placez le bol dans le récipient de cuisson et versez de l'eau bouillante jusqu'à mi-hauteur du bol. Battez environ 3 minutes jusqu'à ce que la sauce commence à épaissir.

5 Tout en battant, ajoutez le reste de beurre, une petite quantité à la fois, en vous assurant que le beurre est bien incorporé avant chaque addition. La sauce s'épaissira et s'émulsionnera tranquillement. Assaisonnez de sel et de poivre noir moulu. Vous pouvez maintenir la sauce chaude à basse température jusqu'à 1 heure. (Si elle commence à tourner, ajoutez un glaçon et fouettez énergiquement ; la sauce devrait reprendre sa consistance. En cas d'insuccès, battez 1 jaune d'œuf avec 15 ml (1 c. à soupe) d'eau tiède et incorporez lentement à la sauce tournée en fouettant.)

Beurre blanc

Cette sauce au beurre simple est servie avec du poisson ou de la volaille pochés ou grillés. On peut lui ajouter des herbes fraîches hachées, telles que de la ciboulette ou du cerfeuil. Comme elle est extrêmement riche, servez-la en petite quantité. La recette donne environ 250 ml (1 tasse) de sauce.

1 Versez environ 5 cm (2 po) d'eau frémissante dans le récipient de cuisson. Couvrez et chauffez à haute température.

2 Dans une casserole, versez 45 ml (3 c. à soupe) chacun de vin blanc et de vinaigre de vin blanc. Ajoutez 2 échalotes finement hachées et portez à ébullition. Laissez frémir jusqu'à ce que le liquide soit réduit à environ 15 ml (1 c. à soupe).

3 Passez la préparation dans un bol résistant à la chaleur. Mettez le bol dans le récipient de cuisson et versez de l'eau bouillante jusqu'à mi-hauteur du bol.

4 Tout en battant, ajoutez 225 g (1 tasse) de beurre froid coupé en dés, un morceau à la fois, en vous assurant que le beurre est bien incorporé avant chaque addition. Assaisonnez de sel et de poivre noir moulu avant de servir.

Sauce sabayon

La sauce sabayon, légère et mousseuse, est montée avec un œuf. Elle accompagne bien les légumes et les plats à base de pâte. La recette donne environ 300 ml (1 ¼ tasse) de sauce.

1 Remplissez d'eau frémissante la moitié du récipient de cuisson, couvrez et chauffez à haute température.

2 Placez un bol résistant à la chaleur dans l'eau du récipient de cuisson. Seule la base du bol devrait être immergée. Dans le bol, mettez 4 jaunes d'œufs et 15 ml (1 c. à soupe) de vinaigre de vin blanc, puis fouettez jusqu'à ce que la préparation soit pâle. Ajoutez 90 g (6 c. à soupe) de vin rouge ou blanc ou de bouillon et fouettez de nouveau.

3 Une fois que la sauce est épaisse et mousseuse, assaisonnez au goût et servez immédiatement.

SAUCES SUCRÉES

Une sauce sucrée ajoute une touche de finition à un dessert. La mijoteuse électrique est excellente pour la confection de délicieux coulis de fruits, d'onctueuses crèmes anglaises et de riches sauces au chocolat.

Coulis de fruits frais

La cuisson fait ressortir la saveur naturelle des fruits tendres, tels que framboises, mûres, bleuets (myrtilles), cassis, prunes, cerises et abricots. La recette donne environ 350 g (1½ tasse) de coulis.

1 Dans le récipient de cuisson, mettez 350 g (3 tasses) de fruits préparés et 45 ml (3 c. à soupe) d'eau. Ajoutez un peu de sucre et un trait de jus de citron. Mélangez, couvrez et laissez cuire à haute température 1-1½ heure, ou jusqu'à ce que les fruits soient très tendres.

2 Retirez le récipient de cuisson et laissez tiédir. Réduisez les fruits en purée lisse au robot culinaire ou au mélangeur. Passez la purée au tamis pour enlever tout résidu de pépin ou de peau.

3 Goûtez et, au besoin, ajoutez un peu de sucre ou de jus de citron. Couvrez et réfrigérez. Si vous le désirez, incorporez 45 ml (3 c. à soupe) de liqueur, comme du kirsch, avant de servir. Le coulis se conservera jusqu'à 5 jours au réfrigérateur.

Sauce aux fruits secs

Vous pouvez aussi faire une sauce avec des abricots et autres fruits secs. La recette donne environ 600 ml (2½ tasses) de sauce.

1 Dans le récipient de cuisson, mettez 175 g (6 oz) d'abricots secs et versez 475 ml (2 tasses) de jus d'orange. Couvrez et laissez tremper toute la nuit.

2 Placez le récipient de cuisson dans la mijoteuse et faites cuire à haute température 1 heure, ou jusqu'à ce que les abricots soient tendres. Réduisez en purée au robot culinaire ou au mélangeur et servez la sauce tiède ou froide. Si nécessaire, diluez avec un peu de jus de fruits.

Crème anglaise

La crème anglaise est une sauce de dessert classique et peut aussi servir de base dans la confection de nombreux entremets. La mijoteuse électrique maintient une chaleur douce et constante qui permet de cuire la crème directement dans le récipient de cuisson plutôt que dans un bain-marie. Elle peut être servie chaude ou froide. Si vous le désirez, parfumez la crème tandis qu'elle est chaude, en incorporant, par exemple, 75 g (3 oz) de chocolat noir haché ou 45 ml (3 c. à soupe) de rhum ou de brandy. Pour une crème anglaise encore plus riche, remplacez une partie du lait par de la crème légère ou épaisse. La recette donne environ 600 ml (2½ tasses) de crème anglaise.

1 Versez 475 ml (2 tasses) de lait dans le récipient de cuisson. Fendez une gousse de vanille dans le sens de la longueur et ajoutez-la au lait. Chauffez à haute température 1 heure ou jusqu'au point d'ébullition.

2 Entre-temps, dans un bol, battez ensemble 5 jaunes d'œufs et 90 g (½ petite tasse) de sucre semoule jusqu'à consistance pâle et épaisse.

3 Incorporez 5 ml (1 c. à thé) de fécule de maïs en fouettant. (La fécule aidera la crème anglaise à épaissir et l'empêchera de tourner.)

4 Retirez la gousse de vanille et versez le lait chaud sur la préparation aux œufs, en fouettant constamment. Reversez la préparation dans le récipient de cuisson et remuez jusqu'à léger épaississement. Portez la crème au point de frémissement ; ne la laissez pas bouillir, sinon, elle pourrait tourner. Faites cuire jusqu'à ce que la crème soit suffisamment épaisse pour napper le dos d'une cuillère de bois.

Sauce sabayon

Cette sauce mousseuse se marie bien aux desserts élégants et aux pâtisseries délicates. La recette donne environ 450 ml (2 tasses) de sauce.

1 Versez environ 5 cm (2 po) d'eau frémissante dans le récipient de cuisson. Couvrez et chauffez à haute température.

2 Dans un bol résistant à la chaleur et se logeant bien dans le récipient de cuisson, battez ensemble 4 œufs et 50 g (¼ tasse) de sucre semoule jusqu'à ce que le mélange pâlisse. Tout en battant, incorporez 100 ml (½ bonne tasse) de vin blanc doux.

3 Placez le bol dans le récipient de cuisson et versez de l'eau bouillante jusqu'à mi-hauteur du bol. Continuez à battre la sauce pendant 10 minutes jusqu'à consistance très épaisse et mousseuse. Servez la sauce chaude ou froide.

Sauce crémeuse au chocolat

Cette sauce foncée et veloutée à souhait devrait être servie avec des desserts à la hauteur de sa saveur profonde et riche.

1 Dans le récipient de cuisson, versez 200 ml (1 petite tasse) de crème épaisse, 60 ml (4 c. à soupe) de lait et 2,5 ml (½ c. à thé) d'essence de vanille. Chauffez environ 45 minutes à haute température.

2 Arrêtez la mijoteuse. Ajoutez 150 g (5 oz) de chocolat noir haché et remuez constamment jusqu'à ce qu'il soit fondu. Servez tiède.

Sauce brillante au chocolat

Cette sauce sucrée liquide est idéale pour napper les profiteroles et les crèmes glacées.

Dans le récipient de cuisson, mettez 225 g (8 oz) de chocolat noir haché, 60 ml (4 c. à soupe) de sirop de maïs, 60 ml (4 c. à soupe) d'eau et 25 g (2 c. à soupe) de beurre non salé. Chauffez à haute température 30 minutes, en remuant jusqu'à ce que le chocolat soit fondu. Servez tiède.

Sauce au chocolat blanc

Cette sauce sucrée et crémeuse se déguste tiède sur des fruits frais d'été.

1 Versez environ 5 cm (2 po) d'eau très chaude dans le récipient de cuisson. Couvrez et chauffez à haute température.

2 Dans un bol résistant à la chaleur, mettez 200 g (7 oz) de chocolat blanc

et 30 ml (2 c. à soupe) de crème épaisse. Placez le bol dans le récipient de cuisson et versez suffisamment d'eau frémissante autour du bol pour en immerger la base.

3 Remuez jusqu'à ce que le chocolat soit fondu. Toujours en remuant, incorporez 60 ml (4 c. à soupe) de crème épaisse et 60 ml (4 c. à soupe) de lait. Chauffez 5 minutes, retirez le bol et fouettez.

Sauce caramel

Cette sauce riche et crémeuse est délicieuse sur les tartes et les desserts à base de pâte.

1 Dans le récipient de cuisson, mettez 25 g (2 c. à soupe) de beurre non salé et 75 g (6 c. à soupe) de cassonade foncée. Chauffez à haute température environ 20 minutes, en remuant de temps en temps, jusqu'à ce que le beurre ait fondu et que le sucre soit dissous.

2 Incorporez 150 ml (⅔ tasse) de crème épaisse et poursuivez la cuisson 20 minutes, en remuant de temps à autre, jusqu'à consistance lisse. Servez la sauce tiède ou froide.

Sauce au caramel au beurre

Cette sauce au goût de beurre est très sucrée et riche. Servez-la en petite quantité.

1 Dans le récipient de cuisson, mettez 50 g (¼ tasse) de beurre non salé, 75 g (6 c. à soupe) de cassonade dorée, 50 g (¼ tasse) de sucre semoule et 150 g (½ petite tasse) de sirop de maïs. Chauffez à haute température 20 minutes, en remuant jusqu'à dissolution du sucre.

2 Incorporez graduellement 150 ml (⅔ tasse) de crème épaisse et 5 ml (1 c. à thé) d'essence de vanille. Servez tiède.

FONDUES

Pour recevoir en toute convivialité, rien de plus amusant qu'une bonne fondue ! Une mijoteuse électrique de petite capacité remplace avantageusement le traditionnel service à fondue, car elle est plus profonde – les aliments doivent être plongés dans au moins 5 cm (2 po) de liquide. Elle permet de faire des fondues au fromage, au chocolat et au caramel au beurre. Elle ne convient toutefois pas aux fondues bourguignonnes, qui sont cuites dans de l'huile, car sa température n'est pas suffisamment haute.

Fondue au fromage

Il y a de nombreuses versions et variantes de fondue au fromage. Savourée traditionnellement après une journée de ski vigoureux dans les Alpes, la classique fondue suisse fait appel normalement à des fromages à pâte dure, comme l'emmenthal et le gruyère, et à pâte moins dure, comme l'appenzell.

La recette de base pour quatre à six personnes peut vous servir de guide pour créer vos propres variantes. Par exemple, remplacez le vin blanc par de la bière, du cidre ou du lait, ou remplacez le kirsch par du brandy ; utilisez d'autres fromages, comme du cheddar fort ou du monterey jack. Vous pouvez acheter des sachets de mélanges de fromages, mais ne confondez pas les fromages pour fondue avec les fromages fondus, qui sont des préparations de fromages mélangés non destinés à la fondue.

1 Pour donner une saveur subtile à la fondue, frottez l'intérieur du récipient de cuisson avec la surface coupée d'une moitié de gousse d'ail. Versez 150 ml (⅔ tasse) tasse de vin blanc sec. Couvrez et chauffez 45 minutes à haute température.

2 Dans un petit bol, mélangez en pâte lisse 10 ml (2 c. à thé) de fécule de maïs et 15 ml (1 c. à soupe) de kirsch. Incorporez 1 pincée de noix de muscade fraîchement râpée et assaisonnez bien de poivre noir moulu.

3 Ajoutez la préparation de fécule au vin chaud et remuez jusqu'à consistance épaisse et lisse. (La fécule aidera à stabiliser la farine après l'ajout du fromage.)

4 Saupoudrez le vin chaud de 225 g (8 oz) de gruyère ou d'emmenthal râpé et remuez jusqu'à ce que le fromage soit bien fondu. Chauffez à basse température, en continuant à remuer jusqu'à homogénéité. Si la préparation semble trop épaisse, ajoutez un peu de vin. Servez immédiatement ou gardez la fondue au chaud jusqu'à 1 heure à basse température.

FONDUES DE SPÉCIALITÉ

Outre la Suisse, d'autres pays ont leur propre version de fondue au fromage. La *fonduta* est une fondue crémeuse au fontina, un fromage italien de la région du Piémont. La *kaasdoop* hollandaise est une trempette chaude au fromage et la fondue savoyarde est une spécialité française à base de comté et de beaufort.

ALIMENTS SALÉS À TREMPER

Les fondues au fromage se dégustent généralement avec des cubes de pain croûté. On pique un cube au bout d'une longue fourchette et on le plonge dans la fondue. Selon la tradition suisse, quiconque perd son morceau de pain dans la fondue doit avoir un gage. À l'instar du pain, d'autres aliments peuvent être trempés dans la fondue.

• Des tranches de bacon coupées en deux dans le sens de la largeur, roulées et mises en brochettes, puis grillées ou cuites au four. Des saucisses cocktail cuites.

• Des petits champignons entiers, grillés ou légèrement poêlés.

• Des crudités, comme des bouquets de chou-fleur cru.

Fondue au chocolat

Cette fondue onctueuse, pas trop sucrée, est tout simplement irrésistible. Comme elle est composée de chocolat et de crème en parts égales, vous pouvez facilement augmenter les quantités pour régaler un plus grand nombre de convives. La recette de base est donnée pour quatre personnes.

Si vous le préférez, utilisez d'autres types de chocolat, comme du chocolat au lait ou du chocolat blanc. Choisissez un chocolat de bonne qualité, recommandé pour la fondue – beaucoup de chocolats de dégustation ne fondent pas facilement.

La recette peut aussi servir de guide pour une fondue au caramel au beurre. Il suffit d'omettre la liqueur et de remplacer le chocolat noir par 65 g (2½ oz) de chocolat au caramel coupé en morceaux.

1 Versez 150 ml (⅔ tasse) de crème épaisse dans le récipient de cuisson. Incorporez 15 ml (1 c. à soupe) de liqueur d'orange ou de café, couvrez et chauffez environ 30 minutes à haute température.

2 Hachez finement 150 g (5 oz) de chocolat noir et saupoudrez sur la préparation à la crème chaude. Remuez avec une cuillère de bois jusqu'à ce que le chocolat soit fondu et bien incorporé, puis chauffez à basse température.

3 Servez immédiatement ou gardez la fondue au chaud jusqu'à 30 minutes à basse température. Pour une sauce plus épaisse, arrêtez la mijoteuse et laissez reposer 10 minutes.

Fondue au caramel au beurre

Servez cette délectable fondue riche et crémeuse avec des fruits sucrés, tels que poires, ananas et bananes. La recette est donnée pour quatre à six personnes.

1 Coupez 115 g (½ tasse) de beurre non salé en petits dés et mettez-les dans le récipient de cuisson. Ajoutez 115 g (1 tasse) de sucre muscovado (mélasse) foncé et chauffez à haute température une quinzaine de minutes jusqu'à ce que le beurre commence à fondre.

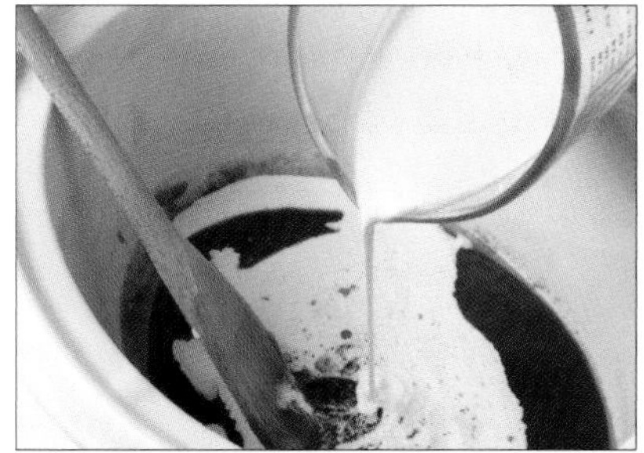

2 Versez 200 ml (1 tasse) de crème épaisse et remuez jusqu'à dissolution du sucre.

3 Incorporez 2,5 ml (½ c. à thé) d'essence de vanille, couvrez et faites cuire à haute température 30 minutes, en remuant de temps en temps, jusqu'à ce que la sauce soit lisse et crémeuse. Gardez la fondue au chaud jusqu'à 1 heure à basse température.

4 Avant de servir, arrêtez la mijoteuse et laissez reposer 10 minutes pour permettre à la sauce de tiédir et de s'épaissir légèrement.

ALIMENTS SUCRÉS À TREMPER

Trempez de délicieux aliments sucrés et fruités dans vos fondues au chocolat ou au caramel au beurre. En voici quelques exemples :

- Guimauves roses et blanches, petites fraises et pâte d'amandes découpée en petits morceaux.
- Morceaux de fruits frais, tels que grains de raisin sans pépins, quartiers de clémentine, cubes d'ananas, tranches de figue et de kiwi. (Remuez des fruits susceptibles de se décolorer, comme les pommes, dans un peu de jus d'orange.)
- Cubes de gâteau tel que quatre-quarts et gâteau aux fruits. Coupez le gâteau quelques heures avant de servir pour le laisser sécher et se raffermir.

CONSERVES

La mijoteuse électrique est excellente pour la fabrication de chutneys (condiments aigres-doux), de tartinades et de sirops. Elle ne convient pas pour la confection de confitures et de gelées, car sa température ne peut atteindre le point de gélification ; elle peut toutefois servir à attendrir des fruits en début de recette. Elle est particulièrement utile pour mijoter longuement les agrumes destinés aux marmelades.

Chutney

Une cuisson prolongée à basse température produit un chutney à la saveur bien développée. En conséquence, une période de maturation est inutile et le chutney peut donc être consommé immédiatement. Comme la mijoteuse permet très peu d'évaporation, le chutney doit contenir une quantité relativement petite de liquide. Évitez un chutney dont les ingrédients principaux renferment beaucoup de liquide, comme la rhubarbe, les tomates et les courges, car les jus ne s'évaporeront pas suffisamment pour donner de la consistance au condiment.

Créez d'autres chutneys à partir de la recette aux pommes donnée ci-dessous. Variez les ingrédients selon vos préférences, les fruits secs que vous avez sous la main et la disponibilité des produits saisonniers.

DONNE UN PEU PLUS DE 1,3 KG (3 LB) DE CHUTNEY

225 g (8 oz) d'oignons
675 g (1 ½ lb) de pommes à cuire
25 g (1 oz) de gingembre frais
3 gousses d'ail écrasées
450 g (2 tasses) de cassonade dorée
175 ml (¾ tasse) de vinaigre de cidre
450 g (1 lb) de fruits secs mélangés, tels que pêches, abricots, figues, dattes, pruneaux ou raisins de Smyrne
5 ml (1 c. à thé) de sel

1 Pelez les oignons, hachez-les finement et mettez-les dans le récipient de cuisson. Coupez les pommes en quatre, pelez-les, évidez-les, hachez-les en petits morceaux égaux et ajoutez-les aux oignons. Pelez le gingembre, hachez-le finement et mettez-le dans le récipient. (Si le gingembre est dur et fibreux, râpez-le, pressez son jus dans le récipient et jetez les fibres.)

2 Ajoutez l'ail, le sucre et le vinaigre de cidre aux autres ingrédients.

3 Chauffez à haute température 30 minutes à découvert, puis remuez jusqu'à dissolution du sucre. Couvrez et laissez cuire 6 heures, en remuant de temps à autre.

4 Vers la fin du temps de cuisson, hachez les fruits secs en petits morceaux égaux et incorporez-les au chutney avec le sel. Couvrez et poursuivez la cuisson 2-3 heures ou jusqu'à épaississement, en remuant une fois ou deux en fin de cuisson.

5 Transférez le chutney dans des pots stérilisés chauds et fermez chaque pot hermétiquement avec un couvercle résistant au vinaigre. Étiquetez et rangez dans un endroit frais et sombre. Utilisez dans les 6 mois de la fabrication et réfrigérez après ouverture.

Tartinade aux fruits

L'utilisation de la mijoteuse comme bain-marie est un moyen efficace pour faire des tartinades aux fruits, car la température de l'eau peu élevée ne gâchera pas la préparation. Inspirez-vous de la recette classique aux agrumes pour créer d'autres tartinades aux fruits. Pour faire une tartinade aux fruits de la passion, utilisez 30 ml (2 c. à soupe) de jus de citron en fin de cuisson. Si vous préférez une tartinade plus riche, plus ferme, remplacez une partie des œufs battus par 2 jaunes d'œufs.

DONNE ENVIRON 675 G (1 ½ LB)

zeste finement râpé de 3 citrons, de 4 limes ou de 2 oranges (de préférence non cirés ou biologiques)
150 ml (⅔ tasse) de jus de citron, de lime ou d'orange
350 g (1 ¾ tasse) de sucre semoule
115 g (8 c. à soupe) de beurre non salé, en dés
150 ml (⅔ tasse) d'œufs battus

1 Versez 5 cm (2 po) d'eau chaude dans le récipient de cuisson et chauffez à haute température. Mettez le zeste et le jus d'agrume, le sucre et le beurre dans un grand bol résistant à la chaleur et pouvant se loger dans le récipient de cuisson.

2 Mettez le bol dans le récipient de cuisson et versez de l'eau frémissante jusqu'à mi-hauteur du bol. Laissez cuire 15 minutes, en remuant de temps à autre, jusqu'à ce que le sucre soit dissous et que le beurre ait fondu. Retirez le bol et laissez refroidir quelques minutes. Réglez la mijoteuse à basse température.

3 Passez les œufs battus dans la préparation aux fruits et fouettez pour mélanger. Couvrez le bol de papier d'aluminium et remettez-le dans la mijoteuse.

4 Laissez cuire 1-1½ heure à basse température, en remuant tous les quarts d'heure, jusqu'à ce que la tartinade épaississe et nappe légèrement le dos de la cuillère.

5 Retirez le bol et versez la tartinade dans des petits pots stérilisés chauds. Si vous désirez une tartinade lisse, passez au tamis avant de mettre en pot.

6 Couvrez chaque pot d'un disque de paraffine et de cellophane. Étiquetez, rangez dans un endroit frais et sombre ou réfrigérez. Utilisez dans les 3 mois. Après ouverture, conservez le pot jusqu'à 1 semaine au réfrigérateur.

Marmelade

Bien que la mijoteuse électrique ne permette pas de porter la marmelade à son point de gélification, elle est idéale pour mijoter longuement les écorces. Pour la recette suivante, une mijoteuse d'une capacité de 3,5 l (14¼ tasses) est appropriée ; doublez ou divisez les quantités selon la capacité de la vôtre.

DONNE ENVIRON 2,75 KG (6 LB)

900 g (2 lb) d'oranges amères
1,5 l (6¼ tasses) d'eau frémissante
jus de 2 citrons
1,8 kg (9 tasses) de sucre

1 Lavez les oranges. Coupez-les en deux, pressez le jus et réservez. Retirez les pépins et les membranes, enveloppez-les dans un morceau d'étamine et attachez en forme de sachet. Tranchez l'écorce d'orange en lanières fines ou grosses, selon votre goût.

2 Dans le récipient de cuisson, mettez l'écorce, le sachet d'étamine, l'eau et le jus de citron. Couvrez et faites cuire à haute température 4-6 heures, ou jusqu'à ce que l'écorce soit tendre. (L'écorce doit être vraiment molle avant l'ajout du sucre.)

3 Retirez le sachet d'étamine et laissez refroidir suffisamment pour pouvoir le

manipuler. Pressez le liquide du sachet dans une grande casserole à fond épais. Transférez l'écorce et le liquide de cuisson dans la casserole. Ajoutez le jus d'orange et le sucre. Chauffez à feu doux, en remuant jusqu'à dissolution du sucre.

4 Portez la préparation à ébullition et faites bouillir une quinzaine de minutes jusqu'à ce qu'un thermomètre à sucre indique 105 °C (220 °F). (Sinon, mettez une cuillerée de marmelade sur une soucoupe glacée et laissez refroidir 1 minute. Pressez la marmelade doucement avec votre doigt : si elle ne se ride pas, continuez à bouillir.)

5 Retirez la casserole du feu et écumez. Laissez reposer 15 minutes, puis remuer pour répartir l'écorce également. Mettez la marmelade dans des pots stérilisés chauds, fermez hermétiquement et étiquetez. Rangez dans un endroit frais et sombre. Utilisez dans l'année suivant la fabrication.

Sirop de fruits

La mijoteuse électrique est un appareil parfait pour infuser des zestes d'agrumes et des épices. Elle amène le liquide très lentement à ébullition et le maintient à une température basse constante, ce qui permet d'extraire le maximum de parfums. Par conséquent, elle est idéale pour la confection de sirops. Servez-vous de la recette donnée ici pour confectionner d'autres sirops. Par exemple, utilisez le zeste de 2 oranges et le jus de 1 citron ; sinon, remplacez le zeste de citron par 10 pétales de rose parfumés, 1 gousse de vanille fendue et le jus de 1 citron.

DONNE ENVIRON 1,2 L (5 TASSES)

3 gros citrons juteux, de préférence non cirés ou biologiques
350 g (1¾ tasse) de sucre semoule
eau minérale gazeuse et glaçons, pour servir

1 Lavez les citrons et prélevez leur zeste sans l'écorce blanche amère. Mettez les zestes dans le récipient de cuisson, avec le sucre et 1 l (4 tasses) d'eau froide.

2 Couvrez et chauffez 30 minutes à haute température. Remuez jusqu'à dissolution du sucre, poursuivez la cuisson 1½ heure, puis laissez refroidir.

3 Coupez les citrons en deux et pressez le jus. Incorporez au sirop puis filtrez. Versez dans des bouteilles stérilisées, fermez hermétiquement et étiquetez. Le sirop se conservera jusqu'à 10 jours au réfrigérateur. Servez sur glace, dilué au goût avec de l'eau minérale gazeuse.

RÈGLES DE SÉCURITÉ

La mijoteuse électrique est un appareil de cuisson extrêmement efficace et sécuritaire. Toutefois, comme pour tout appareil électrique, il importe d'observer les règles de sécurité qui s'imposent. Compte tenu de la variété des mijoteuses électriques, prenez toujours le temps qu'il faut pour lire le manuel d'utilisation du fabricant avant l'utilisation.

Entretien de la mijoteuse

L'entretien de votre mijoteuse est simple mais essentiel. Après avoir enlevé votre nouvelle mijoteuse de sa boîte, vérifiez qu'elle ne présente aucun signe de dommage, que le cordon d'alimentation est attaché correctement et, si vous l'avez achetée à l'étranger, que la tension indiquée sur la plaque de l'appareil correspond à l'alimentation en électricité de votre maison – dans le doute, consultez un électricien agréé.

Avant d'étrenner votre mijoteuse, lavez le récipient de cuisson à l'eau tiède savonneuse et séchez-le à fond. Lorsqu'elle est en marche, la mijoteuse doit reposer sur une surface résistant à la chaleur et son cordon d'alimentation doit être placé de façon sécuritaire. Elle ne devrait pas toucher à un appareil chaud ou se trouver au bord d'un comptoir ou d'une table d'où elle risquerait de tomber accidentellement.

Redoublez de vigilance si vous avez des jeunes enfants (ou des animaux curieux) ; mettez la mijoteuse hors de leur portée. Après environ une heure de mise sous tension, la mijoteuse peut devenir très chaude – le récipient de cuisson comme la cuve extérieure et le couvercle. Utilisez toujours des gants isolants pour soulever le couvercle (éloignez-vous pour éviter de vous faire ébouillanter par la vapeur ou les gouttes) ou pour retirer le récipient de cuisson.

Ci-dessus : *Protégez vos mains contre les surfaces chaudes et la vapeur avec des gants isolants.*

Ci-dessous : *N'immergez pas la mijoteuse dans l'eau. Débranchez-la et nettoyez-la avec une éponge et de l'eau savonneuse.*

Ne mettez pas la mijoteuse sous tension si le récipient de cuisson est vide, sauf si le fabricant recommande un préchauffage. Dès que vous avez fini de cuire, débranchez l'appareil pour éviter une mise en marche accidentelle.

N'immergez jamais la mijoteuse dans l'eau, car sa cuve contient les éléments électriques qui chauffent le récipient de cuisson – d'où le danger de décharge électrique pouvant causer des blessures mortelles.

N'utilisez jamais la mijoteuse sans son récipient de cuisson. Si vous devez nettoyer sa cuve, faites-le avec une éponge ou un linge imbibé d'eau savonneuse. Assurez-vous toujours que l'appareil est débranché avant de le mettre contact avec de l'eau.

Sécurité alimentaire

La mijoteuse électrique cuit les aliments lentement en produisant une chaleur douce – la température précise varie d'un modèle à un autre, mais la valeur moyenne est d'environ 90 °C (200 °F) à basse température et d'environ 150 °C (300 °F) à haute température. Les bactéries des aliments sont détruites à une température de 74 °C (165 °F). Par conséquent, si le temps de cuisson donné dans la recette est respecté, cette température sera atteinte suffisamment vite pour garantir une consommation sans danger des aliments. D'autres facteurs peuvent toutefois compromettre l'atteinte de la température désirée. Pour assurer la sécurité alimentaire, prenez toujours les précautions suivantes :

- Évitez de placer la mijoteuse près d'une fenêtre ouverte ou dans un courant d'air.
- Sauf indication contraire dans la recette, ne soulevez pas le couvercle en cours de cuisson.
- N'ajoutez pas d'ingrédients congelés ou partiellement décongelés dans le récipient de cuisson – ils feront augmenter le temps nécessaire pour atteindre la température requise et les temps de cuisson indiqués dans la recette ne suffiront pas.
- Augmentez le temps de cuisson lorsque la température de la cuisine est considérablement plus basse que la normale ; vérifiez que la nourriture est cuite avant de servir, surtout s'il s'agit de volaille et de porc.

Vérification du point de cuisson

En sécurité alimentaire, la vérification du point de cuisson est importante, en particulier pour la volaille et le porc. Un thermomètre à viande est un investissement qui en vaut la peine si vous prévoyez cuire de grosses pièces de viande et de volaille dans votre mijoteuse électrique. C'est le moyen le plus fiable pour s'assurer que l'intérieur de la viande a atteint une température suffisante pour tuer toutes les bactéries potentiellement dangereuses. La viande restera humide et ne sera pas trop cuite. Lorsque vous utilisez un thermomètre à viande, insérez l'extrémité de la sonde en acier inoxydable aussi près que possible du centre de la viande, sans toucher à un os. Les thermomètres à viande ont différentes indications de cuisson pour chaque type de viande : saignant, rosé, à point, bien cuit.

Ci-dessous : *Facile à utiliser, un thermomètre à viande vous indique par une lecture précise de la température quand la viande peut être consommée sans danger.*

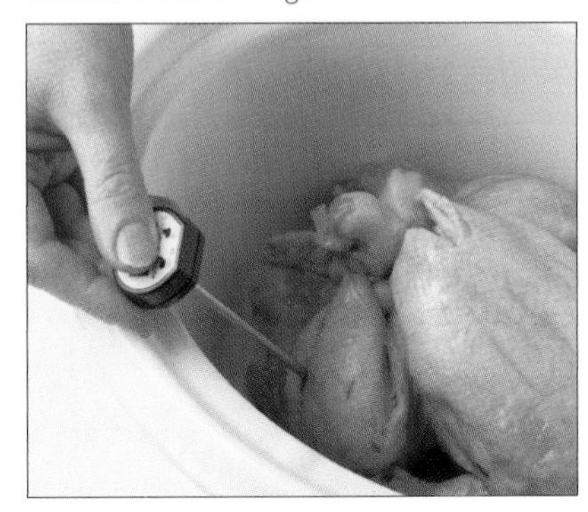

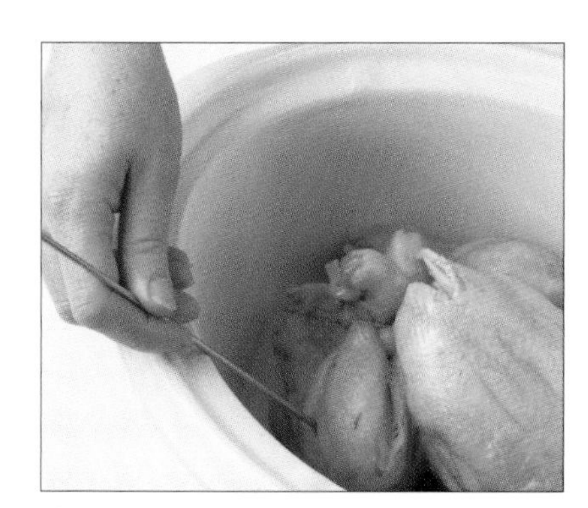

Ci-dessus : Vérifiez que la viande est parfaitement cuite en insérant une brochette ou la pointe d'un couteau dans sa partie la plus épaisse.

Comme ils peuvent transmettre des bactéries nocives s'ils sont crus ou partiellement cuits, le porc et la volaille devraient être cuits à fond pour éviter tout risque d'empoisonnement alimentaire. Mieux vaut pécher par excès de prudence : optez pour la sécurité et cuisez-les bien.

Pour vérifier le point de cuisson de la viande sans thermomètre, insérez la pointe fine d'un couteau tranchant ou une brochette dans la partie la plus épaisse de la pièce de viande et laissez-la en place 20 secondes. Lorsque l'agneau ou le bœuf est cuit à point ou bien cuit, son jus est presque transparent et la lame du couteau semble chaude lorsqu'on la pose sur le dos de la main. Pour le porc ou la volaille, il est essentiel que le jus soit limpide. S'il y a la moindre trace de rose, la viande n'est pas prête à être consommée et devrait être cuite un autre 30 minutes. Avant de servir, vérifiez de nouveau avec le couteau ou la brochette.

Avec la volaille, vous pouvez faire une double vérification en tirant sur la cuisse ; elle devrait bouger sans résistance. Si le doute persiste, entaillez profondément la viande à la jonction de la cuisse et du corps : il ne devrait y avoir aucune trace de viande rose. Dans le cas contraire, prolongez la cuisson de 30 minutes et vérifiez de nouveau.

SÉCURITÉ ALIMENTAIRE - ASTUCES

Lors de la préparation ou de la cuisson d'aliments dans une mijoteuse électrique, respectez les règles de sécurité alimentaire de base.

• Les aliments doivent être à température ambiante avant leur ajout dans la mijoteuse, sinon, ils mettront plus de temps à atteindre la température de cuisson sécuritaire. Toutefois, ne laissez pas des aliments tels que la viande et le poisson reposer plus longtemps qu'il ne faut hors du réfrigérateur ; sortez-les juste pour enlever le froid et gardez-les couverts de pellicule plastique.

• Mariner des aliments dans le récipient de cuisson fait économiser la vaisselle. Cependant, comme le séjour au réfrigérateur aura refroidi le récipient, il faudra le sortir au moins une heure avant de commencer la cuisson.

• Évitez de soulever le couvercle de la mijoteuse durant la cuisson, surtout au début. Chaque fois que le couvercle est enlevé, il faut de 15 à 20 minutes pour récupérer la chaleur perdue et donc davantage de temps pour atteindre la température sécuritaire.

• Ne cuisez pas la viande ou la volaille partiellement en vue de terminer leur cuisson plus tard. Évitez aussi d'utiliser la mijoteuse pour réchauffer des plats précuits.

• Les aliments surgelés devraient toujours être décongelés à fond avant leur ajout dans la mijoteuse. S'ils sont gelés, ils mettront plus de temps pour atteindre la température sécuritaire. Si vous utilisez des légumes surgelés en fin de cuisson, décongelez-les au préalable sous l'eau froide.

• Pour accélérer le processus de cuisson, les grandes pièces de viande et la volaille entière devraient cuire à haute température pendant 1 à 2 heures, puis à basse température jusqu'à la fin du temps de cuisson.

• Faites tremper toute une nuit les haricots secs, en particulier les haricots rouges. Avant de les mettre dans la mijoteuse, faites-les bouillir 10 minutes dans une casserole d'eau fraîche pour détruire toutes les toxines.

SOUPES ET ENTRÉES

La mijoteuse électrique est excellente pour la confection de soupes. La cuisson prolongée à basse température favorise le développement des saveurs, rendant les soupes délicieusement riches et goûteuses. La mijoteuse permet aussi de réussir des entrées exceptionnelles, en particulier de succulents pâtés et terrines. Dans ce chapitre, vous trouverez des recettes de mets internationaux ainsi que de plats pour toutes les occasions. La délicate avgolemono grecque vous mettra en appétit, alors que la consistante soupe épicée nord-africaine ou la soupe galicienne vous sustenteront largement. Les jolies terrines de poisson et mousses de poulet, ainsi que les divines pêches pochées farcies au fromage, sont des entrées dignes des grandes occasions.

SOUPE à L'OIGNON FRANÇAISE et CROÛTONS GRATINÉS

Cette soupe, probablement la plus connue de toutes les soupes à l'oignon, constituait traditionnellement le premier repas consistant des débardeurs et autres travailleurs du fameux marché de paris « Les Halles ». Les gros oignons jaunes espagnols donnent les meilleurs résultats.

POUR 4 PERSONNES

40 g (3 c. à soupe) de beurre
10 ml (2 c. à thé) d'huile d'olive
1,2 kg (2½ lb) d'oignons pelés et émincés
5 ml (1 c. à thé) de sucre semoule
15 ml (1 c. à soupe) de farine tout usage
15 ml (1 c. à soupe) de vinaigre de xérès
30 ml (2 c. à soupe) de brandy
120 ml (½ tasse) de vin blanc sec
1 l (4 tasses) de bouillon de bœuf, de poulet ou de canard bouillant
5 ml (1 c. à thé) de thym frais haché
sel et poivre noir moulu

Pour les croûtons

4 tranches de baguette de la veille d'environ 2,5 cm (1 po) d'épaisseur
1 gousse d'ail coupée en deux
5 ml (1 c. à thé) de moutarde de Dijon
50 g (½ tasse) de gruyère râpé

1 Mettez le beurre et l'huile d'olive dans le récipient de cuisson et chauffez à haute température environ 15 minutes, ou jusqu'à ce que le beurre soit fondu.

2 Ajoutez les oignons et remuez pour bien les enrober de beurre et d'huile. Couvrez et placez un torchon plié en deux sur le couvercle pour retenir toute la chaleur. Laissez cuire 2 heures, en remuant à mi-cuisson.

3 Saupoudrez le sucre sur les oignons et remuez. Couvrez, remettez le torchon sur le couvercle et poursuivez la cuisson 4 heures, en remuant deux ou trois fois pour que les oignons soient dorés également. En fin de cuisson, ils devraient avoir une couleur dorée foncée.

4 Saupoudrez la farine sur les oignons et mélangez. Tout en remuant, incorporez lentement le vinaigre, le brandy, puis le vin. Ajoutez le bouillon et le thym, salez, poivrez et remuez. Laissez cuire à haute température 2 heures, ou jusqu'à ce que les oignons soient fondants.

5 Pour les croûtons, passez les tranches de pain sous le gril à feu doux, jusqu'à ce qu'elles soient sèches et légèrement dorées. Frottez les tranches avec la surface coupée de l'ail, étalez une mince couche de moutarde et saupoudrez de gruyère râpé.

6 Passez les croûtons sous le gril à feu vif 2-3 minutes, ou jusqu'à ce que le fromage soit fondu et doré. Versez la soupe à la louche dans des bols chauds et garnissez chaque bol d'un croûton gratiné. Servez immédiatement.

Informations nutritionnelles par portion – calories : 418 ; protéines : 11,5 g ; glucides : 51,8 g dont 19,4 g de sucres ; matières grasses : 15,9 g dont 8,2 g de gras saturés ; cholestérol : 33 mg ; calcium : 209 mg ; fibres : 5,3 g ; sodium : 1 195 mg.

POTAGE-PURÉE de CAROTTES à la CORIANDRE

La mijoteuse est parfaite pour la confection de soupes aux légumes racines telles que les carottes. La cuisson prolongée à basse température rend leur saveur de terre riche et sucrée, se mariant parfaitement aux herbes et épices corsées, et leur donne une texture onctueuse lorsqu'on les réduit en purée.

POUR 4 PERSONNES

450 g (1 lb) de carottes, de préférence jeunes et tendres
15 ml (1 c. à soupe) d'huile de tournesol
40 g (3 c. à soupe) de beurre
1 oignon haché
1 branche de céléri, plus 2-3 pointes pâles avec leurs feuilles
2 petites pommes de terre pelées
900 ml (3¾ tasses) de bouillon de légumes bouillant
10 ml (2 c. à thé) de coriandre moulue
15 ml (1 c. à soupe) de coriandre fraîche hachée
150 ml (⅔ tasse) de lait
sel et poivre noir moulu

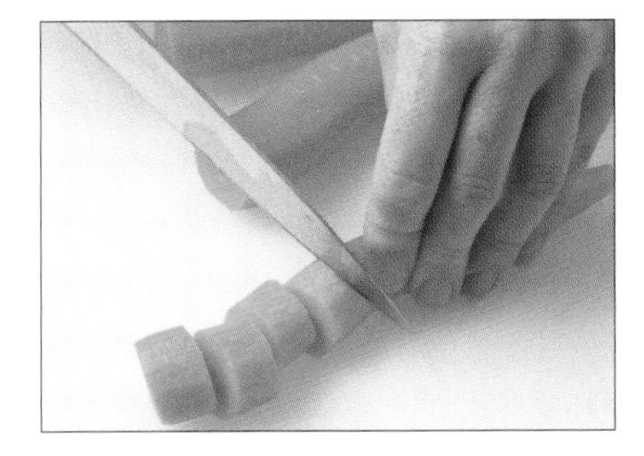

1 Parez les carottes, pelez-les et coupez-les en rondelles épaisses. Dans une casserole, chauffez l'huile et 25 g (2 c. à soupe) du beurre. Ajoutez l'oignon et faites suer 3-4 minutes jusqu'à léger ramollissement. Ne laissez pas brunir.

2 Émincez le céleri, hachez les pommes de terre et ajoutez-les aux oignons. Faites cuire 2 minutes, ajoutez les carottes et poursuivez la cuisson 1 minute. Transférez les légumes dans le récipient de cuisson.

3 Versez le bouillon de légumes bouillant sur les légumes, salez et poivrez. Couvrez et laissez cuire à basse température 3-5 heures jusqu'à ce que les légumes soient tendres.

4 Réservez 6-8 toutes petites feuilles de céleri pour garnir et hachez finement les pointes de céleri restantes. Faites fondre le reste de beurre dans une grande casserole et ajoutez la coriandre moulue. Faites frire environ 1 minute, en remuant constamment, jusqu'à ce que l'épice exhale son arôme.

5 Baissez le feu et ajoutez les pointes de céleri et la coriandre fraîche. Faites cuire environ 30 secondes et retirez la casserole du feu.

6 Transférez la soupe dans un robot culinaire ou un mélangeur. Mixez jusqu'à consistance lisse, puis versez dans la casserole contenant la préparation au céleri. Incorporez le lait et chauffez doucement jusqu'à ce que le potage soit fumant. Vérifiez l'assaisonnement. Garnissez de feuilles de céleri et servez.

Informations nutritionnelles par portion – calories : 168 ; protéines : 3 g ; glucides : 11,9 g dont 9,2 g de sucres ; matières grasses : 12,4 g dont 6 g de gras saturés ; cholestérol : 24 mg ; calcium : 94 mg ; fibres : 3,1 g ; sodium : 758 mg.

CRÈME de TOMATE et de BASILIC FRAIS

Compagnon parfait des tomates mûres et sucrées, le basilic à l'arôme poivré pousse facilement dans un pot placé sur le rebord d'une fenêtre de cuisine ensoleillée. Concoctez ce potage à la fin de l'été, lorsque les tomates fraîches regorgent de saveur.e.

POUR 4 PERSONNES

15 ml (1 c. à soupe) d'huile d'olive
25 g (2 c. à soupe) de beurre
1 oignon finement haché
900 g (2 lb) de tomates mûres, hachées grossièrement
1 gousse d'ail hachée grossièrement
environ 600 ml (2½ tasses) de bouillon de légumes
120 ml (½ tasse) de vin blanc sec
30 ml (2 c. à soupe) de pâte de tomate séchée
30 ml (2 c. à soupe) de basilic frais, déchiqueté
150 ml (⅔ tasse) de crème épaisse
sel et poivre noir moulu
feuilles de basilic entières, pour garnir

1 Dans une grande casserole, chauffez l'huile et le beurre jusqu'à consistance mousseuse. Mettez l'oignon et faites cuire doucement 5 minutes, en remuant, jusqu'à ce qu'il soit ramolli sans prendre couleur. Ajoutez les tomates et l'ail hachés.

2 Incorporez le bouillon, le vin blanc et la pâte de tomate séchée. Portez à frémissement, puis versez la préparation dans le récipient de cuisson.

3 Couvrez et laissez cuire 1 heure à haute température ou à la position AUTO. Poursuivez la cuisson à basse température ou à la position AUTO 4-6 heures jusqu'à tendreté.

4 Laissez la soupe refroidir quelques minutes. Versez à la louche dans un robot culinaire ou un mélangeur et mixez jusqu'à consistance lisse. Pressez la purée de tomates à travers un tamis placé au-dessus d'une casserole propre.

5 Ajoutez le basilic déchiqueté et la crème et réchauffez le potage en remuant, sans le laisser atteindre le point d'ébullition. Vérifiez la consistance et, le cas échéant, ajoutez un peu de bouillon. Salez et poivrez, versez dans des bols chauds et garnissez de basilic. Servez immédiatement.

Informations nutritionnelles par portion – calories : 335 ; protéines : 3,1 g ; glucides : 11,7 g dont 10,8 g de sucres ; matières grasses : 28,9 g dont 16,4 g de gras saturés ; cholestérol : 65 mg ; calcium : 50 mg ; fibres : 3 g ; sodium : 168 mg.

SOUPE FROIDE aux TOMATES et aux POIVRONS

S'inspirant du classique gaspacho espagnol composé de légumes à salade crus, cette soupe est cuite avant d'être réfrigérée. Grillez les poivrons pour donner un goût légèrement fumé à la soupe ou utilisez-les tels quels pour gagner du temps.

POUR 4 PERSONNES

2 poivrons rouges
30 ml (2 c. à soupe) d'huile d'olive
1 oignon finement haché
2 gousses d'ail écrasées
675 g (1 ½ lb) de tomates mûres et goûteuses
120 ml (½ tasse) de vin rouge
450 ml (2 tasses) bouillon de légumes ou de poulet
2,5 ml (½ c. à thé) de sucre semoule
sel et poivre noir moulu
ciboulette fraîche hachée, pour garnir

Pour les croûtons
2 tranches de pain blanc, croûte retirée
45 ml (3 c. à soupe) d'huile d'olive

1 Coupez chaque poivron en quartiers et retirez le cœur et les graines. Placez les quartiers, peau vers le haut, sur une grille de four. Passez sous le gril jusqu'à ce que les peaux soient cloquées et noircies, puis transférez dans un bol et couvrez avec une assiette.

2 Chauffez l'huile dans une poêle et faites suer l'oignon et l'ail environ 10 minutes, en remuant de temps en temps. En attendant, retirez la peau des poivrons et hachez grossièrement la chair. Coupez les tomates en gros morceaux.

3 Transférez l'oignon dans le récipient de cuisson et incorporez les poivrons, les tomates, le vin, le bouillon et le sucre. Couvrez et faites cuire à haute température 3-4 heures, ou jusqu'à ce que les légumes soient très tendres. Laissez la soupe refroidir légèrement une dizaine de minutes.

4 Transférez la soupe dans un robot culinaire ou un mélangeur et mixez jusqu'à consistance lisse. Pressez à travers un tamis fin placé au-dessus d'un bol, laissez refroidir, puis réfrigérez au moins 3 heures.

5 Entre-temps, préparez les croûtons. Coupez le pain en dés. Chauffez l'huile dans une poêle et faites frire les dés de pain jusqu'à ce qu'ils soient dorés. Égouttez bien sur du papier essuie-tout.

6 Salez et poivrez au goût. Versez la soupe à la louche dans des bols froids, garnissez de quelques croûtons et parsemez de ciboulette hachée.

Informations nutritionnelles par portion – calories : 262 ; protéines : 3,5 g ; glucides : 17,6 g dont 11,5 g de sucres ; matières grasses : 18 g dont 2,6 g de gras saturés ; cholestérol : 0 mg ; calcium : 47 mg ; fibres : 3,4 g ; sodium : 499 mg.

POTAGE de CITROUILLE ÉPICÉ

D'une superbe couleur orangée, ce potage a une texture veloutée et un goût délicat, subtilement épicé de cumin et d'ail. La cuisson prolongée à basse température donne le temps aux saveurs de se développer et de se fusionner pour donner un délicieux plat automnal.

POUR 4 PERSONNES

900 g (2 lb) de citrouille pelée, graines enlevées
30 ml (2 c. à soupe) d'huile d'olive
2 poireaux parés et émincés
1 gousse d'ail écrasée
5 ml (1 c. à thé) de gingembre moulu
5 ml (1 c. à thé) de cumin moulu
750 ml (3 tasses) de bouillon de volaille frémissant
sel et poivre noir moulu
60 ml (4 c. à soupe) de yogourt nature, pour servir
feuilles de coriandre, pour garnir

CONSEIL DU CHEF

Pour gagner du temps, réchauffez le potage sur la cuisinière plutôt que dans la mijoteuse électrique.

1 Coupez la citrouille en gros morceaux et mettez-la dans le récipient de cuisson.

2 Chauffez l'huile dans une grande casserole et faites cuire doucement les poireaux et l'ail jusqu'à ce qu'ils soient ramollis sans être colorés.

3 Ajoutez le gingembre et le cumin et laissez cuire 1 minute en remuant. Versez la préparation dans le récipient de cuisson, mouillez de bouillon de poulet, salez et poivrez.

4 Couvrez et laissez cuire à basse température 6-8 heures, ou jusqu'à ce que la citrouille soit fondante.

5 Passez la préparation au robot culinaire ou au mélangeur, en plusieurs fois si nécessaire, jusqu'à consistance lisse. Rincez le récipient de cuisson et remettez le potage. Couvrez et laissez cuire 1 heure à haute température, ou jusqu'à ce que le potage soit fumant. Servez dans des bols individuels chauds, garnis d'un tourbillon de yogourt nature et de quelques feuilles de coriandre

Informations nutritionnelles par portion – calories : 89 ; protéines : 2,3 g ; glucides : 6,2 g dont 4,7 g de sucres ; matières grasses : 6,3 g dont 1,1 g de gras saturés ; cholestérol : 0 mg ; calcium : 75 mg ; fibres : 3,1 g ; sodium : 127 mg.

CRÈME de CHAMPIGNONS SAUVAGES

Ce potage crémeux et goûteux est idéal pour un repas simple du midi ou du soir. Servez-le avec du pain de blé entier au goût de noisettes et du beurre frais. Les champignons sauvages séchés et le madère rehaussent les riches saveur et la couleur du potage.

POUR 4 PERSONNES

15 g (¼ tasse) de champignons sauvages séchés, tels que morilles ou bolets
600 ml (2½ tasses) de bouillon de poulet ou de légumes chaud
25 g (2 c. à soupe) de beurre
1 oignon haché finement
1 gousse d'ail écrasée
450 g (1 lb) de champignons de Paris ou autres champignons cultivés, parés et tranchés
15 ml (1 c. à soupe) de farine tout usage
noix de muscade
1,5 ml (¼ c. à thé) de thym séché
60 ml (4 c. à soupe) de madère ou de xérès sec
60 ml (4 c. à soupe) de crème fraîche ou de crème sure
sel et poivre noir moulu
ciboulette fraîche hachée, pour garnir

1 Mettez les champignons séchés dans une passoire et rincez sous l'eau froide pour enlever toute poussière. Placez dans le récipient de cuisson et versez la moitié du bouillon chaud. Couvrez et chauffez à haute température ou à la position AUTO.

2 Dans une grande casserole, faites fondre le beurre à feu moyen. Ajoutez l'oignon haché et faites cuire 5-7 minutes jusqu'à ce qu'il soit ramolli et légèrement doré.

3 Ajoutez l'ail et les champignons frais et faites cuire 5 minutes. Saupoudrez la farine, râpez un peu de noix de muscade et ajoutez le thym. Poursuivez la cuisson 3 minutes, en remuant sans arrêt, jusqu'à ce que la préparation soit bien mélangée.

4 Incorporez le madère ou le xérès et le reste de bouillon, salez et poivrez. Portez à ébullition, puis transférez dans le récipient de cuisson et laissez cuire 1 heure. Poursuivez la cuisson à basse température ou à la position AUTO 3-4 heures, ou jusqu'à ce que les champignons soient fondants.

5 Transférez la préparation dans un robot culinaire ou un mélangeur et mixez jusqu'à consistance lisse. Au-dessus d'une casserole, passez le potage au tamis, en pressant avec le dos d'une cuillère.

6 Réchauffez le potage jusqu'à ce qu'il soit fumant. Incorporez la moitié de la crème fraîche ou de la crème sure. Versez à la louche dans des bols chauds, garnissez d'un petit tourbillon de crème et saupoudrez de ciboulette.

CONSEIL DU CHEF

La saveur riche et intense des champignons séchés améliore celle des champignons de couche qui est souvent assez fade.

Informations nutritionnelles par portion – calories : 143 ; protéines : 3,7 g ; glucides : 8,2 g dont 3,2 g de sucres ; matières grasses : 9 g dont 5,3 g de gras saturés ; cholestérol : 22 mg ; calcium : 41 mg ; fibres : 2 g ; sodium : 174 mg.

MINESTRONE GÉNOIS

Dans la ville de Gênes, en Italie, le pesto est incorporé au minestrone pour ajouter du goût et de la couleur. Cette version savoureuse regorge de légumes. Servie avec du pain, elle constitue un excellent souper végétarien. Pour gagner du temps, vous pouvez utiliser du pesto prêt à l'emploi.

POUR 4 PERSONNES

30 ml (2 c. à soupe) d'huile d'olive
1 oignon haché finement
2 branches de céleri hachées finement
1 grosse carotte hachée finement
1 pomme de terre d'environ 115 g (4 oz), en dés de 1 cm (½ po)
1 l (4 tasses) de bouillon de légumes
75 g (3 oz) de haricots verts, en tronçons de 5 cm (2 po)
1 courgette émincée finement
2 tomates italiennes pelées et hachées
200 g (7 oz) de haricots cannellinis en conserve, égouttés et rincés
¼ de chou de Savoie émincé
40 g (1½ oz) de spaghettis ou de vermicelles à cuisson rapide, en tronçons
sel et poivre noir moulu

Pour le pesto

environ 20 feuilles de basilic frais
1 gousse d'ail
10 ml (2 c. à thé) de pignons de pin
15 ml (1 c. à soupe) de parmesan fraîchement râpé
15 ml (1 c. à soupe) de pecorino fraîchement râpé
30 ml (2 c. à soupe) d'huile d'olive

1 Chauffez l'huile d'olive dans une casse-role. Ajoutez l'oignon, le céleri et la carotte et faites cuire environ 7 minutes, en remuant, jusqu'à ce qu'ils commencent à ramollir.

2 Transférez les légumes dans le récipient de cuisson. Ajoutez les dés de pomme de terre et le bouillon de légumes. Couvrez et laissez cuire 1½ heure à haute température.

3 Ajoutez les haricots verts, les courgettes, les tomates et les haricots cannellinis. Couvrez et faites cuire 1 heure, puis incorporez le chou et les pâtes et poursuivez la cuisson 20 minutes.

4 Entre-temps, mettez tous les ingrédients du pesto dans un robot culinaire. Mixez jusqu'à l'obtention d'une sauce lisse, en ajoutant au besoin 15-45 ml (1-2 c. à soupe) d'eau par le tube d'alimentation.

5 Incorporez 30 ml (2 c. à soupe) de pesto à la soupe. Si nécessaire, rectifiez l'assaisonnement. Versez le minestrone dans des bols chauds, garnissez du reste de pesto et servez.

Informations nutritionnelles par portion – calories : 263 ; protéines : 8,5 g ; glucides : 25,1 g dont 7 g de sucres ; matières grasses : 14,9 g dont 2,8 g de gras saturés ; cholestérol : 5 mg ; calcium : 103 mg ; fibres : 5,4 g ; sodium : 1 034 mg.

SOUPE GALICIENNE

Cette soupe classique de la côte nord de l'Espagne nécessite une cuisson prolongée à basse température pour permettre aux saveurs de se développer à fond. Traditionnellement, on utilisait des navets primeurs avec leurs feuilles, mais dans cette version, on fait plutôt appel à du chou cavalier.

POUR 6 PERSONNES

1 jambon salé de 450 g (1 lb), trempé toute la nuit dans l'eau froide
2 feuilles de laurier
2 oignons émincés
10 ml (2 c. à thé) de paprika
675 g (1½ lb) de pommes de terre, en morceaux de 2,5 cm (1 po)
225 g (8 oz) de chou cavalier
425 g (15 oz) de petits haricots blancs ou cannellinis en conserve, égouttés
poivre noir moulu

CONSEIL DU CHEF

Des jarrets de porc peuvent remplacer le jambon salé. Les os donneront un goût délicieux au bouillon. S'il reste du bouillon, congelez-le et utilisez-le dans une autre soupe.

1 Égouttez le jambon et mettez-le dans le récipient de cuisson. Ajoutez les feuilles de laurier et les oignons. Mouillez d'eau froide à hauteur. Couvrez et faites cuire 1 heure à haute température.

2 Écumez, couvrez et laissez cuire 3 heures. Vérifiez le bouillon une fois ou deux au cours de la cuisson et écumez au besoin.

3 À l'aide d'une écumoire et d'une grande fourchette, retirez le jambon avec précaution et placez-le sur une planche. Ajoutez le paprika et les pommes de terre au bouillon et faites cuire 1 heure.

4 Entre-temps, retirez la couenne et le gras du jambon et coupez la viande en petits morceaux. Ajoutez au bouillon et poursuivez la cuisson 2 heures, ou jusqu'à ce que la viande et les pommes de terre soient tendres.

5 Retirez le trognon du chou cavalier, enroulez les feuilles et coupez-les en fines lanières. Mettez dans le bouillon, ajoutez les haricots et laissez cuire 30 minutes.

6 Retirez les feuilles de laurier, poivrez au goût et servez la soupe fumante.

Informations nutritionnelles par portion – calories : 273 ; protéines : 21,4 g ; glucides : 33,7 g dont 5,3 g de sucres ; matières grasses : 6,7 g dont 2 g de gras saturés ; cholestérol : 17 mg ; calcium : 113 mg ; fibres : 6,7 g ; sodium : 974 mg

CHAUDRÉE aux FRUITS de MER

Le terme « chaudrée » et son équivalent anglais chowder viennent de « chaudière », le récipient dans lequel on cuisait jadis les soupes et les ragoûts. La plupart des chaudrées, comme celle-ci, sont des mets consistants. Servies avec du pain croustillant, elles constituent un savoureux repas du midi ou du soir.

POUR 4 PERSONNES

25 g (2 c. à soupe) de beurre
1 petit poireau émincé
1 petite gousse d'ail écrasée
1 branche de céleri hachée
2 tranches de bacon hachées finement
200 g (1 bonne tasse) de maïs en conserve, égoutté
450 ml (2 tasses) de lait
5 ml (1 c. à thé) de farine tout usage
450 ml (2 petites tasses) de bouillon de poulet ou de légumes bouillant
115 g (½ bonne tasse) de riz étuvé
4 grosses coquilles Saint-Jacques, de préférence avec leur corail
115 g (4 oz) de filets de poisson maigre, comme la lotte
15 ml (1 c. à soupe) de persil frais haché, et un peu plus pour garnir
pincée de poivre de Cayenne
45 ml (3 c. à soupe) de crème légère (facultatif)
sel et poivre noir moulu

1 Faites fondre le beurre dans une poêle et ajoutez le poireau, l'ail, le céleri et le bacon. Faites cuire 10 minutes, en remuant fréquemment, jusqu'à ce que les légumes soient ramollis sans prendre couleur. Transférez dans le récipient de cuisson et chauffez à haute température.

2 Mettez la moitié du maïs dans un robot culinaire ou un mélangeur. Ajoutez environ 75 ml (⅓ tasse) du lait et mixez jusqu'à ce que la préparation soit bien mélangée et relativement épaisse et crémeuse.

3 Saupoudrez la farine sur la préparation aux poireaux et mélangez. Ajoutez peu à peu le reste de lait, en remuant après chaque addition. Incorporez le bouillon, puis la préparation au maïs. Couvrez et laissez cuire 2 heures.

4 Ajoutez le riz et poursuivez la cuisson 30 minutes. Entre-temps, parez les coquilles Saint-Jacques. Séparez leur corail et coupez leur noix en tranches de 5 mm (¼ po). Détaillez les filets de poisson en bouchées.

5 Mettez les morceaux de coquilles Saint-Jacques et de poisson dans la chaudrée et remuez doucement pour mélanger. Couvrez et laissez cuire 15 minutes.

6 Ajoutez les coraux, le persil et le poivre de Cayenne et faites cuire 5-10 minutes, ou jusqu'à ce que les légumes, le riz et le poisson soient cuits. Incorporez la crème, s'il y a lieu. Versez à la louche dans des bols, saupoudrez d'un peu de persil haché et servez immédiatement.

Informations nutritionnelles par portion – calories : 355 ; protéines : 18,5 g ; glucides : 45,9 g dont 10,8 g de sucres ; matières grasses : 12,1 g dont 5,8 g de gras saturés ; cholestérol : 49 mg ; calcium : 179 mg ; fibres : 1,5 g ; sodium : 655 mg.

AVGOLEMONO

En Grèce, cette soupe légère et délicate est une grande favorite. Elle est la preuve que quelques ingrédients choisis judicieusement suffisent à créer un plat délicieux. Il est essentiel que le bouillon soit bien parfumé ; utilisez idéalement un bon bouillon maison.

POUR 4 PERSONNES

900 ml (3¾ tasses) de bouillon de poulet frémissant
50 g (⅓ tasse) de riz étuvé
3 jaunes d'œufs
30-60 ml (2-4 c. à soupe) de jus de citron
30 ml (2 c. à soupe) de persil frais finement haché
sel et poivre noir moulu
rondelles de citron et tiges de persil, pour garnir

1 Versez le bouillon dans le récipient de cuisson. Couvrez et faites cuire à haute température 30 minutes ou jusqu'au point d'ébullition.

2 Incorporez le riz, couvrez et laissez cuire 45 minutes, ou jusqu'à ce qu'il soit tendre. Assaisonnez au goût. Arrêtez la mijoteuse, découvrez et laissez reposer 5 minutes.

3 En attendant, fouettez les jaunes d'œufs dans un bol. Ajoutez environ 30 ml (2 c. à soupe) du jus de citron et continuez à fouetter jusqu'à ce que le mélange soit lisse et mousseux. Toujours en fouettant, incorporez une louche de soupe chaude.

4 Versez lentement la préparation aux œufs dans la soupe, tout en fouettant constamment. La soupe s'épaissira légèrement et prendra une jolie couleur jaune.

5 Goûtez et, au besoin, ajoutez plus de jus de citron, de sel et de poivre. Ajoutez le persil, remuez et versez dans des assiettes. Garnissez de rondelles de citron et de tiges de persil et servez immédiatement.

CONSEIL DU CHEF
Pendant l'ajout de la préparation aux œufs, il y a risque que la soupe tourne. Évitez d'incorporer la préparation à un liquide bouillant. Laissez la soupe tiédir légèrement puis, tout en fouettant, versez la préparation aux œufs en mince filet régulier. Ne réchauffez pas la soupe.

Informations nutritionnelles par portion – calories : 98 ; protéines : 3,3 g ; glucides : 11,1 g dont 0,3 g de sucres ; matières grasses : 4,8 g dont 1,3 g de gras saturés ; cholestérol : 151 mg ; calcium : 26 mg ; fibres : 0,1 g ; sodium : 211 mg.

BORCHTCH aux BETTERAVES, au CHOU et aux TOMATES

Il existe de nombreuses variantes de ce potage classique, originaire d'Europe orientale. Les betteraves et la crème sure sont indispensables, tandis que les autres peuvent varier considérablement. Le borchtch présenté ici a un goût délicieusement aigre-doux et peut être servi fumant ou froid..

POUR 6 PERSONNES

1 oignon haché
1 carotte hachée
6 betteraves crues ou cuites (pas marinées), 4 en dés et 2 râpées grossièrement
400 g (14 oz) de tomates concassées en conserve
6 pommes de terre nouvelles, en bouchées
1 petit chou blanc émincé finement
600 ml (2½ tasses) de bouillon de légumes
45 ml (3 c. à soupe) de sucre
30-45 ml (2-3 c. à soupe) de vinaigre de vin blanc ou de cidre
45 ml (3 c. à soupe) d'aneth frais haché
sel et poivre noir du moulin
crème sure et aneth, pour garnir
pain de seigle beurré, pour servir

1 Dans le récipient de cuisson, mettez l'oignon, la carotte, les betteraves en dés, les tomates et le chou, puis versez le bouillon de légumes. Couvrez et laissez cuire à haute température environ 4 heures, ou jusqu'à ce que les légumes soient tendres.

2 Incorporez les betteraves râpées, le sucre et le vinaigre. Poursuivez la cuisson 1 heure jusqu'à ce que les betteraves soient cuites.

3 Goûtez au potage et, au besoin, ajoutez du sucre et/ou du vinaigre pour obtenir un goût aigre-doux équilibré. Assaisonnez bien de sel et de poivre noir du moulin.

4 Incorporez l'aneth haché et versez le potage à la louche dans des assiettes chaudes. Garnissez chaque assiette d'une bonne cuillerée de crème sure, parsemez généreusement d'aneth frais et servez avec deux tranches épaisses de pain de seigle beurré.

VARIANTES

- En été, le borchtch est souvent servi froid. Pour ce faire, laissez le potage refroidir à température ambiante, puis réfrigérez-le au moins 4 heures. Versez à la louche dans des assiettes contenant chacune un glaçon et garnissez d'une grosse cuillerée de crème sure.
- Pour varier la garniture, parsemez d'œuf dur ou d'oignons verts hachés finement.

Informations nutritionnelles par portion – calories : 125 ; protéines : 3,5 g ; glucides : 27,8 g dont 7 g de sucres ; matières grasses : 0,7 g dont 0,1 g de gras saturés ; cholestérol : 0 mg ; calcium : 58 mg ; fibres : 3,2 g ; sodium : 357 mg.

SOUPE au POULET et BOULETTES KNAIDLACH

Cette fameuse soupe juive est souvent faite avec un poulet découpé en morceaux et cuit lentement dans une énormemarmite. Dans une très grande mijoteuse électrique, vous pouvez doubler les quantités d'ingrédients et utiliser un petit poulet. Les temps de cuisson resteront les mêmes. Les boulettes sont cuites séparément pour préserver la limpidité de la soupe.

POUR 4 PERSONNES

2 morceaux de poulet d'environ 275 g (10 oz) chacun
1 oignon
1,2 l (5 tasses) de bouillon de poulet bouillant
2 carottes en rondelles épaisses
2 branches de céleri en tranches épaisses
1 petit panais en gros morceaux
petite pincée de curcuma moulu
30 ml (2 c. à soupe) de persil frais haché, et un peu plus pour garnir
15 ml (1 c. à soupe) d'aneth frais haché
sel et poivre noir moulu

Pour les boulettes
175 g (¾ tasse) de farine de matzo moyenne
2 œufs battus légèrement
45 ml (3 c. à soupe) d'huile végétale
30 ml (2 c. à soupe) de persil frais haché
½ oignon râpé finement
pincée de bouillon de poulet cube (facultatif)
environ 90 g (6 c. à soupe) d'eau
sel et poivre noir moulu

1 Rincez les morceaux de poulet et mettez-les dans le récipient de cuisson. Pelez l'oignon, en le gardant entier, et faites une petite incision en croix à sa base. Mettez l'oignon, dans le récipient de cuisson, avec le bouillon, les carottes, le céleri, le panais, le curcuma, le sel et le poivre.

2 Couvrez et faites cuire 1 heure à haute température. Écumez le liquide. (L'écume continuera à se former, mais c'est la première qui nuit à l'apparence et à la saveur finales de la soupe.)

3 Poursuivez la cuisson 3 heures, ou jusqu'à ce que le poulet soit tendre. Retirez le poulet, jetez la peau et les os, puis hachez la chair. Écumez et dégraissez la soupe, puis remettez les morceaux de poulet. Incorporez le persil et l'aneth et laissez cuire pendant que vous préparez les boulettes.

4 Dans un grand bol, mettez la farine de matzo, les œufs, l'huile, le persil, l'oignon, le bouillon de poulet (s'il y a lieu). Mélangez bien pour obtenir une pâte épaisse et molle. Couvrez et réfrigérez 30 minutes jusqu'à ce que la préparation soit ferme.

5 Portez de l'eau à ébullition dans une casserole et placez un bol d'eau froide à côté de la cuisinière. Trempez deux cuillères à soupe dans l'eau froide, puis prenez une cuillerée de pâte matzo. Avec vos mains humides, façonnez la pâte en boule et plongez-la dans l'eau bouillante ; baissez le feu de façon à garder l'eau frémissante. Procédez ainsi jusqu'à épuisement de la pâte. Couvrez la casserole et faites cuire 15-20 minutes.

6 Retirez les boulettes avec une écumoire et répartissez-les dans les assiettes de service. Laissez-les raffermir quelques minutes. Versez la soupe chaude à la louche sur les boulettes, parsemez de persil haché et servez.

VARIANTES
- Au lieu des boulettes, servez la soupe sur du riz ou des nouilles.
- Pour faire des boulettes de texture plus légère, séparez les œufs et mettez les jaunes dans la préparation de farine. Fouettez les blancs en neige ferme, puis incorporez-les à la pâte.

Informations nutritionnelles par portion – calories : 586 ; protéines : 38,2 g ; glucides : 42,6 g dont 6,3 g de sucres ; matières grasses : 30,3 g dont 7,7 g de gras saturés ; cholestérol : 272 mg ; calcium : 131 mg ; fibres : 3,7 g ; sodium : 802 mg.

POTAGE de LENTILLES

Dans cette soupe, les lentilles rouges sont cuites lentement jusqu'à ce qu'elles soient fondantes, puis réduites en purée pour donner une consistance riche et veloutée. Les journées chaudes, servez-la froide, additionnée de jus de citron.

POUR 4 PERSONNES

45 ml (3 c. à soupe) d'huile d'olive
1 oignon haché
2 branches de céleri hachées
1 carotte émincée
2 gousses d'ail pelées et hachées
1 pomme de terre pelée et coupée en dés
250 g (1 bonne tasse) de lentilles rouges
750 ml (3 tasses) de bouillon de légumes frémissant
2 feuilles de laurier
1 petit citron
2,5 ml (½ c. à thé) de cumin moulu
poivre de Cayenne ou sauce Tabasco, au goût
sel et poivre noir moulu
tranches de citron et feuilles de persil plat, pour servir

1 Chauffez l'huile dans une poêle. Ajoutez l'oignon et faites cuire 5 minutes jusqu'à ce qu'il commence à ramollir, en remuant fréquemment. Ajoutez le céleri, la carotte, l'ail et la pomme de terre et continuez à cuire 3-4 minutes.

2 Versez les légumes dans le récipient de cuisson. Ajoutez les lentilles, le bouillon de légumes, les feuilles de laurier et une lanière de zeste de citron, puis remuez rapidement pour mélanger.

3 Couvrez et laissez cuire 1 heure à haute température ou à la position AUTO.

4 Poursuivez la cuisson à basse température ou à la position AUTO 5 heures, ou jusqu'à ce que les légumes et les lentilles soient fondants.

5 Retirez le récipient de cuisson et enlevez les feuilles de laurier et le zeste de citron. Passez la préparation au robot culinaire ou au mélangeur jusqu'à consistance lisse. Lavez le récipient de cuisson et remettez le potage. Incorporez le cumin et le poivre de Cayenne ou le Tabasco, salez et poivrez.

6 Faites cuire le potage à haute température 45 minutes, ou jusqu'à ce qu'il soit fumant. Ajoutez du jus de citron au goût et vérifiez l'assaisonnement. Versez à la louche dans des bols chauds, garnissez de tranches de citron et saupoudrez de persil haché.

Informations nutritionnelles par portion – calories : 300 ; protéines : 15,8 g ; glucides : 40,1 g dont 3,6 g de sucres ; matières grasses : 9,6 g dont 1,3 g de gras saturés ; cholestérol : 0 mg ; calcium : 47 mg ; fibres : 3,9 g ; sodium : 456 mg.

SOUPE aux ÉPINARDS et aux LÉGUMES RACINES

Voici une soupe typiquement russe, que l'on préparait autrefois avec les premiers légumes de l'année. Vous aurez besoin d'une grande mijoteuse pour cuire les épinards.

POUR 4 PERSONNES

1 petit navet en morceaux
2 carottes en dés
1 petit panais en gros dés
1 pomme de terre pelée, en dés
1 oignon haché
1 gousse d'ail hachée finement
¼ bulbe de céleri-rave
750 ml (3 tasses) de bouillon de légumes ou de poulet bouillant
175 g (6 oz) d'épinards frais hachés grossièrement
1 petit bouquet d'aneth frais haché
sel et poivre noir moulu

Pour la garniture
2 œufs durs coupés en deux dans la longueur
1 citron tranché
30 ml (2 c. à soupe) de persil et d'aneth frais

CONSEIL DU CHEF
Pour de meilleurs résultats, utilisez un bouillon de légumes ou de poulet de très bonne qualité.

1 Dans le récipient de cuisson, mettez le navet, les carottes, le panais, la pomme de terre, l'oignon, l'ail, le céleri-rave et le bouillon. Faites cuire à haute température ou à la position AUTO 1 heure, puis à basse température ou à la position AUTO 5-6 heures jusqu'à ce que les légumes soient tendres.

2 Incorporez les épinards et faites cuire à haute température 45 minutes, ou jusqu'à ce qu'ils soient tendres mais encore verts. Salez et poivrez.

3 Incorporez l'aneth et versez la soupe à la louche dans des bols chauds. Garnissez d'une moitié d'œuf dur, de citron et d'aneth.

Informations nutritionnelles par portion – calories : 67 ; protéines : 3 g ; glucides : 11,5 g dont 7 g de sucres ; matières grasses : 1,3 g dont 0,1 g de gras saturés ; cholestérol : 0 mg ; calcium : 121 mg ; fibres : 3,9 g ; sodium : 499 mg.

CONSOMMÉ de CANARD à L'ASIATIQUE

La communauté vietnamienne de France a fortement influencé la cuisine française. En conséquence, vous trouverez de nombreux plats français classiques aux saveurs asiatiques.

POUR 4 PERSONNES

1 petite carotte
1 petit poireau coupé dans la longueur
4 champignons shiitakes émincés finement
sauce soja
2 oignons verts émincés finement
cresson ou chou chinois émincés finement
poivre noir moulu

Pour le consommé
1 carcasse de canard (crue ou cuite), plus 2 cuisses ou abattis dégraissés
1 gros oignon non pelé, racines enlevées
2 carottes en morceaux de 2,5 cm (1 po)
1 panais en morceaux de 2,5 cm (1 po)
1 poireau en morceaux de 2,5 cm (1 po)
2 gousses d'ail écrasées
15 ml (1 c. à soupe) de poivre noir en grains
1 morceau de 2,5 cm (1 po) de gingembre frais, pelé et émincé
4 brins de thym ou 5 ml (1 c. à thé) de thym séché
1 petite botte de coriandre fraîche

1 Pour faire le consommé, mettez la carcasse, les cuisses ou les abattis de canard, l'oignon, les carottes, le panais, le poireau et l'ail dans le récipient de cuisson. Ajoutez les grains de poivre, le gingembre, le thym et les tiges de coriandre (réservez les feuilles) et mouillez d'eau à hauteur, en laissant un espace d'au moins 4 cm (1 ½ po) entre l'eau et le haut du récipient.

2 Couvrez et faites cuire 2 heures à haute température ou à la position AUTO. Écumez et poursuivez la cuisson à basse température ou à la position AUTO 3 heures à couvert, puis 1 heure à découvert.

3 Tapissez une passoire de mousseline et passez le consommé dans un bol, en jetant les os et les légumes. Laissez refroidir, puis réfrigérez plusieurs heures ou toute la nuit. Retirez le gras visible et épongez la surface avec du papier essuie-tout pour enlever toute trace de gras.

4 Coupez la carotte et le poireau en morceaux de 5 cm (2 po). Recoupez chaque morceau en fines tranches dans le sens de la longueur, superposez les tranches et détaillez-les en fines lanières. Mettez la julienne et les champignons émincés dans le récipient de cuisson.

5 Versez le consommé sur les légumes, ajoutez quelques traits de sauce soja et poivrez. Couvrez et laissez cuire à haute température environ 45 minutes jusqu'à ce que la soupe soit fumante, en écumant la surface avec une écumoire.

6 Rectifiez l'assaisonnement et incorporez les oignons verts et le cresson ou le chou chinois. Versez à la louche dans des bols chauds et parsemez de feuilles de coriandre fraîche.

Informations nutritionnelles par portion – calories : 96 ; protéines : 7,1 g ; glucides : 12,1 g dont 7,9 g de sucres ; matières grasses : 2,5 g dont 0,6 g de gras saturés ; cholestérol : 28 mg ; calcium : 51 mg ; fibres : 4 g ; sodium : 47 mg.

SOUPE AIGRE-PIQUANTE aux CREVETTES

Connue sous le nom de Tom Yam Kung, cette soupe thaïlandaise salée, aigre et piquante, est un vrai classique. La cuisson du bouillon à la mijoteuse électrique fait ressortir toutes les saveurs avant l'ajout des derniers ingrédients..

POUR 4 PERSONNES

450 g (1 lb) de grosses crevettes, décongelées si surgelées
900 ml (3¾ tasses) de liquide frémissant (bouillon de poulet léger ou eau)
3 tiges de citronnelle
6 feuilles de combava (lime kaffir), déchirées en deux
225 g (8 oz) de champignons de paille égouttés
45 ml (3 c. à soupe) de sauce de poisson thaïlandaise
60 ml (4 c. à soupe) de jus de lime frais
30 ml (2 c. à soupe) d'oignons verts hachés
15 ml (1 c. à soupe) de feuilles de coriandre fraîche
4 piments rouges frais, épépinés et coupés en rondelles épaisses
sel et poivre noir moulu

1 Décortiquez les crevettes et réservez les carapaces. Faites une incision peu profonde le long du dos et retirez la fine veine noire avec la pointe du couteau. Mettez les crevettes dans un bol, couvrez et réfrigérer jusqu'à utilisation.

2 Rincez les carapaces de crevette sous l'eau froide, mettez-les dans le récipient de cuisson et ajoutez le bouillon de poulet ou l'eau. Couvrez et chauffez à haute température.

3 À l'aide d'un pilon, écrasez les extrémités bulbeuses de citronnelle. Découvrez la mijoteuse et ajoutez rapidement les tiges de citronnelle et la moitié des feuilles de combava. Remuez bien, couvrez et laissez cuire environ 2 heures jusqu'à ce que bouillon soit aromatique.

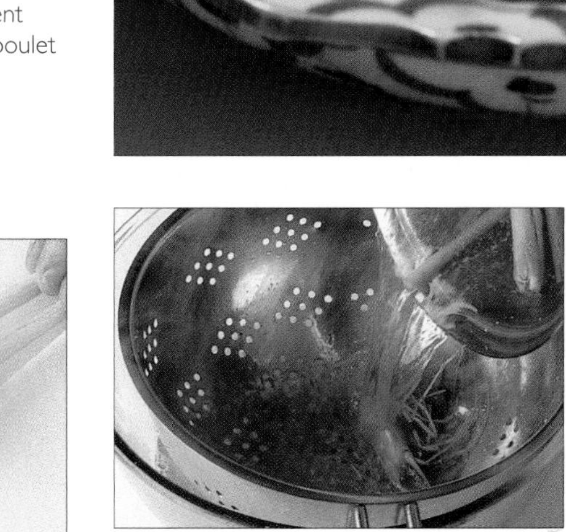

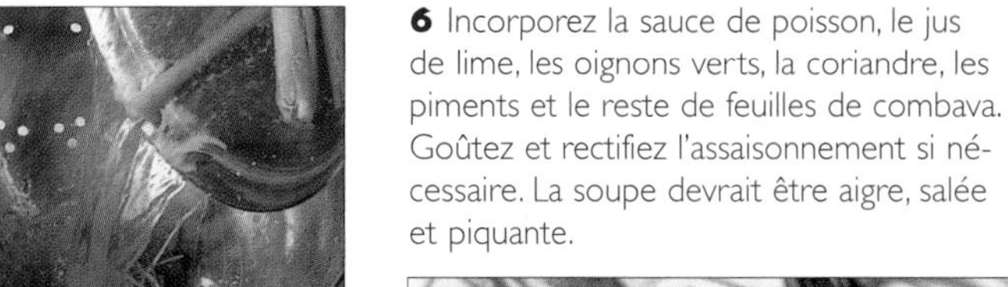

4 Passez le bouillon dans un grand bol et rincez le récipient de cuisson. Versez le bouillon dans le récipient propre, ajoutez les champignons égouttés et laissez cuire 30 minutes à haute température.

5 Ajoutez les crevettes et poursuivez la cuisson 10 minutes jusqu'à ce qu'elles soient roses et cuites.

6 Incorporez la sauce de poisson, le jus de lime, les oignons verts, la coriandre, les piments et le reste de feuilles de combava. Goûtez et rectifiez l'assaisonnement si nécessaire. La soupe devrait être aigre, salée et piquante.

Informations nutritionnelles par portion – calories : 127 ; protéines : 27 g ; glucides : 1,4 g dont 1,2 g de sucres ; matières grasses : 1,4 g dont 0,3 g de gras saturés ; cholestérol : 315 mg ; calcium : 133 mg ; fibres : 0,7 g ; sodium : 2 715 mg.

SOUPE ÉPICÉE NORD-AFRICAINE

Le grand avantage de cuire une soupe à la mijoteuse électrique, c'est que toutes les saveurs ont eu la possibilité de se développer et de se fusionner. Cette technique convient particulièrement aux soupes riches, avec des épices complexes, comme cette variante de l'harira, la soupe nationale du Maroc.

POUR 6 PERSONNES

1 gros oignon haché très finement
1 l (4 tasses) de bouillon de légumes frémissant
5 ml (1 c. à thé) de cannelle moulue
5 ml (1 c. à thé) de curcuma moulu
15 ml (1 c. à soupe) de gingembre frais, râpé
pincée de poivre de Cayenne
2 carottes en petits dés
2 branches de céleri en petits dés
400 g (14 oz) de tomates concassées en conserve
450 g (1 lb) de pommes de terre en petits dés
400 g (14 oz) de pois chiches en conserve, égouttés
5 filaments de safran
30 ml (2 c. à soupe) de coriandre fraîche hachée
15 ml (1 c. à soupe) de jus de citron
sel et poivre noir moulu
rondelles de citron frites, pour servir (facultatif)

1 Mettez l'oignon haché dans le récipient de cuisson et ajoutez 600 ml (2½ tasses) du bouillon de légumes frémissant.

2 Couvrez et faites cuire à haute température ou à la position AUTO 1 heure, ou jusqu'à ce que l'oignon soit ramolli et translucide.

3 Mélangez ensemble la cannelle, le curcuma, le gingembre, le poivre de Cayenne et 30 ml (2 c. à soupe) du bouillon pour former une pâte. Mettez la pâte dans le récipient de cuisson, avec les carottes, le céleri et le reste de bouillon. Remuez bien et assaisonnez. Couvrez et laissez cuire 1 heure.

4 Ajoutez les tomates concassées, les pommes de terre, les pois chiches et le safran. Faites cuire 4-5 heures jusqu'à tendreté. Incorporez la coriandre et le jus de citron, vérifiez l'assaisonnement et rectifiez au besoin. Versez la soupe à la louche dans des bols chauds et servez-la fumante, garnie de rondelles de citron frites si vous le désirez.

Informations nutritionnelles par portion – calories : 166 ; protéines : 7,5 g ; glucides : 30,3 g dont 7,4 g de sucres ; matières grasses : 2,5 g dont 0,3 g de gras saturés ; cholestérol : 0 mg ; calcium : 62 mg ; fibres : 5,3 g ; sodium : 335 mg.

TREMPETTE aux CAROTTES ÉPICÉE

Lorsque les carottes sont cuites lentement à basse température, leur saveur s'intensifie et devient délicieusement sucrée, faisant bon mariage avec des ingrédients au goût relevé. Servez cette trempette savoureuse avec des craquelins au blé ou des tortillas épicées.

POUR 4 PERSONNES

1 oignon
3 carottes râpées, et un peu plus pour garnir (facultatif)
zeste râpé et jus de 1 orange
15 ml (1 c. à soupe) de pâte de curry piquant
150 ml (⅔ tasse) de yogourt nature
une poignée de feuilles de basilic frais
15 ml (1 c. à soupe) de jus de citron frais
trait de Tabasco (facultatif)
sel et poivre noir moulu

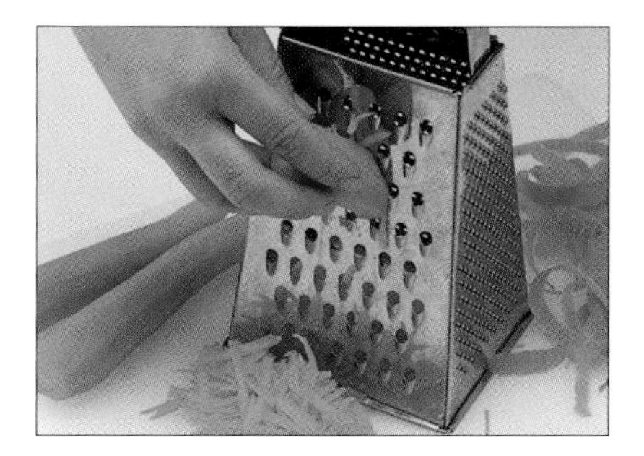

1 Hachez l'oignon très finement. Pelez et râpez les carottes. Dans le récipient de cuisson, mettez l'oignon, les carottes, le zeste et le jus d'orange et la pâte de curry. Mélangez bien, couvrez et faites cuire à haute température 2 heures, ou jusqu'à ce que les carottes soient tendres.

2 Découvrez et laissez reposer une dizaine de minutes. Passez la préparation au robot culinaire ou au mélangeur jusqu'à consistance lisse.

3 Transférez la purée de carottes dans un bol à mélange et laissez refroidir complètement à découvert environ 1 heure.

4 Ajoutez le yogourt à la purée de carottes refroidie. Déchiquetez grossièrement les feuilles de basilic et incorporez bien à la préparation.

5 Incorporez le jus de citron et le Tabasco (s'il y a lieu), salez et poivrez au goût. Servez à température ambiante dans les quelques heures suivant la confection.

Informations nutritionnelles par portion – calories : 58 ; protéines : 2,5 g ; glucides : 9,5 g dont 8,4 g de sucres ; matières grasses : 1,3 g dont 0,4 g de gras saturés ; cholestérol : 0 mg ; calcium : 80 mg ; fibres : 1,3 g ; sodium : 34 mg.

POIRES FARCIES au FROMAGE

Avec leur garniture crémeuse à souhait, ces poires sont un mets sublime que vous pouvez servir avec une salade toute simple. Si votre mijoteuse n'est pas grande, choisissez des petites poires trapues plutôt que des poires longues et minces.

POUR 4 PERSONNES

50 g (¼ tasse) de ricotta
50 g (¼ tasse) de dolcelatte (fromage bleu)
15 ml (1 c. à soupe) de miel
½ branche de céleri émincée finement
8 olives vertes, dénoyautées et hachées grossièrement
4 dattes dénoyautées, en fines lanières
pincée de paprika
2 poires moyennes à peine mûres
150 ml (⅔ tasse) de jus de pomme
feuilles de salade, pour servir (facultatif)

1 Émiettez le dolcelatte dans un bol, ajoutez la ricotta, le miel, le céleri, les olives, les dattes et le paprika. Mélangez bien jusqu'à ce que la préparation soit crémeuse et homogène.

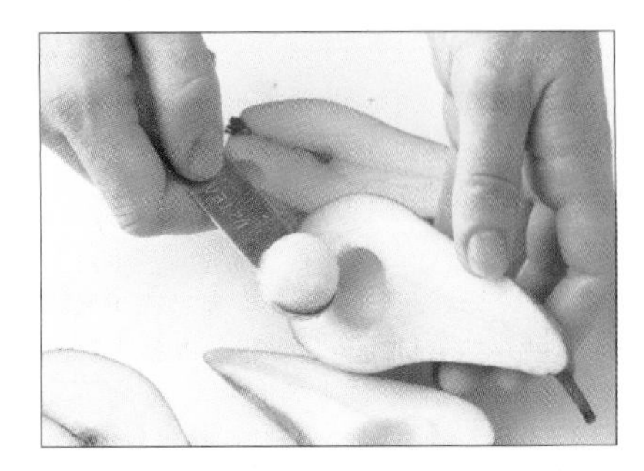

2 Coupez les poires en deux dans le sens de la longueur. Avec une cuillère parisienne ou une cuillère à thé, évidez chaque moitié et creusez une cavité pour la farce.

3 Répartissez également la préparation au fromage dans les cavités et disposez les poires en une seule couche au fond du récipient de cuisson.

4 Versez le jus de pomme autour des poires. Couvrez et faites cuire à haute température 1½-2 heures, ou jusqu'à ce que les poires soient tendres. (Le temps de cuisson dépendra du degré de maturité des poires.)

5 Retirez les poires. Si vous le désirez, passez-les sous le gril chaud quelques minutes. Servez-les seuls ou avec une salade verte.

CONSEIL DU CHEF
Ces poires sont particulièrement succulentes avec feuilles de salade au goût légèrement amer et poivré, comme celles de l'endive ou de la roquette, arrosées de vinaigrette à l'huile de noix.

Informations nutritionnelles par portion – calories : 236 ; protéines : 6,9 g ; glucides : 35,6 g dont 35,6 g de sucres ; matières grasses : 8,2 g dont 5 g de gras saturés ; cholestérol : 24 mg ; calcium : 141 mg ; fibres : 4,1 g ; sodium : 261 mg.

TERRINE DE POISSON

Joliment colorée, cette terrine étagée constitue une entrée ou un plat principal spectaculaire.Elle est particulière appropriée aux réceptions, car elle peut être préparée à l'avance, réfrigérée, puis disposée sur des assiettes à la dernière minute.

POUR 6 PERSONNES

450 g (1 lb) de filets de poisson maigre, sans peau
225 g (8 oz) de fines tranches de saumon fumé
2 blancs d'œufs froids
1,5 ml (¼ c. à thé) chacun de sel et de poivre blanc moulu
pincée de noix de muscade fraîchement râpée
250 ml (1 tasse) de crème épaisse
50 g (2 oz) de petites feuilles tendres d'épinard frais
mayonnaise au citron, pour servir

1 Coupez les filets en morceaux de 2,5 cm (1 po), en ôtant toute arête s'il y en a. Étalez les morceaux sur une assiette, couvrez de pellicule plastique et mettez au congélateur 15 minutes jusqu'à ce qu'ils soient très froids.

2 Huilez légèrement une terrine ou un moule à pain de 1,2 l (5 tasses). Tapissez le fond et les côtés de tranches de saumon fumé, en les faisant se chevaucher et en les laissant déborder du moule.

3 Retirez le poisson du congélateur et réduisez en purée très lisse au robot culinaire. (Au besoin, arrêtez l'appareil pour racler les côtés.)

4 Ajoutez les blancs d'œufs, un à la fois, en mixant après chaque addition. Ajoutez le sel, le poivre et la muscade. Le robot en marche, versez la crème et arrêtez de mixer dès qu'elle s'est mélangée. (Si vous mixez trop longtemps, la crème s'épaissira.)

5 Transférez la préparation dans un grand bol en verre. Mettez les épinards dans le robot et réduisez en purée lisse. Ajoutez un tiers de la préparation au poisson dans le robot et mixez brièvement pour tout mélanger, en raclant les côtés une fois ou deux.

6 Versez environ 2,5 cm (1 po) d'eau très chaude dans le récipient de cuisson. Placez une soucoupe renversée ou un emporte-pièce de métal au fond du récipient, puis chauffez à haute température.

7 Étalez la moitié de la préparation au poisson au fond du moule tapissé. Déposez la préparation aux épinards et égalisez la surface. Couvrez du reste de préparation au poisson. Rabattez les tranches de saumon fumé pour enfermer la préparation. Taper le moule pour tasser la préparation et enlever toute poche d'air, puis couvrez d'une double épaisseur de papier d'aluminium légèrement huilé.

8 Mettez le moule dans le récipient de cuisson et versez de l'eau bouillante jusqu'à un peu plus de la mi-hauteur du moule. Laissez cuire 3-3½ heures, ou jusqu'à ce qu'une brochette insérée au centre de la terrine en sorte propre. Laissez la terrine refroidir dans son moule, puis réfrigérez jusqu'à ce qu'elle soit ferme.

9 Pour servir la terrine, retournez le moule sur une planche et tranchez. Disposez les tranches sur des assiettes individuelles et servez avec de la mayonnaise au citron.

Informations nutritionnelles par portion – calories : 340 ; protéines : 23,2 g ; glucides : 0,8 g dont 0,8 g de sucres ; matières grasses : 27,1 g dont 14,7 g de gras saturés ; cholestérol : 110 mg ; calcium : 50 mg ; fibres : 0,2 g ; sodium : 201 mg.

TERRINE D'ÉGLEFIN et de SAUMON FUMÉ

Cette terrine consistante est parfaite pour les buffets d'été. Elle est excellente avec de la crème fraîche ou de la crème sure, mais aussi avec une mayonnaise à l'aneth ou une sauce acidulée à la mangue.

POUR 6 PERSONNES

15 ml (1 c. à soupe) d'huile de tournesol, pour graisser
350 g (12 oz) de saumon fumé
900 g (2 lb) de filets d'églefin, sans peau
2 œufs battus légèrement
105 ml (7 c. à soupe) de crème fraîche ou de crème sure légère
30 ml (2 c. à soupe) de câpres en bocal, égouttées
30 ml (2 c. à soupe) de grains de poivre vert ou rose en bocal, égouttés
sel et poivre noir moulu
crème fraîche ou crème sure légère, grains de poivre, aneth fraîche et roquette, pour servir

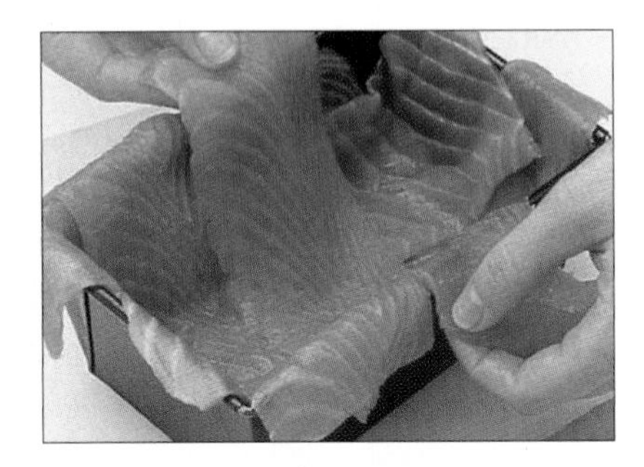

1 Versez environ 2,5 cm (1 po) d'eau chaude dans le récipient de cuisson. Mettez une soucoupe renversée ou un emporte-pièce de métal dans le fond du récipient et chauffez à haute température. Graissez légèrement un moule à pain ou une terrine de 1 l (4 tasses). Tapisser le moule de quelques tranches de saumon fumé, en les laissant dépasser sur les côtés. Réservez le reste de saumon.

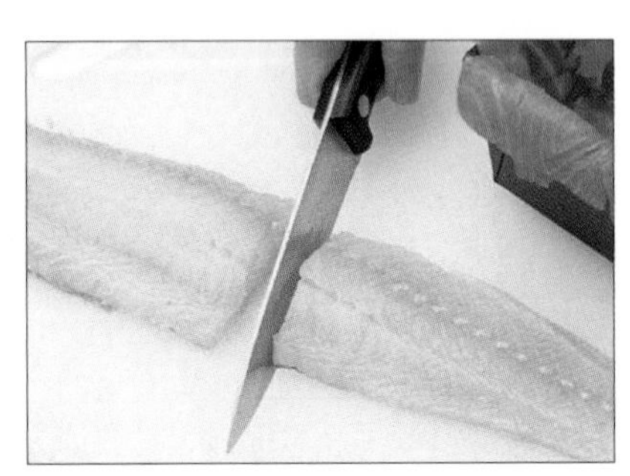

2 Coupez les filets d'églefin de façon à obtenir deux tranches de la longueur du moule et détaillez le reste en petits morceaux. Salez et poivrez.

3 Dans un bol, mélangez ensemble les œufs, la crème fraîche ou la crème sure et le poivre vert ou rose. Salez et poivrez, puis incorporez les petits morceaux d'églefin. Déposez la moitié de la préparation dans le moule et égalisez la surface avec une spatule.

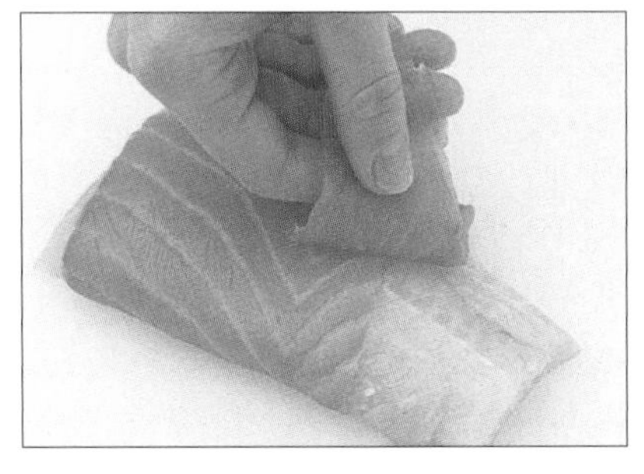

4 Enveloppez les longues tranches d'églefin de saumon fumé réservé. (Ce n'est pas grave si l'églefin n'est pas enveloppé entièrement.) Posez les tranches sur la préparation dans le moule.

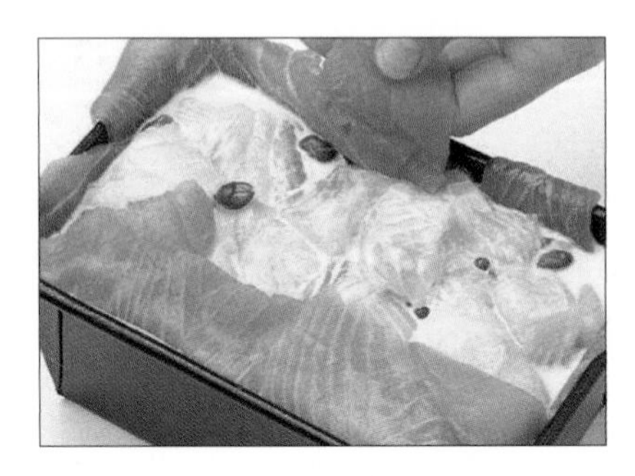

5 Déposez le reste de préparation dans le moule et égalisez la surface. Repliez le saumon fumé sur le dessus et couvrez hermétiquement d'une double épaisseur de papier d'aluminium.

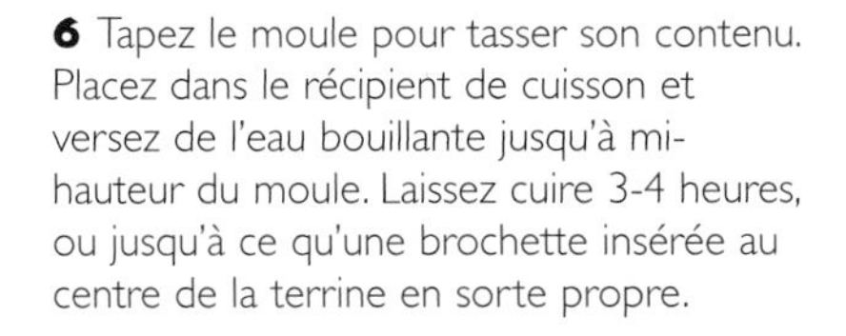

6 Tapez le moule pour tasser son contenu. Placez dans le récipient de cuisson et versez de l'eau bouillante jusqu'à mi-hauteur du moule. Laissez cuire 3-4 heures, ou jusqu'à ce qu'une brochette insérée au centre de la terrine en sorte propre.

7 Retirez le moule. Placez deux ou trois boîtes de conserve lourdes sur le papier d'aluminium et laissez-les en place jusqu'à ce que la terrine soit froide. Réfrigérez 24 heures.

8 Environ 1 heure avant de servir, sortez le moule du réfrigérateur, retirez les boîtes de conserve et enlevez délicatement le papier d'aluminium. Démoulez doucement la terrine sur une assiette de service.

9 Avec un couteau bien aiguisé, coupez la terrine en tranches épaisses. Servez avec de la crème fraîche ou de la crème sure, des grains de poivre, des brins d'aneth et des feuilles de roquette.

Informations nutritionnelles par portion – calories : 316 ; protéines : 46,1 g ; glucides : 0,4 g dont 0,4 g de sucres ; matières grasses : 14,5 g dont 6,2 g de gras saturés ; cholestérol : 170 mg ; calcium : 653 mg ; fibres : 0 g ; sodium : 1 228 mg.

PÂTÉ aux CHAMPIGNONS et aux HARICOTS ROUGES

Savourez ce délicieux pâté léger sur du pain de blé entier grillé ou de la baguette croustillante. Il fait une excellente entrée végétarienne ou un plat principal à déguster avec une salade.

POUR 8 PERSONNES

450 g (6 tasses) de champignons émincés
1 oignon haché finement
2 gousses d'ail écrasées
1 poivron rouge épépiné, en dés
30 ml (2 c. à soupe) de bouillon de légumes
30 ml (2 c. à soupe) de vin blanc sec
400 g (14 oz) de haricots rouges en conserve, rincés et égouttés
1 œuf battu
50 g (1 tasse) de chapelure fraîche de pain de blé entier
10 ml (2 c. à thé) de thym frais haché
10 ml (2 c. à thé) de romarin frais haché
sel et poivre noir moulu
feuilles de salade, herbes fraîches et quartiers de tomate, pour garnir

VARIANTE

Pour faire un pâté plus léger, au goût plus doux, remplacez les haricots rouges par des cannellinis ou des flageolets.

1 Dans le récipient de cuisson, mettez les champignons, l'oignon, l'air, le poivron rouge, le bouillon de légumes et le vin. Couvrez et faites cuire à haute température 2 heures, ou jusqu'à ce que les légumes soient presque tendres, puis laissez refroidir une dizaine de minutes.

2 Transférez la préparation dans un robot culinaire ou un mélangeur et ajoutez les haricots rouges rincés. Réduisez en purée lisse, en arrêtant l'appareil une fois ou deux pour racler les côtés.

3 Graissez légèrement un moule à pain de 900 g (2 lb) et tapissez de papier ciré. Placez une soucoupe renversée ou un emporte-pièce de métal au fond du récipient de cuisson. Versez environ 2,5 cm (1 po) d'eau chaude et chauffez à haute température.

4 Transférez la préparation aux champignons dans un bol. Ajoutez l'œuf, la chapelure et les herbes, salez et poivrez. Mélangez bien, puis déposez la préparation dans le moule tapissé et couvrez de pellicule plastique ou de papier d'aluminium.

5 Mettez le moule dans le récipient de cuisson et versez de l'eau bouillante jusqu'à mi-hauteur du moule. Couvrez et faites cuire à haute température 4 heures, ou jusqu'à ce que le pâté soit légèrement pris.

6 Retirez le moule et mettez à refroidir sur une grille de métal. Réfrigérez plusieurs heures ou toute la nuit. Démoulez et enlevez le papier ciré. Servez le pâté en tranches, garni de feuilles de salade, d'herbes et de quartiers de tomate.

Informations nutritionnelles par portion – calories : 85 ; protéines : 5,5 g ; glucides : 12,3 g dont 3,8 g de sucres ; matières grasses : 1,6 g dont 0,4 g de gras saturés ; cholestérol : 28 mg ; calcium : 47 mg ; fibres : 3,7 g ; sodium : 187 mg.

PÂTÉ aux LENTILLES ROUGES et au FROMAGE de CHÈVRE

Les lentilles rouges ont une saveur de terre légèrement fumée qui se marie admirablement à celle du fromage de chèvre. Que vous soyez végétarien ou non, ce pâté saura vous séduire.

POUR 8 PERSONNES

225 g (1 tasse) de lentilles rouges
1 échalote hachée très finement
1 feuille de laurier
475 ml (2 tasses) de bouillon de légumes frémissant
115 g (½ tasse) de fromage de chèvre crémeux
5 ml (1 c. à thé) de cumin moulu
3 œufs battus légèrement
sel et poivre noir moulu
fines tranches de pain grillées et feuilles de roquette, pour servir

1 Mettez les lentilles dans un tamis et rincez bien sous l'eau froide. Égouttez, puis versez dans le récipient de cuisson. Ajoutez l'échalote, la feuille de laurier et le bouillon de légumes frémissant.

2 Couvrez et faites cuire à haute température 2 heures, ou jusqu'à ce que le liquide soit absorbé et que les lentilles soient molles et pulpeuses – remuez une fois ou deux vers la fin de la cuisson pour empêcher les lentilles de coller au fond du récipient.

3 Arrêtez la mijoteuse. Versez la préparation aux lentilles dans un bol, retirez la feuille de laurier et laissez refroidir à découvert pour permettre à la vapeur de s'évaporer. Entre-temps, lavez et séchez le récipient de cuisson.

4 Huilez légèrement le fond d'un moule à pain de 900 ml (3¾ tasses) et tapissez-le de papier ciré. Placez une soucoupe renversée ou un emporte-pièce de métal au fond du récipient de cuisson. Versez environ 2,5 cm (1 po) d'eau chaude et chauffez à haute température.

5 Dans un bol, battez ensemble le fromage de chèvre et le cumin jusqu'à consistance molle et crémeuse. Incorporez peu à peu les œufs battus, puis les lentilles. Assaisonnez bien de sel et de poivre.

6 Versez la préparation dans le moule tapissé. Couvrez de pellicule plastique ou de papier d'aluminium. Déposez le moule dans le récipient de cuisson et versez de l'eau bouillante jusqu'à mi-hauteur du moule. Couvrez et faites cuire 3-3½ heures jusqu'à ce que le pâté soit légèrement pris.

7 Retirez le moule avec précaution et mettez à refroidir sur une grille de métal. Réfrigérez plusieurs heures ou toute la nuit.

8 Démoulez le pâté, enlevez le papier ciré et coupez en tranches. Servez le pâté avec de fines tranches de pain grillées et de la roquette.

Informations nutritionnelles par portion – calories : 136 ; protéines : 9,8 g ; glucides : 16 g dont 0,9 g de sucres ; matières grasses : 4,1 g dont 2,6 g de gras saturés ; cholestérol : 13 mg ; calcium : 34 mg ; fibres : 1,4 g ; sodium : 97 mg.

PÂTÉ de CAMPAGNE aux POIREAUX

Les pâtés de campagne français contiennent classiquement du foie de porc et un œuf pour lier la préparation. Dans cette variante, on utilise plutôt des poireaux pour donner une texture plus légère.En France, on sert des cornichons et de la moutarde en accompagnement.

POUR 8 PERSONNES

350 g (12 oz) de poireaux parés
25 g (2 c. à soupe) de beurre
2 gousses d'ail hachées finement
900 g (2 lb) de porc maigre (cuisse ou épaule)
115 g (4 oz) de tranches de bacon
5 ml (1 c. à thé) de thym frais haché
3 feuilles de sauge hachées finement
1,5 ml (¼ c. à thé) de quatre-épices (voir conseil du chef)
1,5 ml (¼ c. à thé) de cumin moulu
2,5 ml (½ c. à thé) de sel
2,5 ml (½ c. à thé) de poivre noir moulu
3 feuilles de laurier

CONSEIL DU CHEF

Le quatre-épices est un mélange d'épices moulues contenant du clou de girofle, de la cannelle, de la noix de muscade et du poivre.

1 Coupez les poireaux dans le sens de la longueur, lavez-les bien et émincez-les finement. Faites fondre le beurre dans une grande poêle à fond épais, ajoutez les poireaux, couvrez et laissez cuire une dizaine de minutes à feu moyen-doux, en remuant de temps en temps. Ajoutez l'ail et poursuivez la cuisson 10 minutes jusqu'à ce que les poireaux soient fondants. Retirez du feu et laissez refroidir.

2 Enlevez l'excédent de gras et le cartilage du porc, puis coupez la viande en cubes de 2,5 cm (1 po). Passez les cubes dans un robot culinaire muni d'une lame de métal,de façon à hacher la viande en purée grossière – remplissez le récipient seulement à moitié et procédez jusqu'à épuisement de la viande. Sinon, passez au hachoir à viande, en utilisant la grosse lame. Transférez la viande dans un grand bol à mélange et ôtez toute partie blanche filandreuse.

3 Réservez deux tranches de bacon pour garnir et hachez finement toutes les autres. Ajoutez à la préparation au porc, avec les poireaux, les herbes (sauf les feuilles de laurier), les épices, le sel et le poivre. Mélangez bien à la cuillère de bois ou du bout des doigts.

4 Graissez légèrement l'intérieur d'un plat résistant à la chaleur ou d'un moule à pain de 1,2 l (5 tasses) et tapissez de papier ciré. Placez une soucoupe renversée ou un emporte-pièce de métal au fond du récipient de cuisson. Versez environ 2,5 cm (1 po) d'eau chaude et chauffez à haute température.

5 Déposez la préparation à la viande dans le plat ou le moule tapissé, en la pressant bien dans les coins. Tapez fermement pour tasser la préparation, puis égalisez la surface. Disposez dessus les feuilles de laurier et le bacon réservé (découpé à la dimension voulue), puis couvrez de papier d'aluminium.

6 Placez dans le récipient de cuisson et versez de l'eau bouillante jusqu'à un peu plus de la mi-hauteur du plat ou du moule. Couvrez et laissez cuire 4-5 heures – pour vérifier le point de cuisson, piquez le pâté avec une brochette : le jus qui sort devrait être limpide. Retirez le plat ou le moule et laissez refroidir.

7 Mettez le plat ou le moule sur un plateau. Sur le dessus du pâté, placez une assiette ou une planche recouverte de papier d'aluminium (un peu plus petite que la taille du plat ou du moule). Lestez l'assiette ou la planche de deux ou trois grosses boîtes de conserve ou autres objets lourds et réfrigérez plusieurs heures ou de préférence toute la nuit.

Informations nutritionnelles par portion – calories : 211 ; protéines : 27,5 g ; glucides : 1,3 g dont 1 g de sucres ; matières grasses : 10,7 g dont 4,4 g de gras saturés ; cholestérol : 87 mg ; calcium : 20 mg ; fibres : 1 g ; sodium : 395 mg.

MOUSSELINES DE POULET À LA CARDAMOME

Ces mousses de poulet légères, servies avec une vinaigrette aux tomates, constituent une entrée élégante. Comme elles se consomment tièdes plutôt que chaudes, arrêtez la mijoteuse dès la fin de la cuisson et laissez reposer une demi-heure avant de servir.

POUR 6 PERSONNES

350 g (12 oz) de poitrine de poulet désossée, sans peau
1 échalote hachée finement
115 g (1 tasse) de fromage à la crème
1 œuf battu légèrement
2 blancs d'œufs
graines écrasées de 2 capsules de cardamome
60 ml (4 c. à soupe) de vin blanc
150 ml (⅔ tasse) de crème épaisse
brins d'origan, pour servir

Pour la vinaigrette aux tomates
350 g (12 oz) de tomates mûres
10 ml (2 c. à thé) de vinaigre balsamique
30 ml (2 c. à soupe) d'huile d'olive
sel de mer et poivre noir du moulin

1 Hachez grossièrement le poulet et mettez-le dans un robot culinaire. Ajoutez l'échalote hachée et mixez jusqu'à ce que la préparation devienne relativement lisse.

2 Ajoutez le fromage, l'œuf battu, les blancs d'œufs, les graines écrasées de cardamome et le vin blanc, salez et poivrez. Mixez de nouveau jusqu'à ce que les ingrédients soient bien mélangés.

3 Ajoutez peu à peu la crème, en utilisant la fonction impulsion (pulse), jusqu'à ce que la texture soit lisse et crémeuse. Transférez la préparation dans un bol, couvrez de pellicule plastique et réfrigérez une trentaine de minutes.

4 Entre-temps, préparez six ramequins ou moules à dariole de 150 ml (⅔ tasse), en vous assurant qu'ils se logent tous dans le récipient de cuisson. Graissez légèrement et tapissez le fond de chacun d'eux. Versez environ 2,5 cm (1 po) d'eau chaude dans le récipient de cuisson et chauffez à haute température.

5 Répartissez également la préparation au poulet dans les plats tapissés et égalisez la surface. Couvrez chaque plat de papier d'aluminium. Placez dans le récipient de cuisson et versez de l'eau frémissante jusqu'à mi-hauteur des plats. Couvrez et laissez cuire 2½-3 heures, ou jusqu'à ce que les mousselines soient fermes ; une brochette ou la pointe d'un couteau insérée au centre devrait en ressortir propre.

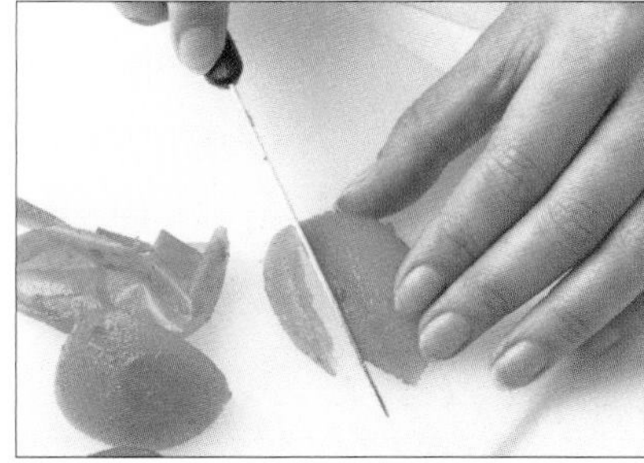

6 En attendant, pelez les tomates, coupez en quatre, épépinez et détaillez en petits dés. Mettez dans un bol, arrosez de vinaigre balsamique et assaisonnez d'un peu de sel. Remuez bien.

7 Pour servir, démoulez les mousses sur des assiettes tièdes. Déposez une petite cuillerée de vinaigrette aux tomates autour de chaque mousse, arrosez les tomates d'un peu d'huile d'olive et saupoudrez de poivre noir du moulin. Garnissez la mousse de brins d'origan frais.

Informations nutritionnelles par portion – calories : 191 ; protéines : 18,1 g ; glucides : 2 g dont 2 g de sucres ; matières grasses : 11,6 g dont 5 g de gras saturés ; cholestérol : 96 mg ; calcium : 30 mg ; fibres : 0,7 g ; sodium : 130 mg.

PÂTÉ de POULET aux PISTACHES

Cette variante du pâté de volaille classique français peut être faite avec du blanc de poulet ou un mélange de viande blanche et brune pour donner un goût plus prononcé. Servez ce joli pâté en entrée dans un grand repas ou avec une salade pour un repas léger.

POUR 8 PERSONNES

huile, pour graisser
800 g (1¾ lb) de poulet désossé
40 g (¾ tasse) de chapelure fraîche
120 ml (½ tasse) de crème épaisse
1 blanc d'œuf
4 oignons verts hachés finement
1 gousse d'ail hachée finement
75 g (3 oz) de jambon cuit, en petits dés
75 g (½ tasse) de pistaches décortiquées
30 ml (2 c. à soupe) de grains de poivre vert en saumure, égouttés
45 ml (3 c. à soupe) d'estragon frais haché
pincée de noix de muscade râpée
sel et poivre noir moulu
pain croûté et salade, pour servir

1 Tapissez de papier ciré le fond d'un plat rond ou ovale de 1,2 l (5 tasses) résistant à la chaleur. Huilez légèrement le fond et les côtés du plat.

2 Placez une soucoupe renversée ou un emporte-pièce de métal au fond du récipient de cuisson. Versez environ 2,5 cm (1 po) d'eau chaude et chauffez à haute température.

3 Coupez le poulet en cubes et passez-les au robot culinaire jusqu'à consistance relativement lisse. (Selon la capacité de votre robot, il vous faudra peut-être procéder en plusieurs fois.) Sinon, passez la viande au hachoir, en utilisant la lame moyenne. Enlevez toute partie blanche filandreuse.

4 Mettez la chapelure dans un grand bol à mélanger, versez la crème et laissez tremper.

5 Entre-temps, battez légèrement les blancs d'œufs avec une fourchette, puis ajoutez à la chapelure trempée. Ajoutez le poulet haché, les oignons verts, l'ail, le jambon, les pistaches, les grains de poivre vert, l'estragon, la noix de muscade, le sel et le poivre. Mélangez bien à la cuillère de bois ou du bout des doigts.

6 Déposez la préparation dans le plat tapissé et couvrez de papier d'aluminium. Placez le plat dans le récipient de cuisson et versez de l'eau bouillante jusqu'à mi-hauteur du plat. Couvrez et faites cuire environ 4 heures.

7 Pour vérifier si le pâté est cuit, piquez avec une brochette ou la pointe d'un couteau – le jus qui en sort devrait être limpide. Retirez le plat avec précaution et laissez refroidir. Réfrigérez le pâté dans son plat, de préférence toute la nuit.

8 Démoulez le pâté sur un plat de service et découpez-le en tranches. Servez avec du pain croûté croustillant et de la salade.

VARIANTES

- Remplacez une partie ou la totalité du poulet par du blanc de dinde et servez avec une sauce aux canneberges.
- Les pistaches vert pâle donnent une belle touche de couleur au pâté, mais vous pouvez les remplacer par des noisettes.
- Ce pâté est un mets parfait pour les pique-niques ou un buffet froid hors de l'ordinaire. Servez-le avec une mayonnaise délicatement parfumée aux herbes.

Informations nutritionnelles par portion – calories : 321 ; protéines : 36,6 g ; glucides : 3,7 g dont 1,2 g de sucres ; matières grasses : 17,9 g dont 7,7 g de gras saturés ; cholestérol : 125 mg ; calcium : 37 mg ; fibres : 0,7 g ; sodium : 379 mg.

POISSON ET FRUITS DE MER

Délicieux, bons pour la santé et parfaitement appropriés à la cuisson à la mijoteuse électrique, le poisson et les fruits de mer s'utilisent dans une incroyable variété de plats. La chaleur douce cuit leur chair délicate à la perfection. La mijoteuse ne peut contenir les gros poissons entiers, comme le saumon. En revanche, elle est parfaite pour la cuisson des petits poissons entiers, comme le hareng et le rouget, les darnes et les filets de poisson, ainsi que les fruits de mer. Contrairement à la viande, le poisson cuit relativement vite à la mijoteuse électrique. Il est donc idéal pour les plats combinés de riz ou de pâtes. Il peut s'apprêter de multiples façons, en mets léger ou consistant. En été, laissez-vous tenter par un risotto au saumon et au concombre et, en hiver, réchauffez votre palais avec une délicieuse tourte de poisson.

POMMES de TERRE CRÉMEUSES aux ANCHOIS

Ce plat scandinave classique contient des pommes de terre, des oignons, des anchois et de la crème. Dégustez ce plat d'hiver le midi comme le soir, accompagné d'une salade rafraîchissante. En Norvège et en Suède, il est souvent servi comme entrée chaude.

POUR 4 PERSONNES

1 kg (2¼ lb) de pommes de terre tardives
2 oignons
25 g (2 c. à soupe) de beurre
2 boîtes de 50 g (2 oz) de filets d'anchois
150 ml (⅔ tasse) de crème légère
150 ml (⅔ tasse) de crème épaisse
15 ml (1 c. à soupe) de persil frais haché
poivre noir moulu
pain frais croustillant, pour servir

CONSEIL DU CHEF

Si vous servez ce plat en entrée ou en accompagnement, cette recette est suffisante pour six personnes.

1 Pelez les pommes de terre et coupez-les en bâtonnets d'un peu plus de 1 cm (½ po) d'épaisseur. Pelez les oignons et émincez-les en rondelles très fines.

2 Utilisez la moitié du beurre pour graisser l'intérieur du récipient de cuisson. Étalez la moitié des pommes de terre et des oignons au fond du récipient.

3 Égouttez les anchois, en réservant 15 ml (1 c. à soupe) d'huile. Coupez les anchois en fines lanières et disposez-les sur les pommes de terre et les oignons. Recouvrez du reste de pommes de terre et d'oignons.

4 Mélangez la crème légère et l'huile d'anchois dans un petit pot et assaisonnez d'un peu de poivre noir moulu. Versez le mélange également sur les pommes de terre et parsemez de noisettes de beurre.

5 Couvrez et faites cuire à haute température 3½ heures, ou jusqu'à ce que les pommes de terre et les oignons soient tendres. Si vous le désirez, faites dorer sous le gril chaud. Versez la crème épaisse sur le mets et parsemez de persil et de poivre. Servez avec du pain frais croustillant.

Informations nutritionnelles par portion – calories : 378 ; protéines : 11,3 g ; glucides : 37,9 g dont 6,4 g de sucres ; matières grasses : 21,2 g dont 11,4 g de gras saturés ; cholestérol : 54 mg ; calcium : 1 460 mg ; fibres : 11,5 g ; sodium : 133 mg.

RISOTTO au SAUMON et au CONCOMBRE

La confection classique du risotto nécessite du temps et l'attention constante du cuisinier, car le bouillon doit être ajouté très graduellement. Ici, le vin et le bouillon sont mis dans la mijoteuse en une seule fois, ce qui facilite la tâche tout en donnant quand même une texture délicieusement crémeuse.

POUR 4 PERSONNES

25 g (2 c. à soupe) de beurre
une petite botte d'oignons verts tranchée finement
½ concombre pelé, épépiné et haché
225 g (1 bonne tasse) de riz italien étuvé
750 ml (3 tasses) de bouillon de légumes ou de poisson bouillant
120 ml (½ tasse) de vin blanc
450 g (1 lb) de filet de saumon, sans peau, en dés
45 ml (3 c. à soupe) d'estragon frais haché
sel et poivre noir moulu

1 Mettez le beurre dans le récipient de cuisson et chauffez à haute température. Laissez fondre 15 minutes, puis incorporez les oignons verts et le concombre. Couvrez et faites cuire 30 minutes.

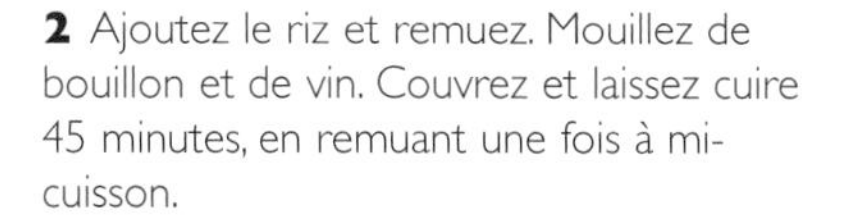

2 Ajoutez le riz et remuez. Mouillez de bouillon et de vin. Couvrez et laissez cuire 45 minutes, en remuant une fois à mi-cuisson.

3 Incorporez les dés de saumon au risotto, salez et poivrez. Poursuivez la cuisson 15 minutes, ou jusqu'à ce que le riz soit tendre et le saumon tout juste cuit. Arrêtez la mijoteuse et laissez le risotto reposer 5 minutes.

4 Découvrez, ajoutez l'estragon haché et mélangez légèrement. Servez immédiatement le risotto dans des assiettes ou des bols chauds.

CONSEIL DU CHEF

Si vous le désirez, remplacez le concombre par des petits pois surgelés. Décongelez-les et incorporez-les au risotto en même temps que le saumon.

Informations nutritionnelles par portion – calories : 506 ; protéines : 28,4 g ; glucides : 51,3 g dont 2,8 g de sucres ; matières grasses : 20 g dont 5,9 g de gras saturés ; cholestérol : 70 mg ; calcium : 91 mg ; fibres : 1,4 g ; sodium : 266 mg.

TOURTE de POISSON

Rien ne réconforte davantage qu'une tourte de poisson gratinée à la chapelure et au fromage. Ce mets familial apprécié de tous se sert avec beaucoup de légumes verts cuits rapidement à la vapeur, tels que des asperges, des haricots verts ou des pois gourmands.

POUR 4 PERSONNES

350 g (12 oz) de filets d'églefin, sans peau
30 ml (2 c. à soupe) de fécule de maïs
175 g (1 tasse) de maïs en conserve, égoutté
115 g (1 tasse) de petits pois surgelés, décongelés
115 g (4 oz) de crevettes cuites surgelées, décongelées
115 g (½ tasse) de fromage à la crème
150 ml (⅔ tasse) de lait
15 g (¼ tasse) de chapelure de blé entier
50 g (½ tasse) de cheddar râpé
sel et poivre noir du moulin

1 Coupez les filets d'églefin en bouchées et mettez-les dans un bol à mélanger. Saupoudrez de fécule et remuez bien pour enrober les morceaux également.

2 Ajoutez le maïs, les petits pois et les crevettes aux morceaux d'églefin enrobés et remuez bien. Dans un autre bol, mélangez ensemble le fromage à la crème et le lait, salez et poivrez. Incorporez le mélange au fromage à la préparation au poisson.

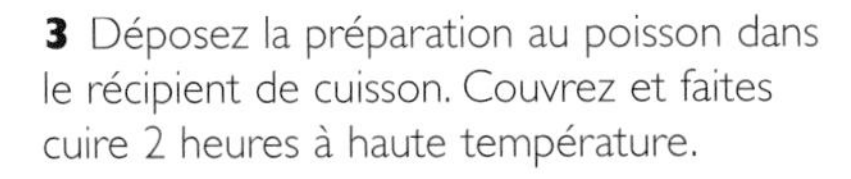

3 Déposez la préparation au poisson dans le récipient de cuisson. Couvrez et faites cuire 2 heures à haute température.

4 Entre-temps, mélangez ensemble la chapelure et le cheddar râpé. Répartissez également le mélange sur la préparation au poisson. Retirez le récipient de cuisson et passez 5 minutes sous le gril à feu moyen, jusqu'à ce que la garniture soit dorée et croustillante. Servez chaud.

CONSEIL DU CHEF
Pour rendre le plat plus économique, n'utilisez que du poisson ; remplacez les crevettes par 115 g (4 oz) de filets d'églefin. Pour rendre le plat plus luxueux, remplacez une partie du poisson par un poids égal de coquilles Saint-Jacques et de moules décortiquées.

Informations nutritionnelles par portion – calories : 306 ; protéines : 31,3 g ; glucides : 12,2 g dont 2,1 g de sucres ; matières grasses : 15,1 g dont 9,2 g de gras saturés ; cholestérol : 153 mg ; calcium : 224 mg ; fibres : 0,6 g ; sodium : 736 mg.

CANNELLONIS à la TRUITE FUMÉE

Ce plat délicieux est une variante originale des classiques cannellonis à la viande ou aux épinards et fromage. Pour gagner du temps, vous pouvez acheter des filets de truite fumée ; dans ce cas, vous n'aurez besoin que d'environ 225 g (8 oz).

POUR 4 PERSONNES

25 g (2 c. à soupe) de beurre, et un peu plus pour graisser
1 gros oignon haché finement
400 g (14 oz) de tomates concassées en conserve
2,5 ml (½ c. à thé) d'herbes séchées mélangées
1 truite fumée d'environ 400 g (14 oz)
75 g (¾ tasse) de petits pois surgelés, décongelés
75 g (¾ tasse) de chapelure fraîche
16 cannellonis
15 g (1½ c. à soupe) de parmesan fraîchement râpé
sel et poivre noir moulu
salade mélangée, pour servir (facultatif)

Pour la sauce
40 g (3 c. à soupe) de beurre
40 g (⅓ tasse) de farine tout usage
550 ml (2½ tasses) de lait
1 feuille de laurier
noix de muscade fraîchement râpée

VARIANTE
Pour rendre le plat plus économique, utilisez une boite de 200 g (7 oz) de thon à la place de la truite.

1 Faites fondre le beurre dans une poêle. Ajoutez l'oignon et faites cuire doucement une dizaine de minutes jusqu'à ce qu'il soit tendre, en remuant fréquemment. Incorporez les tomates concassées et les herbes séchées et prolongez la cuisson à découvert 10 minutes, ou jusqu'à ce que la sauce soit très épaisse.

2 Entre-temps, enlevez la peau de la trui-te fumée avec un couteau tranchant. Retirez toutes les arêtes et émiettez délicatement la chair. Ajoutez le poisson à la sauce tomate, puis incorporez les petits pois et la chapelure. Assaisonnez bien de sel et de poivre noir.

3 Graissez légèrement le fond et la moitié inférieure du récipient de cuisson. Farcissez délicatement les cannellonis et placez-les côte à côte au fond de la mijoteuse.

4 Pour faire la sauce, faites fondre le beurre dans la poêle et ajoutez la farine. Faites cuire 1 minute en remuant, puis incorporez le lait peu à peu et ajoutez la feuille de laurier. Faites cuire à feu moyen, en fouettant constamment, jusqu'à ce que la sauce épaississe. Tout en remuant, laissez mijoter 2-3 minutes. Retirez la feuille de laurier et assaisonnez au goût de sel, de poivre et de noix de muscade.

5 Versez la sauce sur les cannellonis et saupoudrez de parmesan râpé. Couvrez et laissez cuire 1 heure à haute température ou à la position AUTO.

6 Poursuivez la cuisson à basse température ou à la position AUTO 1-1½ heure, ou jusqu'à ce que les cannellonis soient tendres. Si vous le désirez, faites dorer sous le gril à feu moyen. Servez avec de la salade mélangée (s'il y a lieu).

Informations nutritionnelles par portion – calories : 669 ; protéines : 41,5 g ; glucides : 74,5 g dont 15,1 g de sucres ; matières grasses : 24,9 g dont 11,9 g de gras saturés ; cholestérol : 116 mg ; calcium : 353 mg ; fibres : 3,1 g ; sodium : 390 mg.

CANNELLONIS à la SORRENTINA

Il y a plus d'une façon d'apprêter les cannellonis. Pour ce plat au goût rafraîchissant, des lasagnes cuites sont enroulées autour d'une farce aux tomates, ricotta et anchois. Si vous le préférez, utilisez les cannellonis traditionnels.

POUR 4-6 PERSONNES

15 ml (1 c. à soupe) d'huile d'olive, et un peu plus pour graisser
1 petit oignon haché finement
900 g (2 lb) de tomates italiennes mûres, pelées et hachées finement
2 gousses d'ail écrasées
5 ml (1 c. à thé) d'herbes séchées mélangées
150 ml (⅔ tasse) de bouillon de légumes
150 ml (⅔ tasse) de vin blanc sec
30 ml (2 c. à soupe) de pâte de tomate séchée
2,5 ml (½ c. à thé) de sucre
16 lasagnes sèches
250 g (1 bonne tasse) de ricotta
130 g (4½ oz) de mozzarella fraîche, égouttée et coupée en dés
30 ml (2 c. à soupe) de basilic frais déchiqueté, et quelques feuilles entières pour garnir
8 filets d'anchois à l'huile d'olive, égouttés et coupés en deux dans la longueur
50 g (⅔ tasse) de parmesan fraîchement râpé
sel et poivre noir moulu

1 Chauffez l'huile dans une casserole et faites suer l'oignon 5 minutes en remuant. Transférez dans le récipient de cuisson et chauffez à haute température. Incorporez les tomates, l'ail et les herbes. Salez et poi-vrez au goût. Couvrez et laissez cuire 1 heure.

2 Prélevez environ la moitié de la préparation aux tomates et mettez à refroidir dans un bol.

3 Incorporez le bouillon de légumes, le vin blanc, la pâte de tomate et le sucre au reste de préparation aux tomates dans la mijoteuse. Couvrez et poursuivez la cuisson 1 heure. Arrêtez la mijoteuse.

4 Entre-temps, faites cuire les lasagnes dans une casserole d'eau bouillante salée, en suivant le mode d'emploi indiqué sur l'emballage. Égouttez, séparez les lasagnes et étalez-les sur un torchon propre.

5 Ajoutez la ricotta et la mozzarella dans le bol contenant la préparation aux tomates. Incorporez le basilic déchiqueté et assaisonnez au goût de sel et de poivre noir. Étalez un peu de préparation sur chaque lasagne. Placez un demi-anchois dans le sens de la largeur, près d'une extrémité. En partant de cette extrémité, enroulez la lasagne pour former un tube.

6 Versez la sauce tomate du récipient de cuisson dans un robot culinaire ou un mélangeur et réduisez en purée lisse. Lavez et séchez le récipient, puis huilez légèrement son fond et sa moitié inférieure.

7 Étalez environ un tiers de la sauce tomate au fond du récipient de cuisson. Disposez les cannellonis farcis, ouverture en dessous, et recouvrez du reste de sauce.

8 Saupoudrez le parmesan. Couvrez et laissez cuire 1 heure à haute température ou à la position AUTO. Poursuivez la cuisson à basse température ou à la position AUTO 1 autre heure, jusqu'à ce que les cannellonis soient tendres. Si vous le désirez, faites dorer sous le gril. Garnissez de feuilles de basilic et servez.

Informations nutritionnelles par portion – calories : 546 ; protéines : 25,5 g ; glucides : 54,3 g dont 9,7 g de sucres ; matières grasses : 24,1 g dont 13,4 g de gras saturés ; cholestérol : 58 mg ; calcium : 301 mg ; fibres : 3,5 g ; sodium : 282 mg.

LASAGNE AU THON

Ce plat succulent, parfait pour les repas en famille ou entre amis, est incroyablement facile à faire. Utilisez des lasagnes précuites, que vous casserez en morceaux plus petits en fonction de la forme de votre mijoteuse électrique.

POUR 6 PERSONNES

65 g (5 c. à soupe) de beurre, et un peu plus pour graisser
1 petit oignon haché finement
1 gousse d'ail hachée finement
115 g (4 oz) de champignons tranchés finement
40 g (1/3 tasse) de farine tout usage
50 ml (1/4 tasse) de vin blanc sec
150 ml (2/3 tasse) de crème épaisse
600 ml (2 1/2 tasses) de lait
45 ml (3 c. à soupe) de persil frais haché
2 boîtes de 200 g (7 oz) de thon à l'huile
2 poivrons en conserve, coupés en lanières
115 g (1 tasse) de mozzarella râpée
8-12 lasagnes précuites
25 g (3 c. à soupe) de parmesan fraîchement râpé
sel et poivre noir moulu
pain de style italien, comme la ciabata, et salade verte, pour servir

1 Graissez légèrement le fond et la moitié inférieure du récipient de cuisson.

2 Dans une grande casserole, faites fondre 25 g (2 c. à soupe) du beurre et faites frire doucement l'oignon 5 minutes jusqu'à ce qu'il soit presque ramolli sans être coloré. Ajoutez l'ail et les champignons et continuez à cuire 3 minutes, en remuant de temps en temps. Versez les légumes dans un bol et réservez.

3 Faites fondre le reste du beurre (40 g/ 3 c. à soupe) dans la casserole. Saupoudrez la farine et mélangez. Fermez le feu et incorporez peu à peu le vin, puis la crème et le lait. Chauffez doucement, en remuant constamment, jusqu'à ce que la sauce fasse des bulles et épaississe. Ajoutez le persil, salez et poivrez.

4 Réservez 300 ml (1 1/4 tasse) de sauce, puis incorporez la préparation aux champignons à la sauce restante.

5 Égouttez bien le thon et versez-le dans un bol. Émiettez la chair à la fourchette, ajoutez les lanières de piment, la mozzarella râpée et un peu de sel et de poivre. Mélangez délicatement.

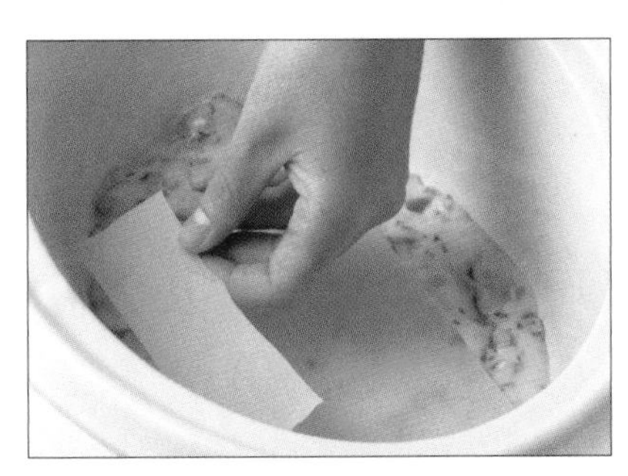

6 Étalez une fine couche de sauce aux champignons au fond du récipient de cuisson. Recouvrez la sauce de 2-3 lasagnes cassées aux dimensions voulues. Parsemez la moitié de la préparation au thon sur les pâtes. Étalez la moitié de la sauce restante et recouvrez de lasagnes. Répétez les couches, en finissant par les lasagnes. Versez la sauce réservée, puis saupoudrez de parmesan.

7 Couvrez et laissez cuire à basse température 2 heures, ou jusqu'à ce que les lasagnes soient tendres.

8 Si vous le désirez, faites dorer sous le gril à feu moyen et servez avec du pain et une salade verte.

Informations nutritionnelles par portion – calories : 554 ; protéines : 32,2 g ; glucides : 28,9 g dont 7,4 g de sucres ; matières grasses : 34,7 g dont 18,5 g de gras saturés ; cholestérol : 110 mg ; calcium : 371 mg ; fibres : 0,6 g ; sodium : 616 mg.

POISSON POCHÉ dans une SAUCE TOMATE ÉPICÉE

Ce plat traditionnel juif est connu sous le nom de samak. Il est généralement servi avec des pains plats, tels que pitas et pains azymes, mais il est également délicieux avec du riz ou des nouilles nature.

POUR 4 PERSONNES

15 ml (1 c. à soupe) d'huile végétale ou d'olive
1 oignon haché finement
150 ml (⅔ tasse) de passata (purée de tomates en bocal)
75 ml (⅓ tasse) de bouillon de poisson ou de légumes bouillant
2 gousses d'ail écrasées
1 petit piment rouge, épépiné et haché finement
pincée de gingembre moulu
pincée de poudre de curry
pincée de cumin moulu
pincée de curcuma moulu
graines d'une capsule de cardamome
jus de 1 citron, et un peu plus au besoin
900 g (2 lb) de filets de poissons maigres mélangés
30 ml (2 c. à soupe) de coriandre fraîche hachée
30 ml (2 c. à soupe) de persil frais haché
sel et poivre noir moulu

1 Chauffez l'huile dans une poêle et faites cuire doucement l'oignon 10 minutes, en remuant, jusqu'à ce qu'il soit ramolli sans être coloré.

2 Transférez l'oignon dans le récipient de cuisson, puis incorporez la passata, le bouillon, l'ail, le piment, le gingembre, la poudre de curry, le cumin, le curcuma, la cardamome, le jus de citron, le sel et le poivre. Couvrez et faites cuire à haute température ou à la position AUTO 1½ heure jusqu'à ce que la préparation commence à frémir.

3 Ajoutez le poisson, couvrez et poursuivez la cuisson à basse température ou à la position AUTO 45-60 minutes, ou jusqu'à ce que le poisson soit tendre. (La chair devrait s'émietter facilement.)

4 Soulevez le poisson et déposez sur des assiettes chaudes. Incorporez les herbes fraîches à la sauce, goûtez et rectifiez l'assaisonnement, en ajoutant du jus de citron si nécessaire. Versez la sauce à la louche sur le poisson et servez immédiatement.

Informations nutritionnelles par portion – calories : 224 ; protéines : 42 g ; glucides : 4,1 g dont 3,1 g de sucres ; matières grasses : 4,4 g dont 0,6 g de gras saturés ; cholestérol : 104 mg ; calcium : 34 mg ; fibres : 0,8 g ; sodium : 151 mg.

SAUMON à la NOIX de COCO

Un mélange parfumé d'épices, d'ail et de piment sied bien au saumon, un poisson à saveur assez forte. Le lait de noix de coco ajoute une touche de douceur et un goût crémeux.

POUR 4 PERSONNES

15 ml (1 c. à soupe) d'huile
1 oignon haché finement
2 piments verts frais, épépinés et hachés
2 gousses d'ail écrasées
1 morceau de 2,5 cm (1 po) de gingembre frais râpé
175 ml (¾ tasse) de lait de noix de coco
10 ml (2 c. à thé) de cumin moulu
5 ml (1 c. à thé) de coriandre moulue
4 darnes de saumon d'environ 175 g (6 oz) chacune
10 ml (2 c. à thé) de poudre chili
2,5 ml (½ c. à thé) de curcuma moulu
15 ml (1 c. à soupe) de vinaigre de vin blanc
1,5 ml (¼ c. à thé) de sel
brins de coriandre fraîche, pour garnir
riz mélangé avec des oignons verts, pour servir

VARIANTE
Les filets de truite se marient bien aux épices ; substituez-les au saumon.

1 Chauffez l'huile dans une casserole. Ajoutez l'oignon, les piments, l'ail et le gingembre et faites frire 5-6 minutes jusqu'à ce qu'ils soient relativement ramollis. Transférez dans un robot culinaire, ajoutez 120 ml (½ tasse) du lait de noix de coco et réduisez en pâte lisse.

2 Versez la pâte dans le récipient de cuisson. Incorporez la moitié du cumin, la coriandre moulue et le reste de lait de noix de coco. Couvrez et faites cuire 1½ heure à haute température.

3 Environ 20 minutes avant la fin du temps de cuisson, disposez les darnes de saumon en une seule couche dans un plat peu profond. Dans un bol, mélangez ensemble l'autre moitié de cumin, la poudre chili, le curcuma, le vinaigre et le sel pour former une pâte. Frottez la pâte sur les darnes de saumon et laissez mariner à température ambiante pendant que la sauce finit de cuire.

4 Ajoutez les darnes dans la sauce, en les disposant en une seule couche, et arrosez-les de sauce pour les garder humides durant la cuisson. Couvrez et laissez cuire à basse température 45-60 minutes, ou jusqu'à ce que le saumon soit opaque et tendre.

5 Transférez le poisson sur un plat de service, arrosez de sauce et garnissez de coriandre fraîche. Servez avec le riz.

Informations nutritionnelles par portion – calories : 363 ; protéines : 35,9 g ; glucides : 5,1 g dont 4,2 g de sucres ; matières grasses : 22,2 g dont 3,8 g de gras saturés ; cholestérol : 88 mg ; calcium : 59 mg ; fibres : 0,5 g ; sodium : 275 mg.

JAMBALAYA DE POISSON ET CREVETTES

À l'instar de la paella espagnole, les ingrédients du jambalaya créole classique peuvent varier selon la disponibilité des produits. Le jambalaya tirerait son nom du français « jambon » et du créole « à la ya » qui veut dire « riz ».

POUR 4 PERSONNES

30 ml (2 c. à soupe) d'huile d'olive
6 tranches de bacon hachées
1 oignon haché
2 branches de céleri tranchées
2 gousses d'ail écrasées
5 ml (1 c. à thé) de poivre de Cayenne
2 feuilles de laurier
5 ml (1 c. à thé) d'origan séché
2,5 ml (½ c. à thé) de thym séché
4 tomates pelées, épépinées et hachées
750 ml (3 tasses) de bouillon de légumes ou de poisson bouillant
15 ml (1 c. à soupe) de pâte de tomate
300 g (1½ tasse) de riz étuvé
225 g (8 oz) de poisson maigre à chair ferme, comme l'églefin, sans peau ni arêtes, en cubes
115 g (4 oz) de crevettes cuites
sel et poivre noir moulu
4 oignons verts et 4 crevettes cuites non décortiquées, pour garnir

1 Chauffez l'huile dans une poêle et faites cuire le bacon 2 minutes à feu moyen-fort. Baissez le feu, ajoutez l'oignon et le céleri et poursuivez la cuisson 5-10 minutes, ou jusqu'à ce que les légumes soient ramollis et commencent à brunir.

2 Transférez la préparation dans le récipient de cuisson et chauffez

à haute température. Ajoutez l'ail, le poivre de Cayenne, les feuilles de laurier, l'origan, le thym, les tomates, le bouillon bouillant et la pâte de tomate. Remuez bien, couvrez et laissez cuire environ 1 heure.

3 Versez le riz sur la préparation aux tomates, puis parsemez de cubes de poisson. Salez, poivrez et remuez. Couvrez et poursuivez la cuisson 45 minutes.

4 Ajoutez les crevettes, remuez et laissez cuire 15 minutes, ou jusqu'à ce que le poisson et le riz soient tendres et le liquide en grande partie absorbé. Servez le jambalaya garni d'oignons verts et de crevettes en carapace.

CONSEIL DU CHEF

Servez de la sauce chili piquante à part pour ceux qui préfèrent un jambalaya plus épicé.

Informations nutritionnelles par portion – calories : 243 ; protéines : 23,2 g ; glucides : 6,5 g dont 5,4 g de sucres ; matières grasses : 14 g dont 3,4 g de gras saturés ; cholestérol : 126 mg ; calcium : 64 mg ; fibres : 1,6 g ; sodium : 1 303 mg.

BOULETTES de HOKI à la SAUCE TOMATE

Ce mets de poisson simple est idéal pour tous. Les enfants ne risqueront pas de s'étrangler avec une arête ; les adultes pourront l'épicer avec un trait de sauce chili ; et ceux qui suivent un régime faible en gras ou en cholestérol pourront le déguster sans souci.

POUR 4 PERSONNES

400 g (14 oz) de tomates concassées en conserve
50 g (2 oz) de champignons de Paris tranchés
450 g (1 lb) de filets de hoki ou autre poisson maigre à chair ferme, sans peau
15 g (¼ tasse) de chapelure fraîche de pain de blé entier
30 ml (2 c. à soupe) de ciboulette fraîche ou d'oignons verts hachés
sel et poivre noir moulu
ciboulette fraîche hachée, pour garnir
légumes verts à la vapeur, pour servir

CONSEIL DU CHEF

Si vous ne trouvez pas de hoki, utilisez une quantité égale de morue, d'églefin ou de merlan.

1 Dans le récipient de cuisson, mettez les tomates concassées, les champignons tranchés et un peu de sel et de poivre noir moulu. Couvrez et laissez cuire environ 2 heures à haute température.

2 Entre-temps, coupez le poisson en gros morceaux et mettez-le dans un robot culinaire. Ajoutez la chapelure et la ciboulette ou les oignons verts, salez et poivrez. Mixez jusqu'à ce que le poisson soit haché finement tout en conservant un peu de texture.

3 Divisez la préparation en 16 parts égales, mouillez vos mains puis roulez chaque part en boule. Mettez les boulettes sur une assiette et réfrigérez.

4 Environ 30 minutes avant la fin du temps de cuisson de la sauce, sortez les boulettes du réfrigérateur pour les porter à température ambiante.

5 Disposez les boulettes dans la sauce, en une seule couche. Laissez cuire à haute température 1 heure, puis à basse température 1 autre heure, ou jusqu'à ce que les boulettes soient bien cuites. Servez-les chaudes, garnies de ciboulette et accompagnées de légumes verts cuits à la vapeur.

Informations nutritionnelles par portion – calories : 116 ; protéines : 22,2 g ; glucides : 4,6 g dont 2,9 g de sucres ; matières grasses : 1 g dont 0,1 g de gras saturés ; cholestérol : 52 mg ; calcium : 27 mg ; fibres : 1 g ; sodium : 125 mg.

ROUGETS BRAISÉS sur un LIT de FENOUIL

Ces jolis poissons roses ont une chair merveilleusement ferme et un goût sucré. Ils sont généralement cuits entiers, mais s'il le faut, étêtez-les pour pouvoir les disposer en une seule couche dans votre mijoteuse électrique. Cuisez de la même façon d'autres petits poissons, comme les sardines, ou des filets de gros poisson, tels que le saumon, la morue et le colin.

POUR 4 PERSONNES

10 ml (2 c. à thé) de graines de fenouil
5 ml (1 c. à thé) de thym frais haché
30 ml (2 c. à soupe) de persil frais haché
1 gousse d'ail écrasée
10 ml (2 c. à thé) d'huile d'olive
4 rougets d'environ 225 g (8 oz) chacun
quartiers de citron, pour servir

Pour le fenouil
8 tomates mûres
2 bulbes de fenouil
30 ml (2 c. à soupe) d'huile d'olive
120 ml (½ tasse) de bouillon de poisson ou de légumes bouillant
10 ml (2 c. à thé) de vinaigre balsamique
sel et poivre noir moulu

1 Écrasez les graines de fenouil au pilon et mélangez-les avec le thym et le persil hachés, l'ail et l'huile d'olive.

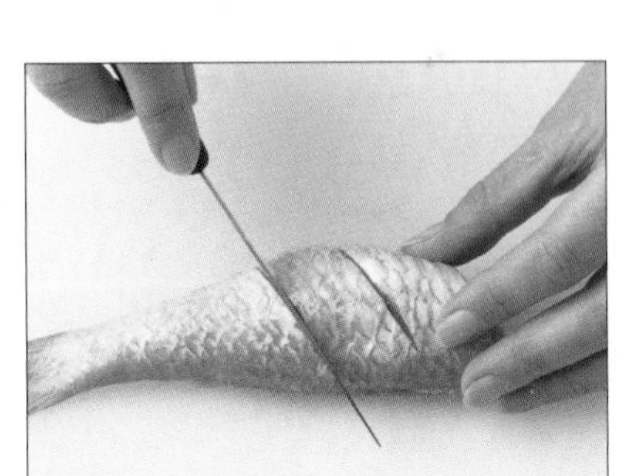

2 Videz et écaillez les poissons, puis coupez leurs nageoires. Avec un couteau bien aiguisé, faites des entailles profondes sur les deux côtés.

3 Insérez la pâte d'herbes dans les entailles et étalez l'excédent dans les cavités. Placez les poissons sur une assiette, couvrez de pellicule plastique sans serrer et laissez mariner à température ambiante – par temps chaud, il vaut mieux les ranger au réfrigérateur et les sortir une vingtaine de minutes avant la cuisson.

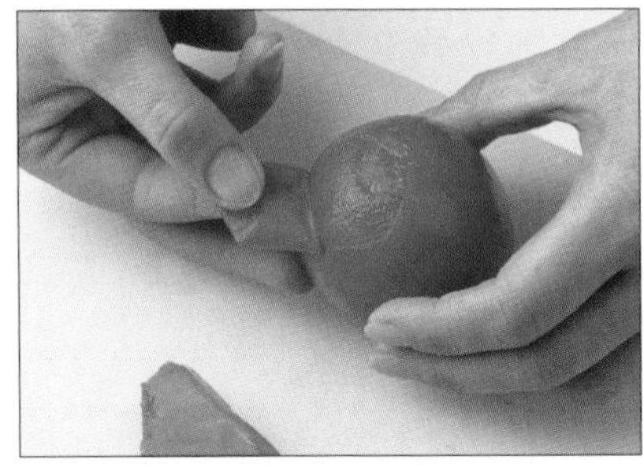

4 Entre-temps, préparez le lit de fenouil. Mettez les tomates dans un plat résistant à la chaleur, couvrez d'eau bouillante et laissez reposer 1 minute. Égouttez, refroidissez sous l'eau froide et pelez. Tranchez en quatre, épépinez et détaillez en petits dés.

5 Coupez les tiges feuillues (si vous le désirez, gardez-les pour garnir), puis émincez les bulbes en tranches de 1 cm (½ po) d'épaisseur dans le sens de la hauteur.

6 Chauffez l'huile d'olive dans une poêle et faites cuire les tranches de fenouil à feu moyen environ 10 minutes, ou jusqu'à ce qu'elles commencent à se colorer.

7 Transférez le fenouil dans le récipient de cuisson. Ajoutez les tomates en dés, le bouillon chaud, le vinaigre balsamique, le sel et le poivre. Couvrez et laissez cuire 2 heures à haute température.

8 Remuez la sauce au fenouil, puis disposez les poissons en une seule couche. Couvrez et faites cuire 1 heure, ou jusqu'à ce que les poissons soient cuits et tendres. Garnissez de quartiers de citron et servez immédiatement.

CONSEIL DU CHEF
Le rouget est une denrée hautement périssable. Assurez-vous qu'il soit très frais. Choisissez un poisson aux yeux et à la peau brillants, qui semble ferme au toucher. Le foie étant un morceau recherché, demandez au poissonnier de vous le laisser.

Informations nutritionnelles par portion – calories : 194 ; protéines : 26,5 g ; glucides : 4,2 g dont 4,1 g de sucres ; matières grasses : 8,1 g dont 1,2 g de gras saturés ; cholestérol : 63 mg ; calcium : 95 mg ; fibres : 3 g ; sodium : 239 mg.

ÉGLEFIN aux LENTILLES du PUY ÉPICÉES

Les lentilles du Puy ont un goût et une texture délicats. Elles conservent bien leur forme en cuisant, ce qui en fait des ingrédients parfaits pour les plats cuits à la mijoteuse électrique. Le piment rouge et le cumin ajoutent une pointe de piquant sans toutefois altérer la saveur du poisson.

POUR 4 PERSONNES

175 g (¾ tasse) de lentilles du Puy
600 ml (2½ tasses) de bouillon de légumes frémissant
30 ml (2 c. à soupe) d'huile d'olive
1 oignon haché finement
2 branches de céleri hachées finement
1 piment rouge coupé en deux, épépiné et haché finement
2,5 ml (½ c. à thé) de cumin moulu
4 morceaux épais d'églefin de 150 g (5 oz) chacun (filet ou darne)
10 ml (2 c. à thé) de jus de citron
25 g (2 c. à soupe) de beurre ramolli
5 ml (1 c. à thé) de zeste de citron râpé finement
sel et poivre noir moulu
quartiers de citron, pour garnir

1 Mettez les lentilles dans un tamis et rincez sous l'eau froide. Égouttez bien et versez dans le récipient de cuisson. Versez le bouillon de légumes chaud, couvrez et chauffez à haute température.

2 Chauffez l'huile dans une poêle, ajoutez l'oignon et faites cuire doucement 8 minutes. Incorporez le céleri, le piment et le cumin et poursuivez la cuisson 2 minutes, ou jusqu'à ce que les légumes soient ramollis sans être colorés. Versez la préparation sur les lentilles, remuez, couvrez et laissez cuire environ 2½ heures.

3 Entre-temps, rincez les morceaux d'églefin, séchez sur du papier essuie-tout et arrosez de jus de citron. Dans un bol, battez ensemble le beurre, le zeste de citron, le sel et une bonne quantité de poivre noir moulu.

4 Disposez les morceaux d'églefin sur les lentilles, puis parsemez de noisettes de beurre au citron. Couvrez et faites cuire 45-60 minutes, ou jusqu'à ce que le poisson s'émiette facilement, que les lentilles soient tendres et que le bouillon soit absorbé. Garnissez de quartiers de citron et servez immédiatement.

CONSEIL DU CHEF
Cette méthode de cuisson s'applique à tout poisson maigre à chair ferme. Elle donne particulièrement de bons résultats avec la morue et l'espadon.

Informations nutritionnelles par portion – calories : 366 ; protéines : 38,9 g ; glucides : 25,2 g dont 3,2 g de sucres ; matières grasses : 12,8 g dont 4,3 g de gras saturés ; cholestérol : 82 mg ; calcium : 64 mg ; fibres : 4,7 g ; sodium : 353 mg.

RAIE à la SAUCE TOMATE et aux OLIVES

Remplacez le traditionnel accompagnement au beurre noisette par cette sauce à l'accent méditerranéen, à base de tomates, d'olives, d'orange et d'un trait de Pernod. Idéalement, faites tremper la raie dans l'eau salée quelques heures avant la cuisson pour raffermir sa chair.

POUR 4 PERSONNES

15 ml (1 c. à soupe) d'huile d'olive
1 petit oignon haché finement
2 brins de thym frais
zeste râpé de ½ orange
15 ml (1 c. à soupe) de Pernod
400 g (14 oz) de tomates concassées en conserve
50 g (1 tasse) d'olives vertes farcies
1,5 ml (¼ c. à thé) de sucre semoule
4 petits ailerons de raie
farine tout usage, pour enrober
sel et poivre noir moulu
15 ml (1 c. à soupe) de feuilles de basilic, pour garnir
quartiers de lime, pour servir

CONSEIL DU CHEF

Le Pernod donne un goût délicieusement anisé. Toutefois, si vous n'aimez pas cette saveur, remplacez le Pernod par 15 ml (1 c. à soupe) de vermouth.

1 Chauffez l'huile dans une casserole et faites frire l'oignon doucement 10 minutes. Ajoutez le thym et le zeste d'orange et faites cuire 1 minute. Incorporez le Pernod, les tomates, les olives, le sucre et un peu de sel et de poivre, puis chauffez jusqu'à frémissement.

2 Versez la préparation dans le récipient de cuisson, couvrez et laissez cuire 1½ heure à haute température.

3 Entre-temps, rincez les ailerons de raie sous l'eau froide et séchez sur du papier essuie-tout. Mettez de la farine dans un grand plat peu profond et assaisonnez bien de sel et de poivre noir moulu. Enrobez un à un les ailerons de farine, secouez pour enlever l'excédent et placez sur la sauce tomate.

4 Couvrez la mijoteuse et laissez cuire à basse température 1½-2 heures, ou jusqu'à ce que la raie s'émiette facilement.

5 Disposez chaque aileron sur une assiette de service chaude et nappez de sauce. Parsemez de feuilles de basilic, garnissez d'un quartier de lime et servez.

Informations nutritionnelles par portion – calories : 144 ; protéines : 15,5 g ; glucides : 8,1 g dont 3,7 g de sucres ; matières grasses : 4,8 g dont 0,7 g de gras saturés ; cholestérol : 35 mg ; calcium : 37 mg ; fibres : 1,4 g ; sodium : 366 mg.

ROULADES de LIMANDE-SOLE et JAMBON de PARME

Dans ce mets raffiné, le jambon de Parme et la limande-sole sont enroulés autour d'une farce subtilement aromatisée aux herbes et au citron. Servez ce plat lors des grandes occasions, accompagné de pommes de terre nouvelles rissolées et d'asperges cuites à la vapeur.

POUR 4 PERSONNES

- 10 ml (2 c. à thé) de beurre non salé, à température ambiante
- 120 ml (½ tasse) de vin blanc sec
- 4 grands filets de limande-sole d'environ 150 g (5 oz) chacun
- 8 fines tranches de jambon de Parme totalisant environ 130 g (4½ oz)
- 50 g (½ tasse) de noix de Grenoble grillées et hachées
- 75 g (1½ tasse) de chapelure fraîche
- 30 ml (2 c. à soupe) de persil frais haché finement
- 2 œufs battus légèrement
- 5 ml (1 c. à thé) de zeste de citron râpé finement
- poivre noir moulu
- pommes de terre nouvelles et légumes verts à la vapeur, pour servir

1 Beurrez l'intérieur du récipient de cuisson. Versez le vin et chauffez à haute température. Enlevez la peau des filets de poisson, assurez-vous qu'il ne reste aucune arête et séchez avec du papier essuie-tout.

2 Enlevez l'excédent de gras du jambon de Parme. Sur une planche, superposez deux tranches et déposez un filet de sole, le côté où se trouvait la peau vers le haut.

3 Mélangez ensemble les noix, la chapelure, le persil, les œufs, le zeste de citron et le poivre. Étalez un quart de préparation sur le filet de poisson, en l'écrasant délicatement. En partant de l'extrémité la plus épaisse, roulez soigneusement le filet et le jambon pour enfermer la farce.

4 Procédez ainsi avec le reste de jambon, de poisson et de farce, puis attachez chaque roulade avec un cure-dents.

5 Placez les roulades, ouverture dessous, dans le récipient de cuisson beurré. Couvrez et faites cuire à basse température 1½-2 heures, ou jusqu'à ce que le poisson s'émiette facilement. Retirez les cure-dents et servez immédiatement, avec des légumes fraîchement cuits.

Informations nutritionnelles par portion – calories : 363 ; protéines : 38 g ; glucides : 9,6 g dont 1,5 g de sucres ; matières grasses : 17,3 g dont 3,6 g de gras saturés ; cholestérol : 201 mg ; calcium : 134 mg ; fibres : 0,8 g ; sodium : 714 mg.

THON à la BASQUAISE

En Espagne, on appelle ce ragoût marmitako. Il tire son nom de « marmite », le récipient dans lequel les pêcheurs le cuisaient traditionnellement lors de leurs sorties en mer. Les saveurs riches de la sauce se marient parfaitement au goût prononcé du thon.

POUR 4 PERSONNES

30 ml (2 c. à soupe) d'huile d'olive
1 oignon haché finement
1 gousse d'ail hachée finement
75 ml (⅓ tasse) de vin blanc, de préférence espagnol
150 ml (⅔ tasse) de bouillon de poisson ou de légumes bouillant
200 g (7 oz) de tomates concassées en conserve
5 ml (1 c. à thé) de paprika
2,5 ml (½ c. à thé) de piment séché écrasé
450 g (1 lb) de pommes de terre nouvelles fermes, en morceaux de 1 cm (½ po)
1 poivron rouge et 1 poivron jaune épépinés et hachés
1 petit brin de romarin frais
1 feuille de laurier
450 g (1 lb) de thon frais en morceaux de 2,5 cm (1 po)
sel et poivre noir du moulin
pain croustillant, pour servir

1 Chauffez l'huile dans une grande poêle et faites frire doucement l'oignon 10 minutes jusqu'à ce qu'il soit translucide. Incorporez l'ail, le vin, le bouillon, les tomates, le paprika et le piment. Portez à frémissement, puis versez dans le récipient de cuisson.

2 Ajoutez les morceaux de pommes de terre, de poivron rouge et de poivron jaune, le romarin et la feuille de laurier et remuez. Couvrez et laissez cuire à haute température 2-2½ heures, ou jusqu'à ce que les pommes de terre soient tout juste tendres. Salez et poivrez la sauce au goût.

3 Incorporez les morceaux de thon à la sauce. Couvrez et faites cuire 15-20 minutes, ou jusqu'à ce que le poisson soit ferme et opaque.

4 Retirez le romarin et la feuille de laurier. Versez le ragoût à la louche dans des assiettes chaudes, saupoudrez d'un peu de poivre noir du moulin et servez avec du pain croustillant.

Informations nutritionnelles par portion – calories : 297 ; protéines : 30,1 g ; glucides : 27,5 g dont 9,6 g de sucres ; matières grasses : 6 g dont 1,2 g de gras saturés ; cholestérol : 57 mg ; calcium : 39 mg ; fibres : 3,2 g ; sodium : 397 mg.

MORUE aux OIGNONS CARAMÉLISÉS

Après une très longue cuisson à basse température, les rondelles d'oignon se caramélisent. Elles prennent une profonde couleur dorée et une riche saveur sucrée qui sont rehaussées davantage par l'ajout de vinaigre balsamique. Le beurre aux câpres et à la coriandre apporte un contraste rafraîchissant.

POUR 4 PERSONNES

40 g (3 c. à soupe) de beurre
10 ml (2 c. à thé) d'huile d'olive
1,2 kg (2½ lb) d'oignons jaunes pelés et émincés finement
5 ml (1 c. à thé) de sucre semoule
30 ml (2 c. à soupe) de vinaigre balsamique
30 ml (2 c. à soupe) de bouillon de légumes, de vin blanc ou d'eau
4 filets épais de morue de 150 g (5 oz) chacun

Pour le beurre

115 g (½ tasse) de beurre ramolli
30 ml (2 c. à soupe) de câpres égouttées et hachées
30 ml (2 c. à soupe) de coriandre fraîche hachée
sel et poivre noir moulu

1 Mettez le beurre et l'huile d'olive dans le récipient de cuisson et chauffez à haute température environ 15 minutes, ou jusqu'à ce que le beurre soit fondu.

2 Ajoutez les oignons et remuez pour bien les enrober de beurre et d'huile. Couvrez et placez un torchon plié en deux sur le couvercle pour retenir toute la chaleur. Laissez cuire 2 heures, en remuant à mi-cuisson.

3 Saupoudrez le sucre sur les oignons et mélangez bien. Couvrez, remettez le torchon sur le couvercle et poursuivez la cuisson 4 heures, en remuant deux ou trois fois pour que les oignons dorent également. En fin de cuisson, ils devraient avoir une couleur dorée foncée.

4 Versez le vinaigre sur les oignons, puis incorporez le bouillon, le vin ou l'eau. Couvrez et laissez cuire 1 heure ; les oignons devraient être assez tendres. Assaisonnez d'un peu de sel et de poivre et remuez bien. Disposez les filets de morue sur les oignons et poursuivez la cuisson 45-60 minutes, ou jusqu'à ce que le poisson s'émiette facilement.

5 Entre-temps, préparez le beurre aux câpres et à la coriandre. Dans un bol, travaillez le beurre en crème, puis incorporez les câpres, la coriandre, le sel et le poivre. Roulez le beurre dans du papier d'aluminium, de la pellicule plastique ou du papier ciré de façon à former une petite bûche ; tordez les extrémités pour sceller. Mettez la bûche au réfrigérateur ou au congélateur jusqu'à ce qu'elle soit ferme.

6 Pour servir, placez les oignons et le poisson sur des assiettes chaudes. Découpez des rondelles de beurre aux câpres et déposez-en une ou deux sur chaque morceau de poisson. Servez immédiatement, avec le beurre fondant sur le poisson chaud.

Informations nutritionnelles par portion – calories : 534 ; protéines : 31,3 g ; glucides : 25 g dont 18,1 g de sucres ; matières grasses : 35 g dont 20,6 g de gras saturés ; cholestérol : 152 mg ; calcium : 96 mg ; fibres : 4,2 g ; sodium : 334 mg.

ESPADON à la SAUCE BARBECUE

Voici une façon idéale de cuire les steaks de poisson à chair ferme. La sauce agréablement épicée et fumée se marie particulièrement bien aux poissons charnus, comme l'espadon, le requin et le thon. Choisissez des steaks étroits et épais plutôt que larges et minces, pour qu'ils puissent se loger dans la mijoteuse.

POUR 4 PERSONNES

15 ml (1 c. à soupe) d'huile de tournesol
1 petit oignon haché très finement
1 gousse d'ail écrasée
2,5 ml (½ c. à thé) de poudre chili
15 ml (1 c. à soupe) de sauce Worcestershire
15 ml (1 c. à soupe) de cassonade dorée
15 ml (1 c. à soupe) de vinaigre balsamique
15 ml (1 c. à soupe) de moutarde douce
150 ml (⅔ tasse) de jus de tomate
4 steaks d'espadon d'environ 115 g (4 oz) chacun
sel et poivre noir moulu
persil plat, pour garnir
riz cuit à l'eau ou à la vapeur, pour servir

1 Chauffez l'huile dans une poêle et faites suer l'oignon 10 minutes. Ajoutez l'ail et la poudre chili, laissez cuire quelques secondes, puis incorporez la sauce Worcestershire, le sucre, le vinaigre, la moutarde et le jus de tomate. Chauffez doucement jusqu'à frémissement, en remuant.

2 Versez la moitié de la sauce dans le récipient de cuisson. Rincez les steaks d'espadon et séchez sur du papier essuie-tout. Disposez en une seule couche sur la sauce et recouvrez du reste de sauce.

3 Couvrez et faites cuire à haute température 2-3 heures, ou jusqu'à ce que le poisson soit tendre et cuit à point.

4 Transférez délicatement le poisson sur des assiettes de service chaudes et nappez de sauce. Garnissez de persil plat et servez immédiatement avec du riz cuit à l'eau ou à la vapeur.

CONSEIL DU CHEF
Pour obtenir une saveur barbecue plus fumée, remplacez la poudre chili par du piment chipotle (jalapeno) séché écrasé.

Informations nutritionnelles par portion – calories : 158 ; protéines : 27,3 g ; glucides : 4,9 g dont 4,5 g de sucres ; matières grasses : 3,5 g dont 0,6 g de gras saturés ; cholestérol : 59 mg ; calcium : 21 mg ; fibres : 0,2 g ; sodium : 414 mg.

HARENGS FARCIS aux ÉPINARDS et aux PIGNONS de PIN

La mijoteuse électrique ne permet pas de cuire un gros poisson entier, mais elle est idéale pour les petits poissons, tels que les sardines et les harengs. La cuisson douce convient bien à leur chair légèrement grasse qui les garde superbement humides.

POUR 4 PERSONNES

40 g (3 c. à soupe) de beurre non salé
5 ml (1 c. à thé) d'huile de tournesol
25 g (1/4 tasse) de pignons de pin
1 petit oignon haché finement
175 g (6 oz) d'épinards surgelés, décongelés
50 g (1 tasse) de chapelure blanche
25 g (1/3 tasse) de parmesan râpé
pincée de noix de muscade fraîchement râpée
75 ml (5 c. à soupe) de bouillon de poisson ou de légumes ou de vin blanc
4 petits harengs, sans tête ni arêtes
sel et poivre noir moulu
quartiers de citron, pour servir

1 Dans une poêle, chauffez 25 g (2 c. à soupe) du beurre et l'huile de tournesol, jusqu'à ce que le beurre soit fondu. Ajoutez les pignons de pin et faites frire doucement 3-4 minutes jusqu'à ce qu'ils soient dorés. Retirez de la poêle avec une écumoire et mettez dans un bol à mélanger.

2 Dans la poêle, faites suer l'oignon haché 10 minutes en remuant fréquemment.

3 Entre-temps, mettez les épinards décongelés dans un tamis fin et pressez autant de liquide que possible. (Essorez-les avec vos mains ou pressez-les fermement avec le dos d'une cuillère.)

4 Mettez l'oignon et les épinards dans le bol contenant les pignons de pin et ajoutez la chapelure, le fromage, la noix de muscade, le sel et le poivre. Mélangez les ingrédients à la fourchette jusqu'à ce qu'ils soient bien mélangés.

5 Étalez le reste de beurre (15 g/1 c. à soupe) au fond du récipient de cuisson, puis versez le bouillon ou le vin. Couvrez et chauffez à haute température.

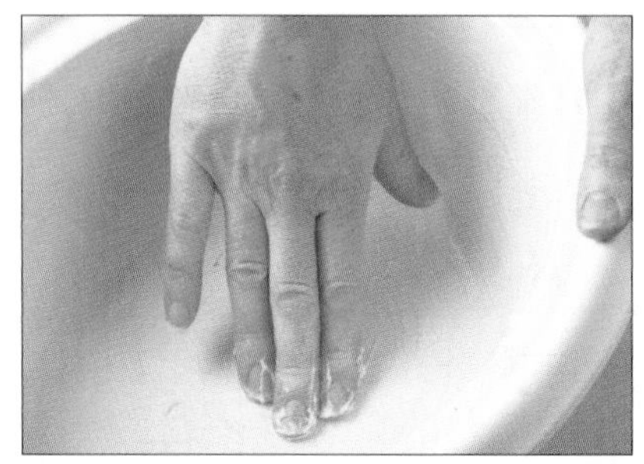

6 Avec un couteau bien aiguisé, faites trois entailles peu profondes sur les deux côtés des poissons. Remplissez leur cavité de farce, en tassant bien, et refermez leur ventre en attachant les deux bords ensemble avec des cure-dents.

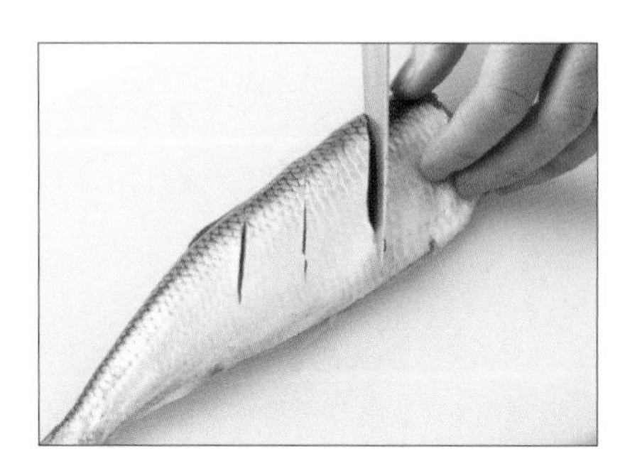

7 Disposez les poissons côte à côte au fond de la mijoteuse. Couvrez et laissez cuire 1½-2½ heures, ou jusqu'à ce que les poissons s'émiettent facilement.

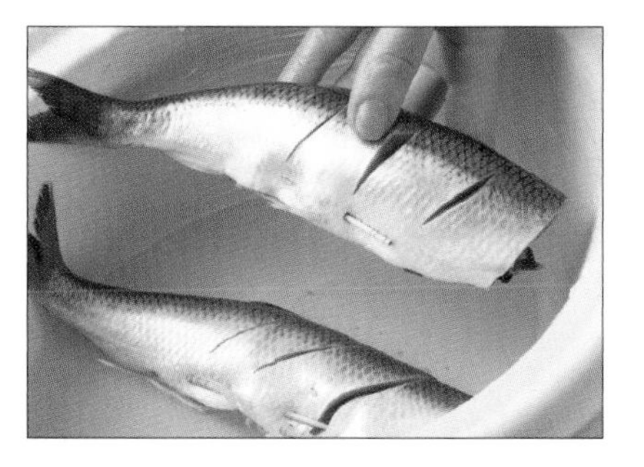

8 Transférez délicatement les poissons sur des assiettes chaudes, garnissez de quartiers de citron et servez.

CONSEIL DU CHEF
Ce plat savoureux a sa place autant dans les repas simples que dans les réceptions. Servez-le avec une salade de couscous agrémentée d'herbes et de raisins secs. Le goût sucré des fruits secs se marie particulièrement bien à la farce aux épinards et aux pignons de pin et fait ressortir la riche saveur du poisson.

Informations nutritionnelles par portion – calories : 351 ; protéines : 24 g ; glucides : 7,6 g dont 1,9 g de sucres ; matières grasses : 23,9 g dont 6,9 g de gras saturés ; cholestérol : 78 mg ; calcium : 619 mg ; fibres : 1,5 g ; sodium : 624 mg.

CURRY de POISSON THAÏLANDAIS

Les currys liquides, fortement épicés, sont des plats typiques du nord de la Thaïlande. La citronnelle odorante, le galanga piquant et la sauce de poisson salée donnent à ce mets une saveur caractéristique thaïlandaise. Servez-le avec beaucoup de riz collant pour absorber le jus.

POUR 4 PERSONNES

- 1 filet de saumon de 450 g (1 lb)
- 475 ml (2 tasses) de bouillon de légumes frémissant
- 4 échalotes hachées très finement
- 1 gousse d'ail écrasée
- 1 morceau de 2,5 cm (1 po) de galanga ou de gingembre frais haché finement
- 1 tige de citronnelle hachée finement
- 2,5 ml (½ c. à thé) de flocons de piment séchés
- 15 ml (1 c. à soupe) de sauce de poisson thaïlandaise
- 5 ml (1 c. à thé) de sucre de palme ou de sucre muscovado clair

CONSEIL DU CHEF
Avant d'ajouter le poisson au bouillon, portez-le à température ambiante afin qu'il ne fasse pas chuter la température du liquide en dessous du point de frémissement.

1 Enveloppez le filet de saumon de pellicule plastique et laissez raffermir au congélateur 30-40 minutes.

2 Développez le poisson et enlevez soigneusement la peau. Coupez la chair en cubes de 2,5 cm (1 po) et assurez-vous qu'il ne reste aucune arête.

3 Placez les cubes de poisson dans un bol, couvrez de pellicule plastique et laissez reposer à température ambiante.

4 En attendant, versez le bouillon de légumes chaud dans le récipient de cuisson et chauffez à haute température.

5 Incorporez les échalotes, l'ail, le galanga ou le gingembre, la citronnelle, les flocons de piment, la sauce de poisson et le sucre. Couvrez et laissez cuire 2 heures.

6 Ajoutez les cubes de saumon au bouillon et poursuivez la cuisson 15 minutes. Arrêtez la mijoteuse et laissez reposer 10-15 minutes, ou jusqu'à ce que le poisson soit cuit. Servez immédiatement.

Informations nutritionnelles par portion – calories : 216 ; protéines : 23,2 g ; glucides : 2,7 g dont 2,2 g de sucres ; matières grasses : 12,6 g dont 2,1 g de gras saturés ; cholestérol : 56 mg ; calcium : 30 mg ; fibres : 0,2 g ; sodium : 522 mg.

POISSON au CURRY VERT

Les currys épicés, au goût frais de lait de noix de coco, sont des mets classiques de la cuisine thaïlandaise. Dans cette recette de curry vert à la mijoteuse électrique, la noix de coco sèche et la crème donnent un goût et une texture riches qui contrebalancent l'ardeur des épices, du piment et des herbes aromatiques.

POUR 4 PERSONNES

1 oignon haché
1 gros piment vert frais coupé en deux, épépiné et haché, et quelques rondelles de plus pour garnir
1 gousse d'ail écrasée
50 g (½ tasse) de noix de cajou
2,5 ml (½ c. à thé) de graines de fenouil
30 ml (2 c. à soupe) de noix de coco séchée
150 ml (⅔ tasse) d'eau
30 ml (2 c. à soupe) d'huile végétale
1,5 ml (¼ c. à thé) de graines de cumin
1,5 ml (¼ c. à thé) de coriandre moulue
1,5 ml (¼ c. à thé) de cumin moulu
150 ml (⅔ tasse) de crème épaisse
4 filets de poisson maigre, tel que morue ou églefin, sans peau
1,5 ml (¼ c. à thé) de curcuma moulu
30 ml (2 c. à soupe) de jus de lime
sel
45 ml (3 c. à soupe) de coriandre fraîche hachée, et un peu plus pour garnir
riz bouilli, pour servir

1 Dans un robot culinaire, mettez l'oignon, le piment, l'ail, les noix de cajou, les graines de fenouil et la noix de coco séchée. Ajoutez 45 ml (3 c. à soupe) de l'eau et réduisez en pâte lisse. Sinon, travaillez les ingrédients secs au pilon dans un mortier, puis incorporez l'eau.

2 Chauffez l'huile dans une poêle et faites frire les graines de cumin 1 minute jusqu'à ce qu'elles exhalent leur parfum. Ajoutez la pâte de noix de coco et continuez à cuire 5 minutes, puis incorporez la coriandre moulue, le cumin et le reste de l'eau. Portez à ébullition et laissez la préparation bouillonner 1 minute.

3 Transférez la préparation dans le récipient de cuisson. Incorporez la crème, couvrez et laissez cuire 1½ heure à haute température.

CONSEIL DU CHEF

Ne laissez pas le poisson mariner plus de 15 minutes pour ne pas altérer sa texture.

4 Vers la fin du temps de cuisson, préparez le poisson et marinez-le. Coupez les filets en morceaux de 5 cm (2 po) et mettez-les dans un bol en verre. Dans un autre bol, mélangez ensemble le curcuma, le jus de lime et 1 pincée de sel et versez sur le poisson. Frottez la préparation sur le poisson. Couvrez de pellicule plastique et laissez mariner 15 minutes.

5 Mettez le poisson dans la sauce et remuez délicatement. Couvrez et laissez cuire 30-60 minutes, ou jusqu'à ce que le poisson s'émiette facilement. Incorporez la coriandre. Versez le curry à la louche dans des bols chauds. Garnissez de coriandre hachée et de rondelles de piment vert et servez avec du riz.

Informations nutritionnelles par portion – calories : 511 ; protéines : 36,1 g ; glucides : 6,4 g dont 3,9 g de sucres ; matières grasses : 37,9 g dont 18,8 g de gras saturés ; cholestérol : 132 mg ; calcium : 50 mg ; fibres : 2 g ; sodium : 153 mg.

VOLAILLE ET GIBIER

La mijoteuse électrique est parfaite pour confectionner
tous les types de ragoûts, de casseroles et de currys.
Ce chapitre regorge de fantastiques idées
de recette santé à base de volaille et de gibier.
L'oiseau préféré de beaucoup, le poulet, s'accommode
de multiples façons à la mijoteuse.
Que ce soit de la dinde, de la pintade ou du lapin,
tous les plats de volaille et de gibier
présentés ici sauront stimuler votre appétit.
Ils s'inspirent des mets favoris provenant
de toutes les cuisines du monde, vous offrant
un vaste choix de menu pour chaque occasion.
Laissez-vous tenter par le poulet mexicain, le korma indien,
le jambalaya créole ou le ragoût de canard français.

RAGOÛT de DINDE aux TOMATES

Souvent réservée aux repas de fête, la dinde est pourtant un bon choix de viande pour toutes les occasions. Ici, sa viande est façonnée en boulettes et mijotée avec du riz dans une sauce tomate richement parfumée.

POUR 4 PERSONNES

pain de mie blanc non tranché
30 ml (2 c. à soupe) de lait
1 gousse d'ail écrasée
2,5 ml (½ c. à thé) de graines de carvi
225 g (8 oz) de dinde hachée
1 blanc d'œuf
350 ml (1 ½ tasse) de bouillon de poulet frémissant
400 g (14 oz) de tomates concassées en conserve
15 ml (1 c. à soupe) de pâte de tomate
90 g (½ tasse) de riz étuvé
sel et poivre noir moulu
15 ml (1 c. à soupe) de basilic frais haché, pour garnir
rubans de courgettes, pour servir

1 À l'aide d'un couteau dentelé, retirez la croûte du pain et coupez la mie en cubes.

2 Dans un bol à mélanger, mettez le pain et arroser de lait. Laissez absorber environ 5 minutes.

3 Ajoutez l'ail, les graines de carvi, la dinde, le sel et le poivre et mélangez bien.

4 Battez les blancs d'œufs en neige ferme, puis incorporez-les en deux fois à la préparation au pain et à la dinde. Réfrigérez.

5 Versez le bouillon dans le récipient de cuisson. Ajoutez les tomates concassées et la pâte de tomate. Couvrez et laissez cuire 1 heure à haute température.

6 Entre-temps, façonnez la préparation à la dinde en 16 petites boulettes. Versez le riz dans la sauce tomate, remuez et ajoutez les boulettes. Prolongez la cuisson 1 heure, ou jusqu'à ce que les boulettes et le riz soient cuits. Servez avec des courgettes.

Informations nutritionnelles par portion – calories : 187 ; protéines : 18,2 g ; glucides : 26,6 g dont 3,9 g de sucres ; matières grasses : 1,7 g dont 0,5 g de gras saturés ; cholestérol : 32 mg ; calcium : 44 mg ; fibres : 1 g ; sodium : 212 mg.

GRATIN de POULET aux CHAMPIGNONS

Ce plat riche et crémeux constitue un repas d'hiver consistant. La sauce épaisse se mélange aux jus des champignons et du poulet et s'imprègne de toutes leurs saveurs.

POUR 4 PERSONNES

15 ml (1 c. à soupe) d'huile d'olive
4 grosses demi-poitrines de poulet désossées, en morceaux
40 g (3 c. à soupe) de beurre
1 poireau émincé finement en anneaux
25 g (¼ tasse) de farine tout usage
550 ml (2½ tasses) de lait
5 ml (1 c. à thé) de sauce Worcestershire (facultatif)
5 ml (1 c. à thé) de moutarde entière
1 carotte en tout petits dés
225 g (8 oz) de champignons de Paris tranchés finement
900 g (2 lb) de pommes de terre tranchées finement
sel et poivre noir moulu

1 Dans une casserole, chauffez l'huile et faites frire doucement le poulet jusqu'à ce qu'il commence à dorer. Retirez les morceaux avec une écumoire, en laissant les sucs dans la casserole, et réservez.

2 Faites fondre doucement 25 g (2 c. à soupe) du beurre dans la casserole. Ajoutez le poireau et faites frire doucement environ 1 minute. Saupoudrez la farine sur les poireaux. Fermez le feu et incorporez le lait peu à peu. Portez la préparation lentement à ébullition, en remuant constamment jusqu'à épaississement.

3 Retirez la casserole du feu et incorporez la sauce Worcestershire (s'il y a lieu), la carotte en dés, les champignons et le poulet. Assaisonnez bien.

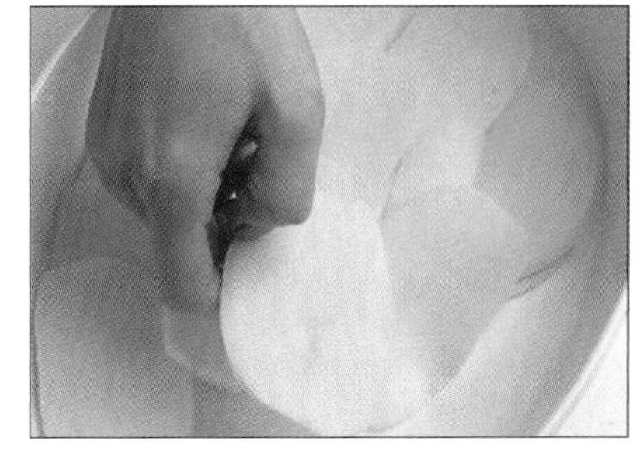

4 Disposez suffisamment de tranches de pommes de terre pour couvrir le fond du récipient de cuisson. Déposez un tiers de la préparation au poulet sur les tranches et recouvrez d'une autre couche de pommes de terre. Répétez les couches jusqu'à épuisement des ingrédients, en terminant par les pommes de terre. Parsemez le reste de beurre sur le gratin.

5 Couvrez et faites cuire à haute température 4 heures, ou jusqu'à ce que les pommes de terre soient cuites et tendres – vérifiez en piquant avec une brochette. Si vous le désirez, faites dorer 5 minutes sous le gril à feu moyen avant de servir.

Informations nutritionnelles par portion – calories : 461 ; protéines : 42,4 g ; glucides : 43,8 g dont 5,2 g de sucres ; matières grasses : 14,1 g dont 6,4 g de gras saturés ; cholestérol : 126,3 mg ; calcium : 49 mg ; fibres : 4,3 g ; sodium : 351 mg.

POULET FARCI aux ABRICOTS et aux AMANDES

Cette délicieuse farce aigre-douce se fait facilement avec du couscous agrémenté d'abricots secs et d'amandes grillées croquantes. Quelques cuillerées de marmelade d'orange ajoutent une pointe d'acidité et de consistance à la sauce.

POUR 4 PERSONNES

50 g (¼ tasse) d'abricots secs
150 ml (⅔ tasse) de jus d'orange
4 demi-poitrines de poulet désossées, sans peau
50 g (⅓ tasse) de couscous instantané
150 ml (⅔ tasse) de bouillon de volaille bouillant
25 g (¼ tasse) d'amandes grillées hachées
1,5 ml (¼ c. à thé) d'estragon séché
1 jaune d'œuf
30 ml (2 c. à soupe) de marmelade d'orange
sel et poivre noir moulu
riz basmati et riz sauvage cuits à l'eau ou à la vapeur, pour servir

1 Mettez les abricots secs dans un petit bol et versez le jus d'orange. Laissez tremper à température ambiante pendant que vous préparez les autres ingrédients.

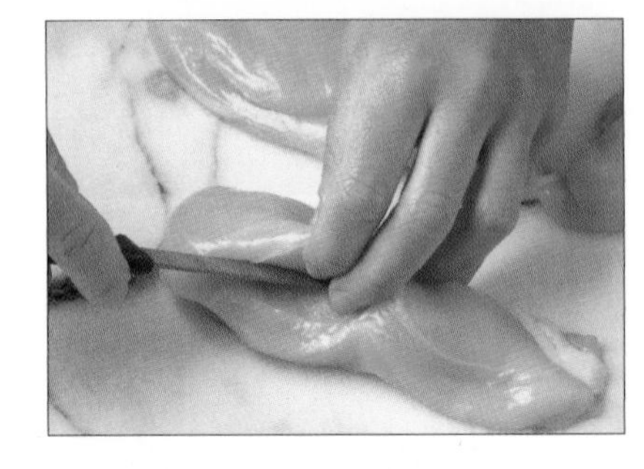

2 Coupez chaque blanc de poulet longitudinalement dans l'épaisseur, sans aller jusqu'au bout, de façon à former une poche. Mettez les blancs entre deux feuilles de papier parchemin huilées ou de pellicule plastique, puis aplatissez-les légèrement en battant doucement avec un rouleau à pâtisserie ou un maillet.

3 Dans un bol, mettez le couscous et versez 50 ml (¼ tasse) du bouillon. Laissez reposer 2-3 minutes, ou jusqu'à ce que le bouillon soit absorbé.

4 Égouttez les abricots et réserver le jus. Mettez les abricots, les amandes hachées et l'estragon dans le bol de couscous. Remuez, salez et poivrez, puis incorporez juste assez de jaune d'œuf pour lier la préparation.

5 Farcissez les blancs également, en tassant la préparation fermement dans les poches, puis épinglez les bords ensemble avec des cure-dents. Placez les blancs farcis au fond du récipient de cuisson.

6 Faites dissoudre la marmelade d'orange dans le reste de bouillon chaud. Incorporez le jus d'orange, salez et poivrez, puis versez sur le poulet. Couvrez et laissez cuire à haute température 3-5 heures, ou jusqu'à ce que le poulet soit cuit et tendre.

7 Retirez le poulet et gardez-le au chaud. Versez la sauce dans une casserole large, portez rapidement à ébullition et faites réduire de moitié. Découpez les blancs farcis en tranches obliques et disposez-les sur des assiettes de service. Nappez de sauce et servez immédiatement avec du riz basmati et du riz sauvage.

CONSEIL DU CHEF

Des épinards sautés ou des légumes verts cuits à la vapeur font d'excellents accompagnements. Ils se marient particulièrement bien à cette farce sucrée et fruitée.

Informations nutritionnelles par portion – calories : 379 ; protéines : 40,2 g ; glucides : 38 g dont 27 g de sucres ; matières grasses : 8,5 g dont 1,3 g de gras saturés ; cholestérol : 155 mg ; calcium : 61 mg ; fibres : 1,6 g ; sodium : 117 mg.

POULE en COCOTTE, à la SAUCE PERSILLÉE

Une bonne poule à bouillir sustentera facilement toute une famille. Si vous n'en trouvez pas, utilisez un gros poulet. Servez avec des pommes de terre en robe des champs et du chou.

POUR 6 PERSONNES

1 poule à bouillir ou un poulet entier de 1,6-1,8 kg (3½-4 lb)
1/2 citron tranché
petite botte de persil et de thym
675 g (1½ lb) de carottes en gros morceaux
12 échalotes ou petits oignons laissés entiers

Pour la sauce
50 g (½ tasse) de beurre
50 g (½ tasse) de farine tout usage
15 ml (1 c. à soupe) de jus de citron
60 ml (4 c. à soupe) de persil plat haché
150 ml (⅔ tasse) de lait
sel et poivre noir moulu
tiges de persil plat, pour garnir

VARIANTE
Vous pouvez ajouter un petit morceau de jambon ou de lard fumé. Faites tremper la viande toute la nuit dans l'eau froide avant de cuire et n'ajoutez pas de sel avant d'avoir goûté au liquide de cuisson. Une poule avec un morceau de lard de 900 g-1 kg (2-2¼ lb) devrait nourrir 8-10 personnes. Le chou rouge fait un accompagnement savoureux.

1 Débridez la poule et retirez tout morceaux de gras. Rincez sous l'eau froide et placez dans le récipient de cuisson. Ajoutez le citron, le persil et le thym, les carottes, les échalotes ou les oignons, salez et poivrez.

2 Mouillez à hauteur d'eau frémissante. Couvrez et faites cuire 1 heure à haute température.

3 Écumez, couvrez et poursuivez la cuisson 2-2½ heures, ou jusqu'à ce que la poule soit cuite et tendre. À l'aide d'une écumoire, transférez la poule sur un plat de service chaud, disposez les légumes tout autour et gardez au chaud.

4 Passez le liquide de cuisson dans une casserole et faites réduire d'un tiers. Passez le liquide réduit, laissez reposer 2 minutes, puis dégraissez.

5 Faites fondre le beurre dans une casserole et faites cuire la farine 1 minute en remuant. Incorporez peu à peu le bouillon (vous devriez en avoir environ 600 ml (2½ tasses) et portez à ébullition.

6 Ajoutez le jus de citron, le persil et le lait dans la casserole. Salez et poivrez, puis laissez la sauce mijoter 1-2 minutes.

7 Pour servir, versez un peu de sauce sur la poule, disposez les carottes et les oignons et garnissez de tiges de persil plat. Découpez la poule à la table et servez le reste de la sauce séparément dans une saucière chaude.

Informations nutritionnelles par portion – calories : 509 ; protéines : 36,2 g ; glucides : 20,1 g dont 12,2 g de sucres ; matières grasses : 32 g dont 11,4 g de gras saturés ; cholestérol : 195 mg ; calcium : 109 mg ; fibres : 4 g ; sodium : 214 mg.

FRICASSÉE de POULET

La fricassée est un plat traditionnellement fait de poulet, de lapin ou de veau. La crème et les herbes fraîches rendent sa sauce merveilleusement riche et parfumée. La viande est d'abord saisie dans un corps gras, puis braisée dans un bouillon avec des légumes. C'est un plat parfait pour les réceptions. Préparez-le à l'avance et laissez-le mijoter tandis que vous profitez de la compagnie de vos convives.

POUR 4 PERSONNES

20 petits oignons ou d'échalotes de tailles égales
1,2-1,3 kg (2½-3 lb) de poulet en morceaux
25 g (2 c. à soupe) de beurre
30 ml (2 c. à soupe) d'huile de tournesol
45 ml (3 c. à soupe) de farine tout usage
250 ml (1 tasse) de vin blanc sec
600 ml (2½ tasses) de bouillon de poulet bouillant
1 bouquet garni
5 ml (1 c. à thé) de jus de citron
225 g (8 oz) de champignons de Paris
75 ml (⅓ tasse) de crème épaisse
45 ml (3 c. à soupe) de persil frais haché
sel et poivre noir moulu
purée de pommes de terre et légumes de saison à la vapeur, pour servir

1 Mettez les oignons ou les échalotes dans un bol, mouillez à hauteur d'eau bouillante et laissez tremper.

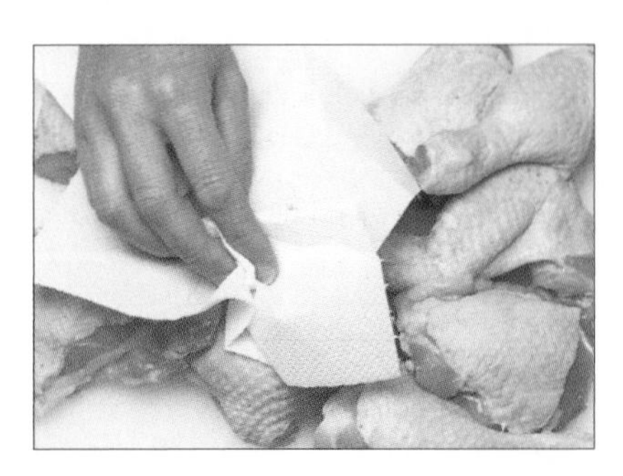

2 En attendant, rincez bien les morceaux de poulet sous l'eau froide et séchez avec du papier essuie-tout.

3 Faites fondre la moitié du beurre avec l'huile dans une grande poêle. Ajoutez les morceaux de poulet et faites légèrement dorer de tous côtés, en les tournant de temps en temps. À l'aide d'une écumoire ou de pinces, transférez le poulet dans le récipient de cuisson, en laissant les sucs dans la poêle.

4 Dans la poêle, incorporez la farine, puis le vin et le bouillon. Ajoutez le bouquet garni et le jus de citron. Portez à ébullition, en remuant sans arrêt jusqu'à ce que la sauce épaississe. Assaisonnez bien et versez sur le poulet. Couvrez et chauffez à haute température.

5 Égouttez et pelez les oignons ou les échalotes. (Le trempage dans l'eau bouillante fait décoller les pelures, ce qui facilite l'épluchage.) Coupez les pieds des champignons.

6 Lavez la poêle, puis faites fondre doucement le reste de beurre. Ajoutez les champignons et les oignons ou les échalotes et faites dorer légèrement 5 minutes, en les tournant fréquemment. Versez les légumes dans le récipient de cuisson.

7 Couvrez et faites cuire à haute température 3-4 heures, ou jusqu'à ce que le poulet soit cuit et tendre. (Pour vérifier si le poulet est cuit, piquez une brochette ou la pointe fine d'un couteau dans la partie épaisse du plus gros morceau ; le jus qui s'écoule devrait être clair.)

8 À l'aide d'une écumoire, transférez le poulet et les légumes sur un plat de service chaud. Incorporez la crème et 30 ml (2 c. à soupe) du persil à la sauce. Rectifiez l'assaisonnement au besoin, puis versez la sauce sur le poulet et les légumes.

9 Parsemez le reste de persil sur la fricassée et servez avec une purée de pommes de terre et des légumes de saison.

CONSEIL DU CHEF
Un bouquet garni est généralement com-posé de quelques tiges de persil, d'un brin de thym et d'une feuille de laurier. Attachez-les ensemble avec un bout de ficelle ou enveloppez-les dans un carré d'étamine. Certaines personnes aiment y ajouter du romarin.

Informations nutritionnelles par portion – calories : 613 ; protéines : 53,1 g ; glucides : 36,4 g dont 17,9 g de sucres ; matières grasses : 25 g dont 11,1 g de gras saturés ; cholestérol : 196 mg ; calcium : 128 mg ; fibres : 5,3 g ; sodium : 396 mg.

JEUNE POULET BRAISÉ, SAUCE au BACON

Ce succulent ragoût au goût de pommes et de thym vous changera du classique poulet rôti. Assurez-vous de prendre un jeune poulet et non un poussin qui, ne pesant qu'entre 350 et 500 g (12 oz-1 ¼ lb), ne sera pas suffisant pour deux personnes..

POUR 4 PERSONNES

2 gros jeunes poulets
25 g (2 c. à soupe) de beurre non salé
10 ml (2 c. à thé) d'huile de tournesol
115 g (4 oz) de bacon haché
2 poireaux lavés et émincés
175 g (6 oz) de petits champignons de Paris parés
120 ml (½ tasse) de jus de pomme, plus 15 ml (1 c. à soupe)
120 ml (½ tasse) de bouillon de poulet
30 ml (2 c. à soupe) de miel liquide
10 ml (2 c. à thé) de thym frais haché ou 2,5 ml (½ c. à thé) de thym séché
225 g (8 oz) de pommes rouges croquantes
10 ml (2 c. à thé) de fécule de maïs
sel et poivre noir moulu
purée de pommes de terre crémeuses et jeunes poireaux poêlés ou cuits à la vapeur, pour servir

1 À l'aide d'un couteau lourd et tranchant, ou d'un couperet, coupez les poulets en deux pour donner quatre portions. Rincez bien les moitiés sous l'eau froide, puis séchez avec du papier essuie-tout.

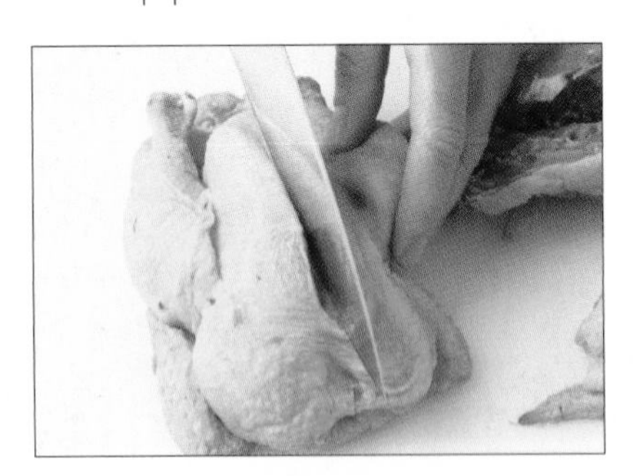

2 Dans une grande casserole, chauffez le beurre et l'huile de tournesol et faites dorer les demi-poulets tous côtés. Transférez les morceaux dans le récipient de cuisson, en laissant les sucs dans la casserole.

3 Dans la casserole, faites revenir le bacon haché environ 5 minutes, en remuant de temps en temps, jusqu'à ce qu'il commence à brunir.

4 Avec une écumoire, transférez le bacon dans le récipient de cuisson, en laissant toute la graisse et les sucs dans la casserole.

5 Dans la casserole, faites cuire les poireaux et les champignons quelques minutes, jusqu'à ce qu'ils commencent à ramollir et à libérer leurs sucs.

6 Ajoutez le jus de pomme et le bouillon de poulet, puis incorporez le miel et le thym. Assaisonnez bien de sel et de poivre noir moulu.

7 Portez la préparation à frémissement, puis versez sur le poulet et le bacon. Couvrez et laissez cuire 2 heures à haute température.

8 Coupez les pommes en quatre, évidez et détaillez en tranches épaisses. Mettez-les dans le récipient de cuisson, en les immergeant dans le liquide pour les empêcher de noircir. Poursuivez la cuisson 2 heures, ou jusqu'à ce que le poulet et les légumes soient cuits et tendres.

9 Retirez le poulet, déposez sur une assiette et gardez au chaud.

10 Mélangez la fécule de maïs avec la cuillerée à soupe de jus de pomme. Ajoutez au liquide de cuisson et remuez jusqu'à épaississement. Goûtez et rectifiez l'assaisonnement au besoin.

11 Servez le poulet sur des assiettes chaudes, nappé de sauce et accompagné de purée de pommes de terre et de jeunes poireaux poêlés ou cuits à la vapeur.

CONSEIL DU CHEF

Avant de servir, assurez-vous toujours que le poulet est parfaitement cuit pour enrayer tout risque de salmonellose. Pour ce faire, percez la partie la plus charnue de la viande avec une brochette ou la pointe fine d'un couteau ; le jus qui s'écoule devrait être clair.

Informations nutritionnelles par portion – calories : 465 ; protéines : 32,8 g ; glucides : 25,9 g dont 20,7 g de sucres ; matières grasses : 26,3 g dont 9,5 g de gras saturés ; cholestérol : 172 mg ; calcium : 40 mg ; fibres : 3,3 g ; sodium : 632 mg.

POULET à L'ESTRAGON et au CIDRE

Le goût caractéristique de l'estragon aromatique se marie admirablement à la crème et au poulet. D'une étonnante simplicité, ce plat élégant convient parfaitement aux repas des grandes occasions. Servez-le avec des pommes de terre sautées et un légume vert.

POUR 4 PERSONNES

350 g (12 oz) de petits oignons
15 ml (1 c. à soupe) d'huile de tournesol
4 gousses d'ail pelées
4 demi-poitrines de poulet désossées, avec leur peau
350 ml (1 ½ tasse) de cidre sec
1 feuille de laurier
200 g (1 petite tasse) de crème fraîche ou de crème sure
30 ml (2 c. à soupe) d'estragon frais haché
15 ml (1 c. à soupe) de persil frais haché
sel et poivre noir moulu

1 Mettez les petits oignons dans un bol résistant à la chaleur et couvrez à hauteur d'eau bouillante. Laissez reposer au moins 10 minutes, égouttez et épluchez. (La pelure devrait s'enlever facilement après le trempage.)

2 Chauffez l'huile dans une poêle et faites revenir doucement les oignons 10 minutes, en les tournant fréquemment, jusqu'à ce qu'ils soient légèrement dorés. Ajoutez l'ail et faites cuire 2-3 minutes. Transférez avec une écumoire dans le récipient de cuisson.

3 Placez les blancs de poulet dans la poêle et faites cuire 3-4 minutes, en les tournant une fois ou deux, jusqu'à ce qu'ils soient légèrement dorés de tous côtés. Transférez dans le récipient de cuisson.

4 Versez le cidre dans la poêle, ajoutez la feuille de laurier, un peu de sel et de poivre, puis portez à ébullition.

5 Versez le cidre chaud sur le poulet. Couvrez et faites cuire à basse température 4-5 heures, ou jusqu'à ce que le poulet et les oignons soient cuits et bien tendres. Retirez les blancs de poulet. Mettez de côté pendant que vous finissez de préparer la sauce au cidre.

CONSEIL DU CHEF

Pour éviter tout risque de contamination ou d'intoxication alimentaire, veillez à toujours laver les ustensiles, les surfaces et vos mains après avoir manipulé de la volaille. Lorsque vous découpez de la volaille, de la viande ou du poisson, utilisez une planche en plastique ou en verre, facile à laver et hygiénique. Évitez les planches en bois en raison de leur perméabilité.

6 Incorporez la crème fraîche ou la crème sure à la sauce, puis ajoutez les herbes. Mettez les blancs dans la sauce et poursuivez la cuisson à haute température 30 minutes, ou jusqu'à ce que le plat soit fumant. Servez le poulet immédiatement, avec des pommes de terre légèrement sautées et un légume vert tel que du chou.

VARIANTES

- Les blancs de pintade et de faisan se cuisent de la même façon. Essayez du vin blanc à la place du cidre. Servez avec une purée de pommes de terre crémeuse et des carottes miniatures cuites à la vapeur, arrosées d'un peu de beurre fondu.
- Remplacez l'estragon par 1 ou 2 brins de thym frais. Le thym donne une saveur très différente mais également bonne. servez avec du riz et des tomates rôties.

Informations nutritionnelles par portion – calories : 520 ; protéines : 36,9 g ; glucides : 12,1 g dont 9,2 g de sucres ; matières grasses : 33,9 g dont 12,9 g de gras saturés ; cholestérol : 184 mg ; calcium : 90 mg ; fibres : 1,5 g ; sodium : 138 mg.

POULET SAUCE aux CHIPOTLES

La sauce aux chipotles donne un goût riche et fumé au poulet. Servi avec du riz, ce mets piquant à souhait donne un repas savoureux et sain. La purée de piment pouvant être préparée à l'avance, cette recette est idéale pour recevoir en toute convivialité.

POUR 6 PERSONNES

6 piments chipotles
200 ml (1 petite tasse) d'eau bouillante
environ 200 ml (1 tasse) de bouillon de poulet
45 ml (3 c. à soupe) d'huile végétale
3 oignons
6 demi-poitrines de poulet désossées, sans peau
sel et poivre noir moulu
origan frais, pour garnir

CONSEIL DU CHEF

Avec sa peau ridée rouge foncé, le chipotle est un japaleno fumé au goût très piquant et vraiment parfumé. Comme la cuisson douce et longue fait ressortir toute sa saveur, le chipotle est un ingrédient parfait pour les casseroles cuites à la mijoteuse électrique.

1 Mettez les piments séchés dans un bol et couvrez d'eau bouillante. Laissez reposer environ 30 minutes jusqu'à ce qu'ils soient très tendres. Égouttez, en réservant l'eau de trempage dans un pot à mesurer. Coupez la tige de chaque piment, fendez le corps en deux dans le sens de la longueur et retirez toutes les graines en grattant avec un petit couteau.

2 Hachez grossièrement les piments et transférez dans un robot culinaire ou un mélangeur. Ajoutez suffisamment de bouillon de poulet à l'eau de trempage pour obtenir 400 ml (1 2/3 tasse) de liquide. Versez dans le robot ou le mélangeur et mixez jusqu'à consistance lisse.

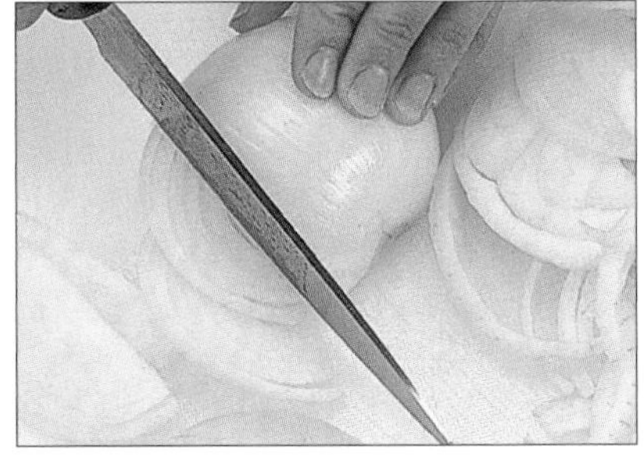

3 Chauffez l'huile dans une poêle. Coupez les oignons en deux, émincez et mettez dans la poêle. Faites cuire 5 minutes à feu moyen, en remuant jusqu'à ce qu'ils soient ramollis sans être colorés.

4 Transférez les oignons dans le récipient de cuisson. Salez et poivrez légèrement les tranches d'oignon et chauffez à haute température.

5 Disposez les blancs de poulet en une couche sur les oignons. Saupoudrez d'un peu de sel et de plusieurs tours de moulin de poivre noir.

6 Versez la purée de piment sur le poulet, en vous assurant de bien napper chaque morceau également. Couvrez et laissez cuire 3-4 heures, ou jusqu'à ce que le poulet soit cuit mais encore humide et tendre. Garnissez d'origan frais et servez.

Informations nutritionnelles par portion – calories : 235 ; protéines : 36,9 g ; glucides : 5,9 g dont 4,2 g de sucres ; matières grasses : 7,3 g dont 1,1 g de gras saturés ; cholestérol : 105 mg ; calcium : 26 mg ; fibres : 1,1 g ; sodium : 92 mg.

POULET DRUNKEN

Parfumée d'un mélange de xérès et de tequila, cette casserole riche et fruitée fait un superbe repas pour toutes les occasions. Dégustez ce poulet et sa sauce avec du riz cuit à l'eau ou à la vapeur ou avec des tortillas chaudes.

POUR 4 PERSONNES

150 g (1 tasse) de raisins secs
120 ml (½ tasse) de xérès
115 g (1 tasse) de farine tout usage
2,5 ml (½ c. à thé) de sel
2,5 ml (½ c. à thé) de poivre noir moulu
45 ml (3 c. à soupe) d'huile végétale
8 hauts de cuisse de poulet sans peau
1 oignon coupé en deux et émincé finement
2 gousses d'ail écrasées
2 pommes de table acidulées
115 g (1 tasse) d'amandes effilées
1 banane plantain pas tout à fait mûre, pelée et tranchée
300 ml (1 ¼ tasse) de bouillon de poulet bouillant
120 ml (½ tasse) de tequila
herbes fraîches hachées, pour garnir

1 Mettez les raisins secs dans un bol, versez le xérès et laissez tremper.

2 Entre-temps, mélangez ensemble la farine, le sel et le poivre et étalez la préparation sur une grande assiette. Chauffez 30 ml (2 c. à soupe) de l'huile dans une grande poêle. Enrobez les hauts de cuisse de farine préparée et faites frire jusqu'à ce qu'ils soient dorés de tous côtés. Égouttez bien sur du papier essuie-tout.

3 Chauffez le reste de l'huile dans la poêle et faites frire l'oignon 5 minutes, ou jusqu'à ce qu'il soit ramolli et commence à brunir. Ajoutez l'ail, puis retirez la poêle du feu. Versez les oignons et l'ail dans le récipient de cuisson et chauffez à haute température.

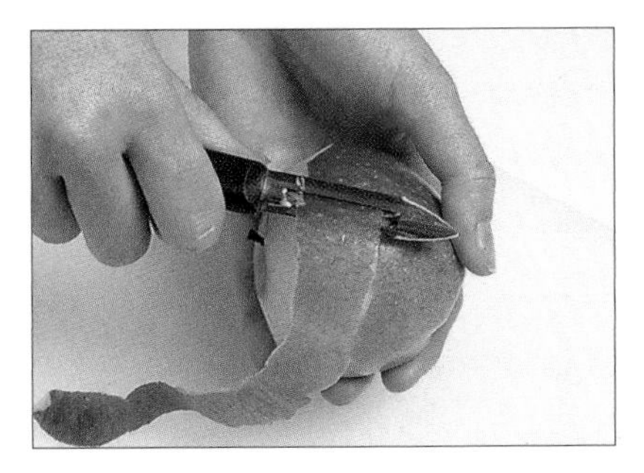

4 Pelez, évidez et coupez les pommes en dés. Mettez-les dans le récipient de cuisson, puis parsemez d'amandes, de tranches de banane plantain et de raisins secs. Incorporez le xérès, le bouillon de poulet et la tequila.

5 Ajoutez les hauts de cuisse à la préparation de fruits et de légumes, en les pressant vers le fond pour les immerger complètement. Couvrez et laissez cuire 3 heures, ou jusqu'à ce que le poulet soit très tendre.

6 Vérifiez la cuisson du poulet en piquant la partie la plus dodue avec la pointe fine d'un couteau ou d'une brochette ; le jus qui s'écoule doit être clair, sinon, poursuivez la cuisson.

7 Goûtez la sauce et ajoutez un peu de sel et de poivre si nécessaire. Servez le poulet fumant, saupoudré d'herbes fraîches hachées.

Informations nutritionnelles par portion – calories : 529 ; protéines : 23,1 g ; glucides : 63,7 g dont 34,1 g de sucres ; matières grasses : 11,5 g dont 1,8 g de gras saturés ; cholestérol : 94,5 mg ; calcium : 76 mg ; fibres : 2,9 g ; sodium : 401 mg.

POULET des CARAÏBES aux ARACHIDES

Le beurre d'arachide ajoute une saveur délicieusement riche et profonde à ce plat de riz épicé. C'est un ingrédient classique de nombreux currys et ragoûts des Caraïbes mijotés lentement.

POUR 4 PERSONNES

4 demi-poitrines de poulet désossées, sans peau
45 ml (3 c. à soupe) d'huile d'arachide ou de tournesol
1 gousse d'ail écrasée
5 ml (1 c. à thé) de thym frais haché
15 ml (1 c. à soupe) de poudre de curry
jus de ½ citron
1 oignon haché finement
2 tomates pelées, épépinées et hachées
1 piment vert frais, épépiné et émincé
60 ml (4 c. à soupe) de beurre d'arachide crémeux
750 ml (3 tasses) de bouillon de poulet bouillant
300 g (1 ½ tasse) de riz blanc étuvé
sel et poivre noir moulu
quartiers de citron ou de lime et brins de persil plat, pour garnir

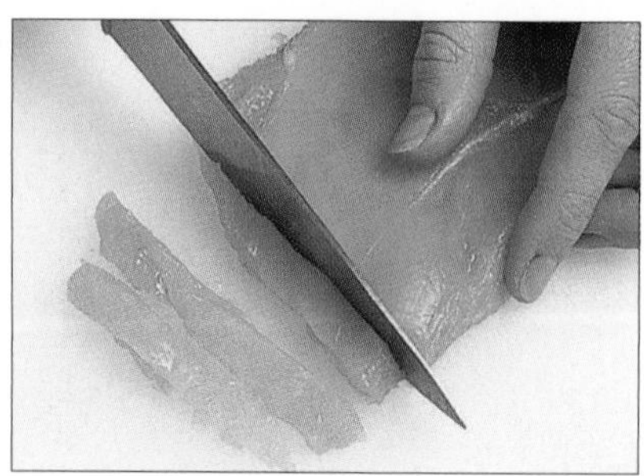

1 Coupez les blancs de poulet en fines lanières. Dans un bol, mélangez 15 ml (1 c. à soupe) de l'huile avec l'ail, le thym, la poudre de curry et le jus de citron.

2 Ajoutez les lanières de poulet aux ingrédients dans le bol et remuez bien pour mélanger. Couvrez de pellicule plastique et laissez mariner au réfrigérateur 1 ½-2 heures.

3 Entre-temps, chauffez le reste de l'huile dans une poêle et faites suer l'oignon 10 minutes. Transférez dans le récipient de cuisson et chauffez à haute température. Incorporez les tomates hachées et le piment.

4 Mettez le beurre d'arachide dans un bol, puis incorporez le bouillon peu à peu. Versez la préparation dans le récipient de cuisson, assaisonnez et remuez. Couvrez et laissez cuire 1 heure.

5 Environ 30 minutes avant la fin du temps de cuisson, sortez le poulet du réfrigérateur pour le porter à température ambiante.

6 Ajoutez le poulet et la marinade dans le récipient de cuisson et mélangez. Couvrez et poursuivez la cuisson 1 heure.

7 Versez le riz sur le poulet et mélangez. Couvrez et laissez cuire 45-60 minutes, ou jusqu'à ce que le poulet et le riz soient cuits et tendres. Servez le poulet immédiatement, garni de quartiers de citron ou de lime et de brins de persil frais.

Informations nutritionnelles par portion – calories : 635 ; protéines : 45,8 g ; glucides : 70,7 g dont 4,4 g de sucres ; matières grasses : 20,8 g dont 4,1 g de gras saturés ; cholestérol : 105 mg ; calcium : 65 mg ; fibres : 2,1 g ; sodium : 354 mg.

POULET JERK JAMAÏCAIN

Le terme « jerk » fait référence à un assaisonnement d'herbes et d'épices servant classiquement à mariner la viande en Jamaïque. Utilisé à l'origine seulement avec du porc, il donne d'excellents résultats avec du poulet.

POUR 4 PERSONNES

8 morceaux de poulet, tels que hauts de cuisse et pilons
15 ml (1 c. à soupe) d'huile de tournesol
15 g (1 c. à soupe) de beurre non salé

Pour la sauce

1 botte d'oignons verts parée et hachée finement
2 gousses d'ail écrasées
1 piment rouge piquant coupé en deux, épépiné et haché finement
5 ml (1 c. à thé) de piment de la Jamaïque moulu
2,5 ml (½ c. à thé) de cannelle moulue
5 ml (1 c. à thé) de thym séché
1,5 ml (¼ c. à thé) de noix de muscade fraîchement râpée
10 ml (2 c. à thé) de sucre demerara
15 ml (1 c. à soupe) de farine tout usage
300 ml (1 ¼ tasse) de bouillon de poulet
15 ml (1 c. à soupe) de vinaigre de vin rouge ou blanc
15 ml (1 c. à soupe) de jus de lime
10 ml (2 c. à thé) de pâte de tomate
sel et poivre noir moulu
feuilles de salade ou riz, pour servir

VARIANTE

Pour le porc jerk, faites sauter dans l'huile 4 tranches de longe (d'environ 90 g/3½ oz chacune) 30 secondes de chaque côté. Préparez la sauce jerk de base, en remplaçant le bouillon de poulet par du bouillon de légumes. Faites cuire selon la recette du poulet et servez avec du riz blanc nature et des tranches d'ananas grillées sur le barbecue.

1 Rincez le poulet et séchez avec du papier essuie-tout. Faites fondre le beurre avec l'huile dans une poêle. Ajoutez les morceaux de poulet, en plusieurs fois si nécessaire, et faites dorer de tous côtés. Retirez avec une écumoire, en laissant la graisse dans la poêle, et transférez dans le récipient de cuisson. Chauffez à haute température.

2 Dans la poêle, faites suer les oignons verts, l'ail et le piment 4-5 minutes, en remuant fréquemment. Incorporez le piment de la Jamaïque, la cannelle, le thym, la noix de muscade et le sucre. Saupoudrez la farine et mélangez. Incorporez peu à peu le bouillon de poulet, en remuant, jusqu'à ce que la préparation frémisse et épaississe. Retirez la poêle du feu.

3 Incorporez le vinaigre, le jus de lime, la pâte de tomate et un peu de sel et de poivre noir moulu. Versez sur les morceaux de poulet, couvrez et laissez cuire à haute température 3-4 heures, ou jusqu'à ce que le poulet soit cuit et très tendre.

4 Retirez le poulet et placez sur un plat de service. Goûtez la sauce, rectifiez l'assaisonnement au besoin et servez à part. Accompagnez le poulet de feuilles de salade ou de riz.

CONSEIL DU CHEF

Bien que nombreuses, les recettes d'assaisonnement jerk comprennent toutes des piments forts, du piment de la Jamaïque et du thym. La sauce épicée ne donne pas seulement du goût à la viande, elle l'attendrit également.

Informations nutritionnelles par portion – calories : 189 ; protéines : 21 g ; glucides : 7 g dont 3,1 g de sucres ; matières grasses : 8,8 g dont 3,1 g de gras saturés ; cholestérol : 107 mg ; calcium : 24 mg ; fibres : 0,5 g ; sodium : 238 mg.

JAMBALAYA de POULET ÉPICÉ

Servi avec une simple salade, ce plat classique créole est parfait pour un repas de famille. Le chorizo épicé donne du piquant au mets. C'est une saucisse espagnole disponible dans la plupart des supermarchés, dans les charcuteries ou dans les magasins de produits méditerranéens.

POUR 6 PERSONNES

225 g (8 oz) de poitrine de poulet désossée
1 morceau de 175 g (6 oz) de jambon ou de lard maigre fumés
30 ml (2 c. à soupe) d'huile d'olive
1 gros oignon pelé et haché
2 gousses d'ail écrasées
2 branches de céleri en dés
5 ml (1 c. à thé) de thym frais haché ou 2,5 ml (½ c. à thé) de thym séché
5 ml (1 c. à thé) de poudre chili doux
2,5 ml (½ c. à thé) de gingembre moulu
10 ml (2 c. à thé) de pâte de tomate
2 gouttes de sauce Tabasco
750 ml (3 tasses) de bouillon de poulet bouillant
300 g (1½ tasse) de riz étuvé
115 g (4 oz) de chorizo (sec) tranché
30 ml (2 c. à soupe) de persil plat haché, et un peu plus pour garnir
sel et poivre noir moulu

1 Coupez le poulet en cubes de 2,5 cm (1 po) et assaisonnez de sel et de poivre. Enlevez le gras du jambon ou du lard, puis détaillez la viande en cubes de 1 cm (½ po).

2 Dans une casserole, chauffez la moitié de l'huile d'olive et faites frire doucement l'oignon 5 minutes, ou jusqu'à ce qu'il commence à se colorer. Incorporez l'ail, le céleri, le thym, la poudre chili et le gingembre et faites cuire environ 1 minute. Transférez dans le récipient de cuisson et chauffez à haute température.

3 Chauffez le reste d'huile d'olive et faites dorer légèrement les cubes de poulet. Transférez dans le récipient de cuisson, avec les cubes de jambon ou de lard.

4 Ajoutez la pâte de tomate et la sauce Tabasco au bouillon et battez. Versez dans le récipient de cuisson, couvrez et laissez cuire 1½ heure à haute température.

5 Versez le riz sur la préparation au poulet et mélangez. Couvrez et faites cuire à hau-te température 45-60 minutes, ou jusqu'à ce que le riz soit presque tendre et que le bouillon soit absorbé. Vers la fin de la cuisson, ajoutez un peu d'eau ou de bouillon chaud si la préparation est sèche.

6 Incorporez le chorizo et prolongez la cuisson à haute température 15 minutes, ou jusqu'à ce qu'il soit chaud. Ajoutez le persil haché et rectifiez l'assaisonnement au besoin. Arrêtez la mijoteuse et laissez reposer 10 minutes. Remuez le riz avec une fourchette, garnissez de persil frais haché et servez.

Informations nutritionnelles par portion – calories : 384 ; protéines : 21,2 g ; glucides : 48,6 g dont 2,9 g de sucres ; matières grasses : 13 g dont 3,6 g de gras saturés ; cholestérol : 43 mg ; calcium : 57 mg ; fibres : 1,1 g ; sodium : 630 mg.

DOROWAT

En Éthiopie, les wats sont des ragoûts mijotés longuement, que l'on déguste traditionnellement avec une injera, un pain plat à l'allure d'une galette. Les œufs durs ajoutés dans la sauce en fin de cuisson sont imprégnés de saveurs d'épices.

POUR 4 PERSONNES

30 ml (2 c. à soupe) d'huile végétale
2 gros oignons hachés
3 gousses d'ai hachées
1 morceau de 2,5 cm (1 po) de gingembre frais, pelé et haché finement
175 ml (3/4 tasse) de bouillon de poulet ou de légumes
250 ml (1 tasse) de passata (purée de tomates en bocal) ou 400 g (14 oz) de tomates concassées en conserve
graines de 5 capsules de cardamome
2,5 ml (1/2 c. à thé) de curcuma moulu
bonne pincée de cannelle moulue
bonne pincée de clou de girofle moulu
bonne pincée de noix de muscade râpée
1 poulet de 1,3 kg (3 lb) en 8-12 morceaux
4 œufs durs
poivre de Cayenne ou paprika fort, au goût
sel et poivre noir moulu
coriandre fraîche hachée grossièrement et rondelles d'oignon, pour garnir
pain plat ou riz, pour servir

1 Chauffez l'huile dans une grande casserole et faites suer les oignons 10 minutes. Ajoutez l'ail et le gingembre et continuez à cuire 1-2 minutes.

2 Incorporez le bouillon et la passata ou les tomates concassées. Portez à ébullition et faites cuire environ 10 minutes jusqu'à épaississement, en remuant fréquemment. Salez et poivrez.

CONSEIL DU CHEF
Vérifiez la sauce juste avant d'ajouter les œufs durs. Si elle semble trop épaisse, ajoutez un peu de bouillon.

3 Transférez la préparation dans le récipient de cuisson et incorporez la cardamome, le curcuma, la cannelle, le clou de girofle et la noix de muscade. Disposez le poulet en une seule couche, en pressant les morceaux dans la sauce.

4 Couvrez et laissez cuire 3 heures à haute température. Écalez les œufs durs, puis piquez plusieurs fois avec une fourchette. Ajoutez à la sauce et poursuivez la cuisson 30-45 minutes, ou jusqu'à ce que le poulet soit cuit et tendre. Assaisonnez au goût de poivre de Cayenne ou de paprika fort. Garnissez de coriandre et de rondelles d'oignon et servez avec du pain plat ou du riz.

Informations nutritionnelles par portion – calories : 388 ; protéines : 54,6 g ; glucides : 13 g dont 9,6 g de sucres ; matières grasses : 13,4 g dont 2,8 g de gras saturés ; cholestérol : 13 mg ; calcium : 81 mg ; fibres : 2,5 g ; sodium : 311 mg.

CURRY DE POULET PARFUMÉ

Dans ce curry doux et parfumé, les lentilles épaississent la sauce et la coriandre fraîche donne au plat son goût frais vraiment caractéristique. Comme il contient une grande quantité d'épinards, ce mets se passe de légume d'accompagnement.

POUR 4 PERSONNES

75 g (½ tasse) de lentilles rouges
30 ml (2 c. à soupe) de poudre de curry doux
10 ml (2 c. à thé) de coriandre moulue
5 ml (1 c. à thé) de graines de cumin
350 ml (1½ tasse) de bouillon de légumes ou de poulet bouillant
8 hauts de cuisse de poulet sans peau
225 g (8 oz) d'épinards frais émincés
15 ml (1 c. à soupe) de coriandre fraîche hachée
sel et poivre noir moulu
brins de coriandre fraîche, pour garnir
riz basmati blanc ou brun et poppadums, pour servir

1 Mettez les lentilles dans un tamis et rincez sous l'eau froide. Égouttez bien, puis mettez dans le récipient de cuisson, avec la poudre de curry, la coriandre moulue, les graines de cumin et le bouillon. Couvrez et faites cuire 2 heures à haute température.

2 Disposez le poulet en une seule couche, en le pressant sur la préparation aux lentilles. Couvrez et laissez cuire à haute température 3 heures, ou jusqu'à ce que le poulet soit juste assez tendre.

3 Ajoutez les épinards, en les immergeant dans le liquide chaud. Couvrez et poursuivez la cuisson 30 minutes jusqu'à flétrissement. Incorporez la coriandre hachée.

4 Salez et poivrez au goût, garnissez de brins de coriandre fraîche et servez avec du riz basmati et des poppadums.

CONSEIL DU CHEF

Bien que diminuant durant la cuisson, le volume initial des épinards frais est grand. Si votre mijoteuse est petite, utilisez des épinards décongelés, bien égouttés.

Informations nutritionnelles par portion – calories : 591 ; protéines : 75,5 g ; glucides : 38,2 g dont 3,9 g de sucres ; matières grasses : 16,1 g dont 3,9 g de gras saturés ; cholestérol : 171 mg ; calcium : 426 mg ; fibres : 9,4 g ; sodium : 880 mg.

POULET SAUCE aux NOIX de CAJOU

L'influence des Moghols en Inde a donné la cuisine mughlai, dont l'une des caractéristiques est l'utilisation de pâte de noix. Dans cette recette, les noix de cajou donnent à la sauce une saveur à la fois riche et délicate.

POUR 4 PERSONNES

1 gros oignon haché grossièrement
1 gousse d'ail écrasée
15 ml (1 c. à soupe) de pâte de tomate
50 g (½ tasse) de noix de cajou
7,5 ml (1½ c. à thé) de garam masala
5 ml (1 c. à thé) de poudre chili
1,5 ml (¼ c. à thé) de curcuma moulu
5 ml (1 c. à thé) de sel
15 ml (1 c. à soupe) de jus de citron
15 ml (1 c. à soupe) de yogourt nature
30 ml (2 c. à soupe) d'huile d'olive
450 g (1 lb) de filets de poulet sans peau, en cubes
175 g (6 oz) de champignons de Paris
15 ml (1 c. à soupe) de raisins de Smyrne
300 ml (1¼ tasse) de bouillon de poulet ou de légumes
30 ml (2 c. à soupe) de coriandre fraîche hachée, et un peu plus pour garnir
riz et chutney aux fruits, pour servir

1 Dans un robot culinaire, réduisez en pâte l'oignon, l'ail, la pâte de tomate, les noix de cajou, le garam masala, la poudre chili, le curcuma, le sel, le jus de citron et le yogourt.

2 Chauffez l'huile dans une grande poêle ou un wok et faites frire les cubes de poulet quelques minutes, ou jusqu'à ce qu'ils commencent à dorer. À l'aide d'une écumoire, transférez le poulet dans le récipient de cuisson, en laissant l'huile dans la poêle.

3 Ajoutez la pâte épicée et les champignons dans la poêle, baissez le feu et laissez frire doucement 3-4 minutes, en remuant fréquemment. Versez la préparation dans le récipient de cuisson.

4 Ajoutez les raisins de Smyrne et incorporez le bouillon de poulet ou de légumes. Couvrez et laissez cuire à haute température 3-4 heures, en remuant à mi-cuisson. Le poulet devrait être bien cuit et très tendre et la sauce, relativement épaisse.

5 Incorporez la coriandre hachée à la sauce, goûtez et ajoutez du sel et du poivre au besoin. Servez le curry directement dans le récipient de cuisson ou dans un plat de service chaud. Parsemez de coriandre fraîche et accompagnez de riz et de chutney aux fruits, tel que celui aux mangues.

Informations nutritionnelles par portion – calories : 239 ; protéines : 31,6 g ; glucides : 10,7 g dont 7,6 g de sucres ; matières grasses : 8,1 g dont 1,7 g de gras saturés ; cholestérol : 78,9 mg ; calcium : 39 mg ; fibres : 1,9 g ; sodium : 696 mg.

POULET KORMA

L'utilisation d'amandes moulues pour épaissir la sauce donne à ce curry parfumé une texture superbement crémeuse. Son goût doux fait de lui un plat très populaire auprès des enfants.

POUR 4 PERSONNES

75 g (¾ tasse) d'amandes effilées
15 ml (1 c. à soupe) de beurre clarifié ou ordinaire
675 g (1½ lb) de poitrine de poulet désossée, sans peau, en bouchées
environ 15 ml (1 c. à soupe) d'huile de tournesol
1 oignon haché
4 capsules de cardamome verte
2 gousses d'ail écrasées
10 ml (2 c. à thé) de cumin moulu
5 ml (1 c. à thé) de coriandre moulue
pincée de curcuma moulu
1 bâton de cannelle
bonne pincée de poudre chili
250 ml (1 tasse) de lait de noix de coco
120 ml (½ tasse) de bouillon de poulet bouillant
5 ml (1 c. à thé) de pâte de tomate (facultatif)
75 ml (5 c. à soupe) de crème légère
15-30 ml (1-2 c. à soupe) de jus frais de lime ou de citron
10 ml (2 c. à thé) de zeste râpé de lime ou de citron
5 ml (1 c. à thé) de garam masala
sel et poivre noir moulu
riz safrané et poppadums, pour servir

1 Dans une poêle, grillez à sec les amandes effilées jusqu'à ce qu'elles soient légèrement dorées. Transférez environ deux tiers des amandes sur une assiette. Laissez le dernier tiers dorer davantage et réservez pour la garniture. Laissez refroidir les amandes plus pâles, puis réduisez en poudre fine dans un moulin à épices ou un moulin à café dédié à cet usage.

2 Chauffez le beurre dans la poêle et faites dorer doucement les morceaux de poulet de tous côtés. Transférez sur une assiette.

3 Dans la poêle, ajoutez au besoin un peu d'huile de tournesol à la graisse et faites frire l'oignon 8 minutes. Incorporez les capsules de cardamome et l'ail et continuez à cuire 2 minutes, jusqu'à ce que l'oignon soit ramolli et commence à se colorer.

4 Ajoutez les amandes moulues, le cumin, la coriandre, le curcuma, le bâton de cannelle et la poudre chili et laissez cuire environ 1 minute. Transférez dans le récipient de cuisson et chauffez à haute température.

5 Incorporez le lait de noix de coco, le bouillon et la pâte de tomate (s'il y a lieu). Ajoutez le poulet, salez et poivrez. Couvrez et laissez cuire à haute température 3 heures, ou jusqu'à ce que le poulet soit cuit et très tendre.

6 Incorporez la crème, le jus et le zeste d'agrume et le garam masala. Poursuivez la cuisson environ 30 minutes. Vérifiez l'assaisonnement, garnissez d'amandes réservées et servez immédiatement avec du riz safrané et des poppadums.

Informations nutritionnelles par portion – calories : 410 ; protéines : 45,7 g ; glucides : 7,8 g dont 6,4 g de sucres ; matières grasses : 22 g dont 6 g de gras saturés ; cholestérol : 136 mg ; calcium : 98 mg ; fibres : 1,9 g ; sodium : 202 mg.

KORESH de POULET et de POIS CASSÉS

Le koresh est un ragoût perse traditionnellement fait d'agneau, mijoté dans une sauce épaisse et servi avec du riz. Dans cette recette, le poulet donne un plat moins consistant et plus faible en matières grasses.

POUR 4 PERSONNES

50 g (¼ tasse) de pois cassés
45 ml (3 c. à soupe) d'huile d'olive
1 gros oignon haché finement
450 g (1 lb) de hauts de cuisse de poulet désossés
350 ml (1½ tasse) de bouillon de poulet bouillant
5 ml (1 c. à thé) de curcuma moulu
2,5 ml (½ c. à thé) de cannelle moulue
1,5 ml (¼ c. à thé) de noix de muscade râpée
30 ml (2 c. à soupe) de menthe séchée
2 aubergines en dés
8 tomates mûres en dés
2 gousses d'ail écrasées
sel et poivre noir moulu
menthe fraîche, pour garnir
riz nature, pour servir

1 Mettez les pois cassés dans un grand saladier. Recouvrez d'eau froide et laissez tremper au moins 6 heures ou toute la nuit.

2 Versez les pois cassés dans un tamis et égouttez bien. Mettez dans une grande casserole, recouvrez d'eau froide et portez à ébullition. Laissez bouillir 10 minutes, puis rincez, égouttez et mettez de côté.

3 Dans une casserole, chauffez 15 ml (1 c. à soupe) de l'huile et faites cuire l'oignon environ 5 minutes. Ajoutez le poulet, faites dorer de tous côtés, puis transférez dans le récipient de cuisson. Incorporez les pois cassés, le bouillon de poulet chaud, le curcuma, la cannelle, la noix de muscade et la menthe. Assaisonnez bien de sel et de poivre noir.

4 Couvrez la mijoteuse et chauffez 1 heure à haute température ou à la position AUTO. Poursuivez la cuisson à basse température ou à la position AUTO 3 heures, ou jusqu'à ce que le poulet soit juste cuit et que les pois cassés soient presque tendres.

5 Chauffez le reste de l'huile dans une poêle et faites cuire les dés d'aubergines 5 minutes, ou jusqu'à ce qu'ils soient légèrement dorés. Ajoutez les tomates et l'ail et continuez à cuire 2 minutes.

6 Transférez la préparation aux aubergines dans le récipient de cuisson, mélangez et laissez cuire environ 1 heure. Parsemez de feuilles de menthe fraîche et servez avec du riz nature.

Nutritional information per portion: Energy 298Kcal/1251kJ; Protein 29.1g; Carbohydrate 18.5g, of which sugars 10.2g; Fat 12.5g, of which saturates 2.3g; Cholesterol 118mg; Calcium 48mg; Fibre 4.5g; Sodium 206mg.

PINTADE et CHOU ROUGE BRAISÉS

Dans ce plat braisé dans du jus de pomme et parfumé aux baies de genièvre, la saveur légèrement faisandée de la pintade se marie admirablement au goût sucré et fruité du chou rouge.

POUR 4 PERSONNES

15 ml (1 c. à soupe) de beurre non salé
½ chou rouge d'environ 450 g (1 lb)
1 pintade de 1,3 kg (3 lb) prête à rôtir, en morceaux
15 ml (1 c. à soupe) d'huile de tournesol
3 échalotes hachées très finement
15 ml (1 c. à soupe) de farine tout usage
120 ml (½ tasse) de bouillon de poulet
150 ml (⅔ tasse) de jus de pomme
15 ml (1 c. à soupe) de cassonade dorée
15 ml (1 c. à soupe) de vinaigre de vin rouge
4 baies de genièvre écrasées légèrement
sel et poivre noir moulu

VARIANTES

- Remplacez la pintade par de la volaille ou du gibier à plumes au goût plus doux, comme le poulet et le faisan.
- Pour améliorer la saveur fruitée du chou rouge, ajoutez 15 ml (1 c. à soupe) de raisins de Smyrne avant la cuisson.

1 Graissez le récipient de cuisson avec la moitié du beurre. Coupez le chou en quatre, retirez les feuilles extérieures dures et le trognon. Émincez le chou finement, puis mettez-le dans le récipient de cuisson, en le tassant bien au fond.

2 Rincez les morceaux de pintade, puis séchez avec du papier essuie-tout. Chauffez le reste de beurre et l'huile dans une poêle et faites dorer la pintade de tous côtés. Retirez les morceaux, en laissant la graisse dans la poêle, et placez sur le chou rouge.

3 Dans la poêle, faites cuire doucement les échalotes 5 minutes. Saupoudrez de farine et laissez cuire quelques secondes. Incorporez peu à peu le bouillon, puis le jus de pomme. Portez à ébullition, en remuant constamment jusqu'à épaississement. Retirez du feu, incorporez le sucre, le vinaigre et les baies de genièvre, salez et poivrez.

4 Versez la sauce sur la pintade, couvrez et laissez cuire à haute température 4 heures, ou jusqu'à ce que la viande et le chou soient tendres. Vérifiez l'assaisonnement et servez.

Informations nutritionnelles par portion – calories : 456 ; protéines : 44,5 g ; glucides : 20 g dont 15 g de sucres ; matières grasses : 22,5 g dont 6,7 g de gras saturés ; cholestérol : 225 mg ; calcium : 96 mg ; fibres : 3,1 g ; sodium : 15 mg.

RAGOÛT de PINTADE et de LÉGUMES DE PRIMEUR

À l'instar d'un savoureux ragoût de poulet, ce plat succulent de pintade et de légumes de primeur, assaisonnés de moutarde et d'herbes, est sûr de vous plaire.

POUR 4 PERSONNES

1 pintade de 1,6 kg (3½ lb)
45 ml (3 c. à soupe) de farine tout usage
45 ml (3 c. à soupe) d'huile d'olive
115 g (4 oz) de pancetta en petits dés
1 oignon haché
3 gousses d'ail hachées
200 ml (1 petite tasse) de vin blanc
225 g (8 oz) de jeunes carottes
225 g (8 oz) de jeunes navets
6 jeunes poireaux en tronçons de 7,5 cm (3 po)
brin de thym frais
1 feuille de laurier
10 ml (2 c. à thé) de moutarde de Dijon
150 ml (⅔ tasse) de bouillon de poulet ou de légumes bouillant
225 g (8 oz) de petits pois
30 ml (2 c. à soupe) de persil frais haché
15 ml (1 c. à soupe) de menthe fraîche hachée
sel et poivre noir moulu

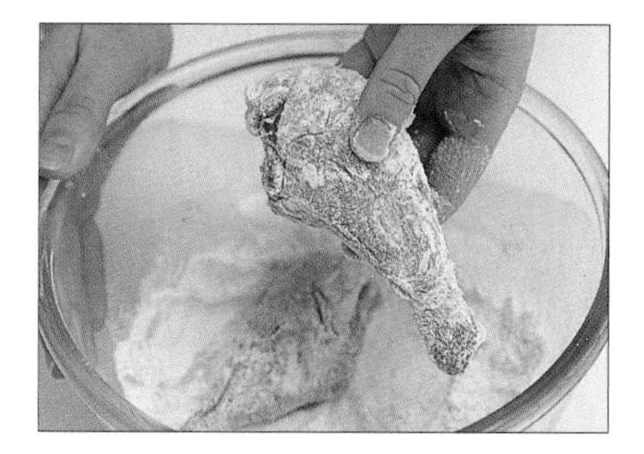

1 Découpez la pintade en huit morceaux. Essuyez ou rincez légèrement les morceaux, puis séchez avec du papier essuie-tout. Assaisonnez la farine de sel et de poivre et enrobez-en les morceaux de pintade. Réservez la farine restante.

2 Dans une grande poêle, chauffez 30 ml (2 c. à soupe) de l'huile et faites frire la pancetta à feu moyen, en remuant de temps en temps, jusqu'à ce qu'elle soit légèrement dorée. Avec une écumoire, transférez la pancetta dans le récipient de cuisson, en laissant la graisse et les sucs dans la poêle.

3 Dans la poêle, faites dorer les morceaux de pintade de tous côtés. Disposez les morceaux en une seule couche sur la pancetta.

4 Versez le reste d'huile dans la poêle et faites cuire l'oignon 3-4 minutes jusqu'à ce qu'il commence à ramollir. Ajoutez l'ail et continuez à cuire environ 1 minute. Saupoudrez la farine réservée et remuez. Incorporez peu à peu le vin et portez à ébullition. Versez sur la pintade.

5 Ajoutez les carottes, les navets, les poireaux, le thym et la feuille de laurier dans le récipient de cuisson. Mélangez la moutarde avec le bouillon, salez et poivrez, puis versez sur la préparation. Couvrez et laissez cuire à haute température 3-4 heures, ou jusqu'à ce que la pintade et les légumes soient tendres.

6 Incorporez les petits pois au ragoût et poursuivez la cuisson 45 minutes. Vérifiez l'assaisonnement et ajoutez les herbes fraîches (réservez-en un peu pour garnir). Répartissez le ragoût dans quatre assiettes chaudes, parsemez le reste d'herbes et servez immédiatement.

CONSEILS DU CHEF

• Pour gagner du temps de préparation, demandez au boucher de découper la pintade pour vous.
• Remplacez la pintade par 8 morceaux de lapin, dont le goût délicat se marie bien aux légumes de primeur et aux herbes utilisés dans cette recette.

Informations nutritionnelles par portion – calories : 581 ; protéines : 50,5 g ; glucides : 29,1 g dont 11,2 g de sucres ; matières grasses : 26,5 g dont 7,4 g de gras saturés ; cholestérol : 224 mg ; calcium : 109 mg ; fibres : 6,9 g ; sodium : 668 mg.

RAGOÛT de CANARD aux OLIVES

Le canard cuit avec des olives, des oignons et du vin est un mets originaire de la Provence (France). La cuisson à basse température développe la saveur sucrée des oignons pour contrebalancer le goût salé des olives. Accompagnez le ragoût d'une simple purée de pommes de terre crémeuse.

POUR 4 PERSONNES

4 quartiers ou filets de canard
225 g (8 oz) de petits oignons pelés
2,5 ml (½ c. à thé) de sucre semoule
30 ml (2 c. à soupe) de farine tout usage
250 ml (1 tasse) de vin rouge sec
250 ml (1 tasse) de bouillon de canard ou de poulet
1 bouquet garni
115 g (1 tasse) d'olives dénoyautées, vertes ou noires, ou un mélange des deux
sel et poivre noir moulu

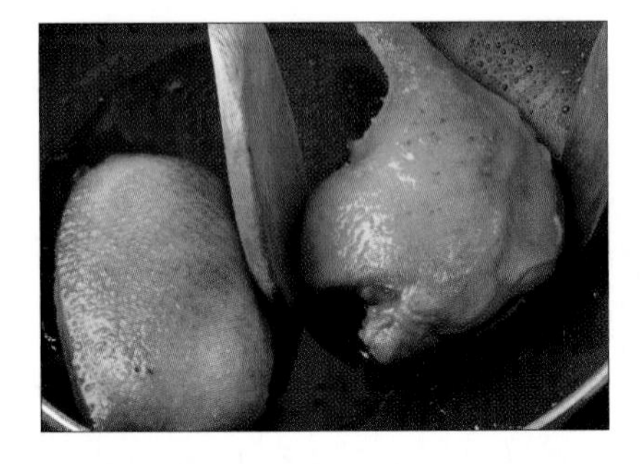

1 Dans une grande poêle, mettez le canard peau en dessous et faites cuire 10-20 minutes jusqu'à ce qu'il soit doré des deux côtés. Retirez avec une écumoire et placez, peau vers le haut, dans le récipient de cuisson électrique. Chauffez à haute température.

2 Conservez environ 15 ml (1 c. à soupe) de graisse dans la poêle. Faites cuire les oignons à feu moyen-doux jusqu'à ce qu'ils commencent à se colorer. Saupoudrez le sucre et poursuivez la cuisson 5 minutes, en remuant fréquemment, jusqu'à ce que les oignons soient dorés. Saupoudrez la farine et faites cuire 2 minutes en remuant souvent.

3 Incorporez peu à peu le vin rouge, puis le bouillon. Portez à ébullition et versez sur le canard. Ajoutez le bouquet garni, couvrez et laissez cuire 1 heure à haute température.

4 Poursuivez la cuisson à basse température 4-5 heures, ou jusqu'à ce que le canard et les oignons soient très tendres.

5 Mettez les olives dans un bol résistant à la chaleur et recouvrez d'eau très chaude. Laissez reposer environ 1 minute, puis égouttez bien. Ajoutez les olives dans le récipient de cuisson, couvrez et laissez cuire 30 minutes.

6 Transférez le canard, les oignons et les olives sur un plat de service ou des assiettes individuelles chauds. Dégraissez le liquide de cuisson et jetez le bouquet garni. Salez et poivrez la sauce au goût, versez sur le canard et servez immédiatement.

CONSEILS DU CHEF

• Goûtez à la sauce avant d'ajouter du sel – ce serait inutile si les olives étaient salées.

• Si vous le préférez, retirez la peau du canard et faites-le dorer quelques minutes dans 15 ml (1 c. à soupe) d'huile.

Nutritional information per portion: Energy 414Kcal/1736kJ; Protein 47.3g; Carbohydrate 8.2g, of which sugars 2.3g; Fat 18.5g, of which saturates 5.2g; Cholesterol 257mg; Calcium 67mg; Fibre 1.6g; Sodium 917mg.

PAPPARDELLES au LAPIN

Ce plat au goût riche vient du nord de l'Italie, où les sauces aux morceaux de lapin sont très populaires. La sauce pouvant être gardée au chaud dans la mijoteuse, il est idéal pour les réceptions.

POUR 4 PERSONNES

15 g (½ oz) de bolets séchés
150 ml (⅔ tasse) d'eau tiède
1 petit oignon
½ carotte
½ branche de céleri
2 feuilles de laurier
25 g (2 c. à soupe) de beurre ou 15 ml (1 c. à soupe) d'huile d'olive
40 g (1½ oz) de pancetta ou de tranches de bacon hachées
15 ml (1 c. à soupe) de persil plat haché grossièrement, et un peu plus pour garnir
250 g (9 oz) de morceaux de lapin désossés
60 ml (4 c. à soupe) de vin blanc sec
200 g (7 oz) de tomates italiennes concassées en conserve ou 200 ml (1 tasse) de passata (purée de tomates en bocal)
300 g (11 oz) de pappardelles fraîches ou sèches
sel et poivre noir moulu

1 Mettez les champignons séchés dans un bol, recouvrez d'eau tiède et laissez tremper 15 minutes. Hachez les légumes finement à la main ou au robot culinaire. Faites une incision dans chaque feuille de laurier pour qu'elles libèrent leur saveur dans la sauce.

2 Dans une grande poêle, chauffez le beurre ou l'huile jusqu'à grésillement et faites cuire environ 5 minutes les légumes, la pancetta ou le bacon et le persil.

3 Ajoutez les morceaux de lapin et faites frire 3-4 minutes de chaque côté. Transférez la préparation dans le récipient de cuisson et chauffez à haute température ou à la position AUTO. Incorporez le vin et les tomates ou la passata.

4 Lorsque la préparation commence à être chaude, retirez les champignons du bol et versez le liquide de trempage dans un tamis fin placé au-dessus du récipient de cuisson. Hachez les champignons et ajoutez à la préparation, avec les feuilles de laurier. Salez et poivrez au goût. Remuez bien, couvrez et faites cuire 1 heure. Poursuivez la cuisson à basse température ou à la position AUTO 2 heures, ou jusqu'à ce que la viande soit tendre.

5 Retirez les morceaux de lapin, coupez en bouchées et remettez dans la sauce. Enlevez et jetez les feuilles de laurier. Goûtez la sauce et rectifiez au besoin. Servez ou gardez au chaud 1-2 heures dans la mijoteuse.

6 Environ 10 minutes avant de servir, faites cuire les pâtes selon le mode d'emploi indiqué sur l'emballage. Égouttez, versez dans la sauce et mélangez bien. Parsemez de persil frais et servez immédiatement.

VARIANTE

À défaut de lapin, préparez ce plat avec du poulet.

Informations nutritionnelles par portion – calories : 393 ; protéines : 23 g ; glucides : 46 g dont 4,9 g de sucres ; matières grasses : 13,3 g dont 5 g de gras saturés ; cholestérol : 46 mg ; calcium : 80 mg ; fibres : 1,1 g ; sodium : 128 mg.

CASSEROLE de LAPIN au GENIÈVRE

Le lapin ayant une chair très maigre, la cuisson en casserole est idéale pour le garder humide et juteux. Une marinade bien aromatisée améliore à la fois le goût et la texture de la viande. Si vous le préférez, remplacez le lapin par des cuisses de poulet. Servez avec des pommes de terre nouvelles et des carottes miniatures.

POUR 4 PERSONNES

900 g (2 lb) de morceaux de lapin parés
1 oignon haché grossièrement
2 gousses d'ail écrasées
1 feuille de laurier
350 ml (1 ½ tasse) de vin rouge fruité
2 brins de thym frais
1 brin de romarin frais
15 ml (1 c. à soupe) de baies de genièvre
30 ml (2 c. à soupe) d'huile d'olive
15 g (½ oz) de bolets séchés
30 ml (2 c. à soupe) de persil frais haché
25 g (2 c. à soupe) de beurre froid
sel et poivre noir moulu

1 Dans un plat en verre ou en céramique, mettez les morceaux de lapin, l'oignon, l'ail, la feuille de laurier et le vin. Froissez le thym et le romarin pour libérer leur saveur et écrasez légèrement les graines de genièvre. Ajoutez dans le plat et mélangez. Couvrez et laissez mariner au réfrigérateur 4 heures ou toute la nuit, en tournant les morceaux au moins une fois si possible.

2 Retirez le lapin de la marinade (réservez-la) et séchez avec du papier essuie-tout. Chauffez l'huile dans une poêle et faites dorer les morceaux de lapin de tous côtés 3-4 minutes. Transférez dans le récipient de cuisson.

3 Versez la marinade dans la poêle et portez au point d'ébullition. Versez sur le lapin, couvrez et faites cuire environ 1 heure à haute température.

4 Entre-temps, mettez les champignons dans un bol résistant à la chaleur et versez 150 ml (⅔ tasse) d'eau bouillante. Laissez tremper 1 heure, égouttez (réservez le liquide de trempage), puis hachez finement. Mettez les champignons hachés dans un petit bol et couvrez de pellicule plastique pour garder l'humidité.

5 Versez le liquide de trempage dans le récipient de cuisson et laissez cuire 2 heures. Retirez les morceaux de lapin avec une écumoire et passez le liquide de cuisson. Jetez les légumes, les herbes et les baies de genièvre. Essuyez le récipient de cuisson, puis remettez le lapin et le liquide de cuisson filtré. Ajoutez les champignons et assaisonnez.

6 Couvrez et poursuivez la cuisson 1 heure, ou jusqu'à ce que la viande et les champignons soient cuits et tendres. Incorporez le persil haché, retirez les morceaux de lapin et disposez sur un plat de service chaud. Coupez le beurre froid en petits cubes et incorporez à la sauce, un cube ou deux à la fois, en fouettant pour épaissir. Nappez le lapin de sauce et servez

Informations nutritionnelles par portion – calories : 356 ; protéines : 32 g ; glucides : 3,2 g dont 2,3 g de sucres ; matières grasses : 17,5 g dont 6,3 g de gras saturés ; cholestérol : 163 mg ; calcium : 30 mg ; fibres : 0,6 g ; sodium : 66 mg.

PÂTÉS de LIÈVRE en CROÛTE

La saveur de gibier du lièvre est parfaite pour ce plat, mais la viande désossée de lapin, de cerf, de faisan ou d'autre gibier fait aussi l'affaire. La farce à la viande est cuite jusqu'à tendreté dans la mijoteuse électrique – préparez-la la veille si vous le désirez – avant d'être recouverte de pâte feuilletée et passée au four.

POUR 4 PERSONNES

45 ml (3 c. à soupe) d'huile d'olive
1 poireau émincé
225 g (8 oz) de panais émincé
225 g (8 oz) de carottes émincées
1 bulbe de fenouil émincé
675 g (1 ½ lb) de lièvre désossé, coupé en dés
30 ml (2 c. à soupe) de farine tout usage
60 ml (4 c. à soupe) de madère
300 ml (1 ¼ tasse) de bouillon de gibier ou de poulet
45 ml (3 c. à soupe) de persil frais haché
450 g (1 lb) de pâte feuilletée, décongelée si surgelée
jaune d'œuf battu, pour dorer

VARIANTE

Si vous le préférez, faites une grande tourte au lieu de quatre pâtés individuels.

1 Dans une grande casserole, chauffez 30 ml (2 c. à soupe) de l'huile et faites suer le poireau, les panais, les carottes et le fenouil environ 10 minutes, en remuant fréquemment.

2 À l'aide d'une écumoire, transférez les légumes dans le récipient de cuisson. Couvrez et chauffez à haute température ou à la position AUTO.

3 Chauffez le reste de l'huile dans la casserole et faites bien dorer les dés de lièvre, une petite quantité à la fois. Lorsque toute la viande est cuite, remettez dans la casserole. Saupoudrez la farine et faites cuire quelques secondes en remuant. Incorporez graduellement le madère et le bouillon, puis portez à ébullition.

4 Transférez la préparation au lièvre dans le récipient de cuisson et laissez cuire 1 heure. Poursuivez la cuisson à basse température ou à la position AUTO 5-6 heures, ou jusqu'à ce que la viande et les légumes soient tendres. Incorporez le persil haché et mettez à refroidir.

5 Pour faire les pâtés, préchauffez le four à 220 °C (425 °F/gaz 7). Répartissez la préparation au lièvre dans quatre plats à pâté individuels. Coupez la pâte feuilletée en quatre et abaissez chaque morceau sur une surface légèrement farinée pour faire les couvercles – faites-les légèrement plus grands que les plats. Découpez l'excédent de pâte et utilisez les retailles pour foncer le contour de chaque plat.

6 Humectez d'eau froide le bord de l'abaisse autour du plat et recouvrez d'un couvercle de pâte. Pincez ensemble les bords de l'abaisse et du couvercle pour sceller la farce. Badigeonnez chaque couvercle de jaune d'œuf et faites un petit trou au centre pour permettre à la vapeur de s'échapper.

7 Posez les pâtés sur une plaque à pâtisserie et faites cuire au four 25 minutes, ou jusqu'à ce que la pâte soit bien levée et dorée. Si la pâte brunit trop rapidement, couvrez-la de papier d'aluminium après 15 minutes pour l'empêcher de brûler.

Informations nutritionnelles par portion – calories : 906 ; protéines : 45 g ; glucides : 60,4 g dont 10 g de sucres ; matières grasses : 53,7 g dont 15,9 g de gras saturés ; cholestérol : 107 mg ; calcium : 180 mg ; fibres : 7,6 g ; sodium : 553 mg.

PLATS DE VIANDE

La cuisson à la mijoteuse électrique convient
à tous les types de viande, améliorant de façon spectaculaire
la saveur et la texture des morceaux les moins tendres.
Utilisez le bœuf et le porc pour confectionner des plats
consistants, comme le pouding au bœuf et aux champignons,
ou des mets contemporains plus légers, comme
la casserole de porc épicé aux fruits secs.
La plupart des morceaux d'agneau sont naturellement
tendres et succulents et la mijoteuse électrique veille
à ce qu'ils le restent. Vous trouverez à coup sûr
des idées de repas simples ou raffinés parmi
les nombreuses recettes de rôtis en cocotte, de braisés,
de casseroles et de ragoûts présentés dans ce chapitre.

TOURTE au BŒUF et au ROGNON

Dans cette tourte anglaise classique, de succulents morceaux de bœuf et de rognon sont mijotés dans une sauce à la moutarde parfumée de feuilles de laurier et de persil. La pâte feuilletée, cuite séparément, reste parfaitement croustillante. C'est la technique idéale pour la confection de pâtés chauds au moyen d'une mijoteuse électrique.

POUR 4 PERSONNES

675 g (1 ½ lb) de bœuf à ragoût
225 g (8 oz) de rognon de bœuf ou d'agneau
45 ml (3 c. à soupe) d'huile
15 g (1 c. à soupe) de beurre non salé
2 oignons hachés
30 ml (2 c. à soupe) de farine tout usage
300 ml (1 ¼ tasse) de bouillon de bœuf
15 ml (1 c. à soupe) de pâte de tomate
10 ml (2 c. à thé) de moutarde anglaise
2 feuilles de laurier
375 g (13 oz) de pâte feuilletée
œuf battu, pour dorer
15 ml (1 c. à soupe) de persil frais haché
sel et poivre noir moulu
purée de pommes de terre et légumes verts, pour servir

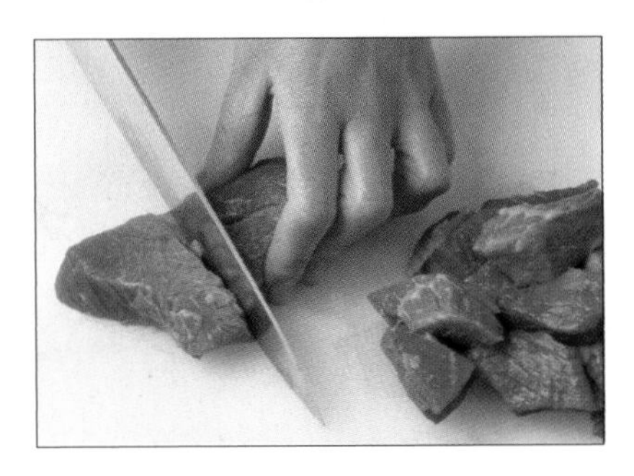

1 Coupez le bœuf à ragoût en cubes de 2,5 cm (1 po). Retirez la graisse et la peau du rognon et coupez la chair en cubes ou en tranches épaisses.

2 Dans une poêle, chauffez 30 ml (2 c. à soupe) de l'huile et faites dorer les cubes de bœuf de tous côtés. Avec une écumoire, transférez dans le récipient de cuisson et chauffez à haute température.

3 Dans la poêle, faites dorer les morceaux de rognon 1-2 minutes, puis transférez dans le récipient de cuisson. Ajoutez le reste d'huile et le beurre dans la poêle et faites cuire les oignons 5 minutes, ou jusqu'à ce qu'ils commencent à prendre couleur. Saupoudrez la farine, remuez et retirez la poêle du feu.

4 Incorporez graduellement le bouillon, puis la pâte de tomate et la moutarde. Remettez la poêle sur le feu et portez à ébullition, en remuant constamment jusqu'à épaississement. Versez la sauce sur la viande, ajoutez les feuilles de laurier et assaisonnez. Remuez bien et couvrez. Laissez cuire à basse température 5-7 heures, ou jusqu'à ce que la viande soit très tendre.

VARIANTE
Pour faire une tourte plus riche, réduisez la quantité de bouillon de moitié et ajoutez 150 ml (⅔ tasse) de bière brune forte ou de vin rouge.

5 Pendant que la viande cuit, préparez la croûte. Abaissez la pâte feuilletée et découpez un rond de 25 cm (10 po) de diamètre en suivant le pourtour d'une assiette renversée. Transférez l'abaisse sur une plaque à pâtisserie tapissée de papier parchemin.

6 À l'aide d'un couteau bien aiguisé, faites une incision en croix pour diviser la pâte en quatre sans la traverser. Décorez avec des retailles de pâte, puis cannelez le contour. Couvrez de pellicule plastique et réfrigérez jusqu'au moment de cuire.

7 Vers la fin du temps de cuisson de la viande, préchauffez le four à 200 °C (400 °F/gaz 6). Badigeonnez la pâte d'œuf battu et enfournez environ 25 minutes, ou jusqu'à ce qu'elle soit bien levée, dorée et croustillante.

8 Pour servir, incorporez le persil haché au ragoût et répartissez sur des assiettes chaudes. Coupez la croûte cuite au four en quatre, en suivant l'incision en croix, et déposez un morceau sur chaque portion de ragoût. Servez immédiatement avec une purée de pommes de terre crémeuse et des légumes verts.

Informations nutritionnelles par portion – calories : 637 ; protéines : 18,7 g ; glucides : 46,2 g dont 5,2 g de sucres ; matières grasses : 43,4 g dont 13,1 g de gras saturés ; cholestérol : 259 mg ; calcium : 99 mg ; fibres : 2,7 g ; sodium : 578 mg.

DAUBE de BŒUF PROVENÇALE

Les daubes tirent leur nom de la « daubière », le récipient en terre dans lequel on faisait traditionnellement cuire des pièces de bœuf. Ce plat délicieusement riche et fruité est parfait pour les soupers d'hiver. Servez-le avec des pommes de terre nouvelles et des légumes verts.

POUR 4 PERSONNES

45 ml (3 c. à soupe) d'huile d'olive
115 g (4 oz) de lard maigre salé, coupé en lardons
900 g (2 lb) de bœuf à ragoût, coupé en morceaux de 4 cm (1 ½ po)
1 gros oignon haché
2 carottes tranchées
2 tomates mûres, pelées, épépinées et hachées
10 ml (2 c. à thé) de pâte de tomate
2 gousses d'ail hachées très finement
250 ml (1 tasse) de vin rouge fruité
150 ml (⅔ tasse) de bouillon de bœuf
1 bouquet garni
1 petit oignon piqué de 2 clous de girofle
zeste râpé et jus de ½ orange non cirée
15 ml (1 c. à soupe) de persil frais haché
sel et poivre noir moulu

1 Dans une poêle à fond épais, chauffez 15 ml (1 c. à soupe) de l'huile et faites cuire les lardons 4-5 minutes à feu moyen, en remuant fréquemment, jusqu'à ce qu'ils soient dorés et qu'ils aient rendu leur gras.

2 À l'aide d'une écumoire, transférez les lardons dans le récipient de cuisson et chauffez à haute température.

3 Dans la poêle, ajoutez une partie des morceaux de bœuf en une seule couche (ne les tassez pas, sinon, ils cuiront dans leur jus et ne bruniront pas) et faites revenir 6-8 minutes jusqu'à ce qu'ils soient dorés de tous côtés.

4 Transférez le bœuf dans le récipient de cuisson et répétez l'opération jusqu'à épuisement des morceaux, en ajoutant un peu d'huile au besoin.

5 Versez le vin et le bouillon sur le bœuf et ajoutez le bouquet garni et l'oignon entier. Dans la poêle, mettez le reste d'huile et faites suer l'oignon haché 5 minutes. Ajoutez les carottes et faites cuire 5 minutes. Incorporez les tomates, la pâte de tomate et l'ail, puis transférez dans le récipient de cuisson.

6 Couvrez et laissez cuire à basse température 5-7 heures, ou jusqu'à ce que le bœuf et les légumes soient très tendres. Écumez le liquide de cuisson, salez et poivrez. Retirez le bouquet garni et l'oignon piqué de clous de girofle, puis incorporez le zeste et le jus d'orange ainsi que le persil.

Informations nutritionnelles par portion – calories : 547 ; protéines : 55,8 g ; glucides : 8,7 g dont 7,2 g de sucres ; matières grasses : 27,8 g dont 8,9 g de gras saturés ; cholestérol : 170 mg ; calcium : 43 mg ; fibres : 2 g ; sodium : 682 mg.

BŒUF BRAISÉ, SAUCE aux ARACHIDES

À l'instar de nombreux plats importés aux Philippines par les Espagnols, cette Estofado renommée Kari Kari par les Philippins a conservé une grande partie de son charme original. Les arachides épaississent la sauce, la rendant riche, sucrée et brillante.

POUR 4 PERSONNES

900 g (2 lb) de macreuse à braiser, de jarret ou de palette de bœuf
45 ml (3 c. à soupe) d'huile végétale
2 oignons hachés
2 gousses d'ail écrasées
5 ml (1 c. à thé) de paprika
pincée de curcuma moulu
225 g (8 oz) de céleri-rave ou de rutabaga pelé et coupé en dés de 2 cm (3/4 po)
425 ml (1 3/4 tasse) de bouillon de bœuf bouillant
15 ml (1 c. à soupe) de sauce de poisson ou d'anchois
30 ml (2 c. à soupe) de sauce tamarin (facultatif)
10 ml (2 c. à thé) de cassonade dorée
1 feuille de laurier
1 brin de thym
30 ml (2 c. à soupe) de beurre d'arachide crémeux
45 ml (3 c. à soupe) de riz blanc étuvé
5 ml (1 c. à thé) de vinaigre de vin blanc
sel et poivre noir moulu

1 Détaillez le bœuf en cubes de 2,5 cm (1 po). Chauffez 30 ml (2 c. à soupe) de l'huile dans une poêle et faites bien dorer les cubes de tous côtés.

2 Transférez la viande et les sucs dans le récipient de cuisson et chauffez à haute température.

3 Ajoutez le reste d'huile dans la poêle et faites suer les oignons 10 minutes.

4 Ajoutez l'ail, le paprika et le curcuma et faites cuire 1 minute. Transférez la préparation dans le récipient de cuisson et incorporez le céleri-rave ou le rutabaga.

5 Versez le bouillon, la sauce de poisson ou d'anchois et la sauce tamarin (s'il y a lieu) et ajoutez le sucre, la feuille de laurier et le thym. Couvrez et laissez cuire à basse température 4 heures, ou jusqu'à ce que le bœuf et les légumes soient tout justetendres.

6 Réglez la mijoteuse à haute température. Prélevez environ 60 ml (4 c. à soupe) du liquide de cuisson et mélangez dans un bol avec le beurre d'arachide. Incorporez la préparation au ragoût, versez le riz et remuez.

7 Couvrez et laissez cuire environ 45 minutes, ou jusqu'à ce que le riz soit cuit et que la sauce ait légèrement épaissi. Incorporez le vinaigre de vin et assaisonnez au goût.

Informations nutritionnelles par portion – calories : 577 ; protéines : 48,9 g ; glucides : 14,1 g dont 8,9 g de sucres ; matières grasses : 36,8 g dont 12,2 g de gras saturés ; cholestérol : 141 mg ; calcium : 70 mg ; fibres : 2,4 g ; sodium : 561 mg.

POUDING au BŒUF et aux CHAMPIGNONS

S'inspirant du classique pouding anglais, ce mets salé cuit à la vapeur a une croûte de pâte légèrement parfumée aux herbes, dont le goût et la texture résultent d'un mélange de suif et de beurre. Une préparation appétissante de bolets séchés et de champignons café donne une saveur intense à la farce.

POUR 4 PERSONNES

- 25 g (½ tasse) de bolets séchés
- 475 ml (2 tasses) de bouillon de bœuf frémissant
- 675 g (1½ lb) de bœuf à braiser
- 60 ml (4 c. à soupe) de farine tout usage
- 45 ml (3 c. à soupe) d'huile de tournesol
- 1 gros oignon haché finement
- 225 g (8 oz) de champignons café, en tranches épaisses
- 1 feuille de laurier
- 15 ml (1 c. à soupe) de sauce Worcestershire
- 75 ml (⅓ tasse) de porto ou de vin rouge
- sel et poivre noir moulu

Pour la croûte

- 275 g (2½ tasses) de farine à levure
- 2,5 ml (½ c. à thé) de levure chimique
- 2,5 ml (½ c. à thé) de sel
- 15 ml (1 c. à soupe) chacun de persil et de thym frais
- 75 g (1½ tasse) de suif de bœuf ou de graisse végétale
- 50 g (¼ tasse) de beurre congelé et râpé
- 1 œuf battu légèrement
- environ 150 ml (⅔ tasse) d'eau froide

1 Mettez les champignons séchés dans un bol et versez le bouillon. Laissez tremper environ 20 minutes.

2 Entre-temps, parez la viande et coupez en morceaux de 2 cm (¾ po). Mettez la

farine dans un bol, salez et poivrez ; ajoutez la viande et remuez pour enrober. Chauffez l'huile dans une poêle et faites revenir les morceaux de viande, une petite quantité à la fois, jusqu'à ce qu'ils soient bien dorés de tous côtés. Transférez dans le récipient de cuisson.

3 Dans la poêle, faites suer l'oignon environ 10 minutes. Transférez dans le récipient de cuisson, puis ajoutez les champignons café et la feuille de laurier.

4 Dans un bol ou un pot, mélangez la sauce Worcestershire avec le porto ou le vin, puis versez dans le récipient de cuisson. Égouttez les bolets, en versant le bouillon de trempage dans le récipient, hachez-les et ajoutez-les.

5 Mélangez tous les ingrédients ensemble, couvrez et laissez cuire 1 heure à haute température ou à la position AUTO. Poursuivez la cuisson à basse température 5-6 heures, ou jusqu'à ce que la viande et les oignons soient tendres. Retirez la feuille de laurier, puis laissez la préparation refroidir complètement.

6 Pour faire la pâte, beurrez un bol à pouding de 1,7 l (7½ tasses) résistant à la chaleur. Dans un bol à mélanger, tamisez ensemble la farine, la levure et le sel. Incorporez les herbes, puis le suif et le beurre. Faites un puits au centre, ajoutez l'œuf et juste assez d'eau froide pour former une pâte molle.

7 Sur une surface farinée, pétrissez la pâte quelques secondes jusqu'à consistance lisse. Coupez un quart de la pâte et enveloppez de pellicule plastique. Roulez le reste de pâte en boule et abaissez-en un disque suffisamment grand pour foncer le bol à pouding. Soulevez le rond et déposez-le délicatement dans le bol, en le pressant contre la paroi et en laissant déborder l'excédent. Abaissez la pâte réservée en un disque suffisamment grand pour former le couvercle du pouding.

8 Remplissez le bol foncé de farce et de sauce refroidies, en laissant un espace de 1 cm (½ po) entre la sauce et le haut du bol. (Réservez la sauce restante pour servir avec le pouding.) Badigeonnez d'eau le bord de l'abaisse et déposez le couvercle. Soudez les bords ensemble et découpez l'excédent de pâte.

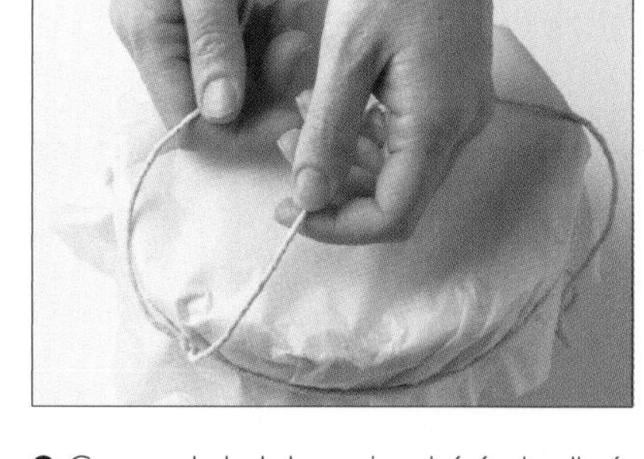

9 Couvrez le bol de papier ciré épais, plissé, et retenez en place avec de la ficelle. Couvrez de papier d'aluminium plissé pour permettre au pouding de lever.

10 Placez une soucoupe renversée ou un emporte-pièce de métal au fond du récipient de cuisson propre. Déposez le bol à pouding et versez de l'eau frémissante jusqu'à mi-hauteur du bol. Couvrez et faites cuire 3 heures à haute température.

11 Retirez le bol, enlevez le papier d'aluminium, la ficelle et le papier ciré. Détachez le bord du pouding et démoulez sur une assiette de service chaude.

Informations nutritionnelles par portion – calories : 1 061 ; protéines : 70 g ; glucides : 75,1 g dont 4,8 g de sucres ; matières grasses : 54,3 g dont 24,5 g de gras saturés ; cholestérol : 265 mg ; calcium : 319 mg ; fibres : 4,4 g ; sodium : 941 mg.

BŒUF BRAISÉ au RAIFORT

Ce plat de bœuf foncé et riche, au goût épicé, vous changera de l'habituel rôti. Dans la mijoteuse électrique, la viande s'attendrit lentement, tandis que toutes les saveurs se mélangent harmonieusement. Ce braisé est idéal pour les réceptions, car vous pouvez le préparer à l'avance et le laisser mijoter jusqu'au moment de servir.

POUR 4 PERSONNES

30 ml (2 c. à soupe) de farine tout usage
4 tranches de bœuf à braiser de 175 g (6 oz) chacune
30 ml (2 c. à soupe) d'huile de tournesol
12 petites échalotes pelées et coupées en deux
1 gousse d'ail écrasée
1,5 ml (1/4 c. à thé) de gingembre moulu
5 ml (1 c. à thé) de poudre de curry
10 ml (2 c. à thé) de sucre muscovado foncé
475 ml (2 tasses) de bouillon de bœuf frémissant
15 ml (1 c. à soupe) de sauce Worcestershire
30 ml (2 c. à soupe) de raifort en crème
225 g (8 oz) de jeunes carottes parées
1 feuille de laurier
sel et poivre noir moulu
30 ml (2 c. à soupe) de ciboulette fraîche hachée, pour garnir
légumes rôtis, pour servir

1 Mettez la farine dans un grand plat peu profond, salez et poivrez. Enrobez les tranches de bœuf de cette farine

2 Chauffez l'huile dans une poêle et faites dorer rapidement les tranches de bœuf des deux côtés. Transférez dans le récipient de cuisson.

3 Dans la poêle, faites cuire doucement les échalotes 10 minutes, ou jusqu'à ce qu'elles soient dorées et commencent à ramollir. Incorporez l'ail, le gingembre et la poudre de curry, faites cuire 1 minute, puis retirez la poêle du feu.

4 Versez la préparation aux échalotes dans le récipient, en l'étalant sur la viande, et saupoudrez le sucre.

5 Versez le bouillon de bœuf sur les échalotes et la viande, puis ajoutez la sauce Worcestershire, le raifort, les carottes et la feuille de laurier. Mélangez, salez et poivrez. Couvrez et laissez cuire 1 heure à haute température ou à la position AUTO.

6 Poursuivez la cuisson à basse température ou à la position AUTO 5-6 heures, ou jusqu'à ce que le bœuf et les légumes soient très tendres.

7 Retirez la feuille de laurier et parsemez la ciboulette hachée. Servez le braisé avec des légumes rôtis.

CONSEILS DU CHEF

• N'écrasez pas le goût de la viande avec une poudre de curry fort ; choisissez un curry moyen, car le raifort apporte suffisamment de piquant au plat.
• Pour donner un goût vraiment robuste au braisé, remplacez 175 ml (3/4 tasse) du bouillon par du vin rouge.
• Rôtis, les panais et la courge musquée ont une saveur sucrée qui se marie particulièrement bien au goût piquant du raifort. Les pommes de terre rôties accompagnent très bien le bœuf braisé et sont parfaites pour éponger la délicieuse sauce.

Informations nutritionnelles par portion – calories : 478 ; protéines : 62,5 g ; glucides : 17,7 g dont 9,6 g de sucres ; matières grasses : 18,1 g dont 7,4 g de gras saturés ; cholestérol : 176 mg ; calcium : 65 mg ; fibres : 2,5 g ; sodium : 423 mg.

CHOLENT HONGROIS

Plat traditionnel du sabbat des Juifs ashkénazes, le cholent est un mets longuement mijoté de haricots secs, de céréales, de viande et de légumes. L'ajout d'œufs durs est une caractéristique classique. N'oubliez pas de faire tremper les haricots au moins 8 heures.

POUR 4 PERSONNES

250 g (1 ⅓ tasse) de petits haricots blancs secs
30 ml (2 c. à soupe) d'huile d'olive
1 oignon haché
4 gousses d'ail hachées finement
50 g (2 oz) d'orge perlé
15 ml (1 c. à soupe) de paprika
pincée de poivre de Cayenne
1 branche de céleri hachée
400 g (14 oz) de tomates concassées en conserve
3 carottes tranchées
1 petit navet en dés
2 pommes de terre pelées, en morceaux
675 g (1 ½ lb) de viande mélangée (poitrine de bœuf, bœuf à ragoût et bœuf fumé), en cubes
1 l (4 tasses) de bouillon de bœuf bouillant
30 ml (2 c. à soupe) de riz blanc étuvé
4 œufs durs, à température ambiante
sel et poivre noir moulu

1 Mettez les haricots dans un grand bol. Couvrez largement d'eau froide et laissez tremper au moins 8 heures ou toute la nuit.

2 Égouttez bien les haricots, versez dans une grande casserole, couvrez d'eau froide et portez à ébullition. Faites bouillir environ 10 minutes, en écumant l'eau, puis égouttez bien et réservez.

3 Entre-temps, chauffez l'huile dans une poêle et faites suer l'oignon environ 10 minutes. Transférez dans le récipient de cuisson.

4 Ajoutez l'ail, les haricots secs, l'orge, le paprika, le poivre de Cayenne, le céleri, les tomates, les carottes, le navet, les pommes de terre, le bœuf et le bouillon et mélangez.

5 Couvrez et laissez cuire à basse température 5-6 heures, ou jusqu'à ce que la viande et les légumes soient tendres. Ajoutez le riz, remuez, salez et poivrez.

6 Rincez les œufs sous l'eau tiède, puis déposez-les, un à la fois, dans le bouillon chaud. Couvrez et poursuivez la cuisson 45 minutes, ou jusqu'à ce que le riz soit cuit. Servez chaud, en vous assurant que chaque assiette contient un œuf entier.

Informations nutritionnelles par portion – calories : 860 ; protéines : 58,9 g ; glucides : 74,2 g dont 13,7 g de sucres ; matières grasses : 38,8 g dont 12,7 g de gras saturés ; cholestérol : 341 mg ; calcium : 164 mg ; fibres : 10,9 g ; sodium : 639 mg.

BŒUF ÉPICÉ

Voici une version moderne du classique bœuf épicé irlandais. Dans cette recette, on omet l'étapede saumurage initiale et on fait mariner la viande trois ou quatre jours au lieu de dix. Servez le bœuf sur de minces tranches de pain de blé entier, avec du chutney.

POUR 6 PERSONNES

15 ml (1 c. à soupe) de poivre noir moulu gros
10 ml (2 c. à thé) de gingembre moulu
15 ml (1 c. à soupe) de baies de genièvre écrasées
15 ml (1 c. à soupe) de graines de coriandre écrasées
5 ml (1 c. à thé) de clou de girofle moulu
15 ml (1 c. à soupe) de piment de la Jamaïque moulu
45 ml (3 c. à soupe) de cassonade foncée
2 feuilles de laurier écrasées
1 petit oignon haché finement
1,8 kg (4 lb) de bœuf salé, d'extérieur de ronde ou de croupe
300 ml (1 ¼ tasse) de Guinness
chutney aux fruits et pain de blé entier, pour servir

CONSEILS DU CHEF

• En plat principal, servez le bœuf en tranches fines avec du pain de blé entier maison et un chutney aux fruits, tel que celui aux pommes et aux raisins de Smyrne.

• Le bœuf épicé est excellent en amuse-gueule, tranché finement et servi avec de la crème sure légèrement aromatisée au raifort et au poivre noir.

1 Pour commencer, épicez le bœuf. Mélangez ensemble le poivre, les épices et le sucre, puis incorporez les feuilles de laurier et l'oignon. Pressez la préparation sur la viande, puis mettez dans un contenant hermétique et réfrigérez 3-4 jours, en tournant et en pressant la préparation quotidiennement.

2 Mettez la viande dans le récipient de cuisson et mouillez tout juste à hauteur d'eau froide. Couvrez et faites cuire 3 heures à haute température ou à la position AUTO. Poursuivez la cuisson à basse température ou à la position AUTO 3-4 heures, jusqu'à ce que la viande soit très tendre. Une heure avant la fin de la cuisson, ajoutez la Guinness.

3 Laissez le bœuf cuit refroidir dans le jus de cuisson. Enveloppez de papier d'aluminium et réfrigérez jusqu'à utilisation – il se conservera environ 1 semaine. Servez en fines tranches.

Informations nutritionnelles par portion – calories : 309 ; protéines : 53,6 g ; glucides : 2 g dont 2 g de sucres ; matières grasses : 9,7 g dont 3,6 g de gras saturés ; cholestérol : 137 mg ; calcium : 15 mg ; fibres : 0 g ; sodium : 140 mg.

PORC AIGRE-PIQUANT

Il a toute la saveur d'un sauté sans avoir à être cuit à la dernière minute. En utilisant du filet de porc et en réduisant la température après une heure de cuisson, vous aurez une viande superbement tendre et des légumes croquants.

POUR 4 PERSONNES

15 ml (1 c. à soupe) de champignons chinois séchés
150 ml (⅔ tasse) de bouillon de légumes bouillant
350 g (12 oz) de filet de porc
115 g (4 oz) d'épis de maïs miniatures
1 poivron vert
225 g (8 oz) de morceaux d'ananas en conserve, dans leur jus naturel
20 ml (4 c. à thé) de fécule de maïs
15 ml (1 c. à soupe) d'huile de tournesol
115 g (4 oz) de châtaignes d'eau
1 morceau de 2,5 cm (1 po) de gingembre frais râpé
1 piment rouge, épépiné et haché finement
5 ml (1 c. à thé) de poudre de cinq-épices chinois
15 ml (1 c. à soupe) de vinaigre de xérès
15 ml (1 c. à soupe) de sauce soja foncée
15 ml (1 c. à soupe) de sauce hoisin
riz nature cuit à l'eau ou frit, pour servir

1 Dans un bol résistant à la chaleur, laissez tremper les champignons 15-20 minutes dans le bouillon chaud.

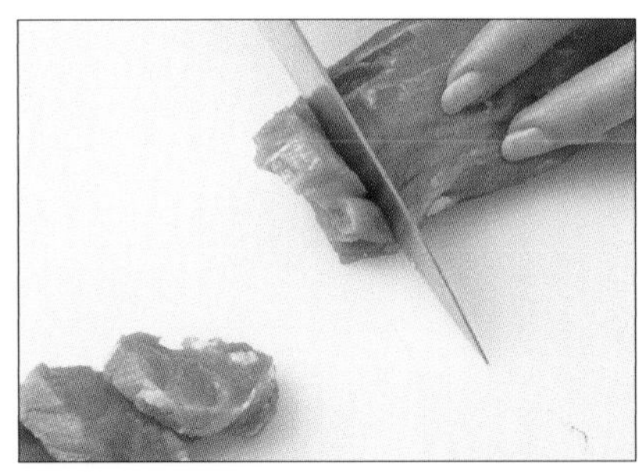

2 Dégraissez le filet de porc et détaillez en tranches de 1 cm (½ po) d'épaisseur. Tranchez les épis de maïs longitudinalement. Coupez en deux, épépinez et tranchez le poivron. Égouttez les morceaux d'ananas et réservez le jus. Égouttez les champignons, en réservant le bouillon, et tranchez les plus gros.

3 Dans un bol, mélangez la fécule avec un peu du jus d'ananas réservé, puis incorporez le reste du jus lentement.

4 Chauffez l'huile dans une poêle antiadhésive. Faites saisir le porc 30 secondes de chaque côté, ou jusqu'à ce qu'il soit légèrement doré. Transférez dans le récipient de cuisson et ajoutez les légumes, l'ananas et les châtaignes d'eau.

5 Dans un bol, mélangez le gingembre, le piment et le cinq-épices avec le vinaigre, la sauce soja, la sauce hoisin et le bouillon réservé. Incorporez la préparation au jus d'ananas, versez le tout dans la poêle et portez à ébullition, en remuant constamment. Dès que la préparation épaissit, versez sur le porc et les légumes.

6 Couvrez et faites cuire à haute température 1 heure, puis à basse température 1-2 heures, ou jusqu'à ce que le porc soit cuit mais que les légumes soient encore croquants. Servez avec du riz.

Informations nutritionnelles par portion – calories : 358 ; protéines : 19,9 g ; glucides : 49,4 g dont 36,3 g de sucres ; matières grasses : 10,3 g dont 2,8 g de gras saturés ; cholestérol : 60,4 mg ; calcium : 43 mg ; fibres : 2,7 g ; sodium : 405 mg.

FÈVES au LARD à la MODE de BOSTON

La mijoteuse électrique a été inventée pour la confection des fèves au lard. La mélasse donne aux fèves une saveur très riche et une couleur foncée, mais elle peut être remplacée par du sirop d'érable.

POUR 8 PERSONNES

450 g (2½ tasses) de petits haricots blancs secs
4 clous de girofle
2 oignons pelés
1 feuille de laurier
90 ml (6 c. à soupe) de ketchup
30 ml (2 c. à soupe) de mélasse
30 ml (2 c. à soupe) de cassonade foncée
15 ml (1 c. à soupe) de moutarde de Dijon
475 ml (2 tasses) de bouillon de légumes sans sel
225 g (8 oz) de lard salé
sel et poivre noir moulu

1 Rincez les haricots secs, puis faites tremper dans un grand saladier d'eau froide au moins 8 heures ou toute la nuit.

2 Égouttez et rincez les haricots. Mettez dans une grande casserole, recouvrez largement d'eau froide et portez à ébullition. Laissez cuire environ 10 minutes, égouttez et versez dans le récipient de cuisson.

3 Piquez chaque oignon de 2 clous de girofle. Enfoncez les oignons et la feuille de laurier sous les haricots.

4 Dans un bol, mélangez ensemble le ketchup, la mélasse, la cassonade, la moutarde et le bouillon, puis versez sur les haricots. Au besoin, ajoutez du bouillon ou de l'eau de façon à recouvrir les haricots presque entièrement. Couvrez et faites cuire 3 heures à basse température.

5 Vers la fin de la cuisson, mettez le lard salé dans une casserole d'eau bouillante et laissez cuire 3 minutes.

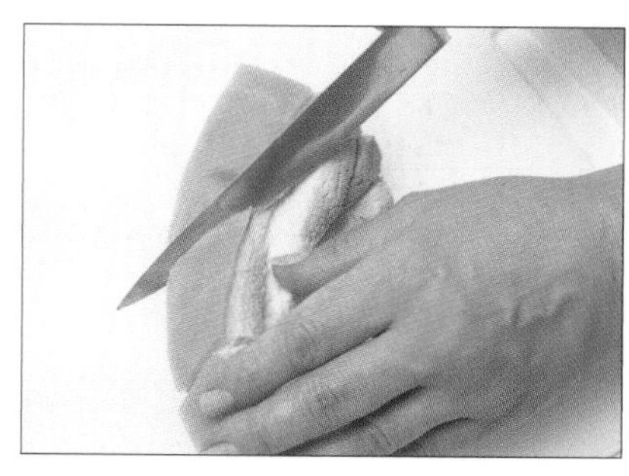

6 Faites des entailles de 1,5 cm (2 po) de profondeur dans la couenne du lard. Dans le récipient de cuisson, placez le lard peau vers le haut, en l'enfonçant juste au-dessous de la surface des haricots. Couvrez et poursuivez la cuisson 5-6 heures, ou jusqu'à ce que les haricots soient tendres.

7 Retirez le lard et laissez refroidir suffisamment pour pouvoir le manipuler. Ôtez la couenne et le gras, puis tranchez la viande finement.

8 Écumez la graisse sur les haricots, incorporez les morceaux de viande, salez et poivrez au goût. Servez chaud.

CONSEILS DU CHEF

- Avant de saler, goûtez aux haricots car le lard aura rejeté beaucoup de sel dans le liquide de cuisson.
- Pour faire une version végétarienne, omettez simplement le lard salé. Le plat sera tout aussi délicieux.

Informations nutritionnelles par portion – calories : 228 ; protéines : 13,4 g ; glucides : 43,9 g dont 19,4 g de sucres ; matières grasses : 1 g dont 0,1 g de gras saturés ; cholestérol : 0 mg ; calcium : 140 mg ; fibres : 9,5 g ; sodium : 334 mg.

RAGOÛT de SAUCISSES ITALIENNES

Des herbes fraîches et du vin blanc italien parfument agréablement ce plat consistant, composé de saucisses épicées et de haricots blancs. Servez-le avec du pain italien pour saucer. Prévoyez du temps pour le trempage des haricots secs.

POUR 4 PERSONNES

225 g (1 ¼ tasse) de petits haricots blancs secs
2 brins de thym frais
30 ml (2 c. à thé) d'huile d'olive
450 g (1 lb) de saucisses de porc italiennes fraîches
1 oignon haché finement
2 branches de céleri hachées finement
300 ml (1 ¼ tasse) de vin rouge ou blanc sec, de préférence italien
1 brin de romarin frais
1 feuille de laurier
300 ml (1 ¼ tasse) de bouillon de légumes bouillant
200 g (7 oz) de tomates concassées en conserve
¼ chou vert, comme du chou noir toscan ou du chou de Savoie, ciselé finement
sel et poivre noir moulu
thym frais haché, pour garnir
pain italien croustillant, pour servir

1 Faites tremper les haricots secs dans un grand saladier d'eau froide au moins 8 heures ou toute la nuit.

2 Égouttez les haricots, mettez-les dans une casserole avec les brins de thym frais et recouvrez d'au moins deux fois leur volume d'eau. Portez à ébullition et laissez bouillir 10 minutes. Égouttez, jetez le thym et versez les haricots dans le récipient de cuisson.

3 Entre-temps, chauffez l'huile dans une casserole et faites dorer les saucisses de tous côtés. Transférez dans le récipient de cuisson. Conservez 15 ml (1 c. à soupe) de graisse dans la casserole et jetez le reste.

4 Dans la casserole, faites cuire doucement l'oignon et le céleri 5 minutes, jusqu'à ce qu'ils soient ramollis sans être colorés. Ajoutez le vin, le romarin et la feuille de laurier, puis portez à ébullition. Versez sur les saucisses, incorporez le bouillon, salez et poivrez. Couvrez et faites cuire à haute température 5-6 heures, jusqu'à ce que les haricots soient tendres.

5 Incorporez les tomates concassées et le chou émincé. Couvrez et laissez cuire 30-45 minutes, ou jusqu'à ce que le chou soit tendre sans être trop cuit. Répartissez le ragoût sur des assiettes chaudes, garnissez d'un peu de thym frais et servez avec du pain italien croustillant.

CONSEIL DU CHEF
Les tomates sont ajoutées vers la fin de la cuisson pour éviter que leur acidité ne nuise à la tendreté des haricots secs.

Informations nutritionnelles par portion – calories : 620 ; protéines : 28,4 g ; glucides : 47,4 g dont 9,9 g de sucres ; matières grasses : 30,9 g dont 10,8 g de gras saturés ; cholestérol : 67,5 mg ; calcium : 205 mg ; fibres : 7,6 g ; sodium : 1 139 mg.

RAGOÛT de PORC aux POMMES de TERRE

La cuisson prolongée à basse température rend les côtelettes de porc fondantes et permettent aux pommes de terre d'absorber les sucs délicieux de la viande. Parfait pour un repas en famille ou entre amis, ce plat se sert simplement avec des légumes verts.

POUR 4 PERSONNES

25 g (2 c. à soupe) de beurre
15 ml (1 c. à soupe) d'huile
1 gros oignon tranché finement
1 gousse d'ail écrasée
225 g (8 oz) de champignons de Paris tranchés
1,5 ml (¼ c. à thé) d'herbes séchées mélangées
900 g (2 lb) de pommes de terre tranchées finement
4 côtelettes de porc épaisses
750 ml (3 tasses) de bouillon de légumes ou de poulet bouillant
sel et poivre noir moulu

1 En utilisant 15 g (1 c. à soupe) du beurre, graissez le fond et la moitié inférieure du récipient de cuisson.

2 Chauffez l'huile dans une poêle et faites cuire doucement l'oignon environ 5 minutes jusqu'à ce qu'il soit translucide.

3 Ajoutez l'ail et les champignons et faites suer 5 minutes. Retirez la poêle du feu et incorporez les herbes mélangées.

4 Étalez la moitié de la préparation aux champignons au fond du récipient de cuisson, disposez la moitié des tranches de pommes de terre, salez et poivrez.

5 Dégraissez les côtelettes, puis placez-les côte à côte sur les pommes de terre. Versez environ la moitié du bouillon pour empêcher les pommes de terre de noircir.

6 Étalez l'autre moitié de préparation aux champignons et disposez le reste de pommes de terre, en faisant chevaucher les tranches. Mouillez à hauteur du reste de bouillon (ajustez la quantité en fonction). Parsemez le reste de beurre sur les pommes de terre.

7 Couvrez et laissez cuire à haute température 4-5 heures, ou jusqu'à ce que les pommes de terre et la viande se transpercent facilement avec une fine brochette. Si vous désirez, faites dorer le ragoût 5-10 minutes sous le gril à feu moyen.

Informations nutritionnelles par portion – calories : 511 ; protéines : 17,9 g ; glucides : 41,5 g dont 6,5 g de sucres ; matières grasses : 31,5 g dont 12,1 g de gras saturés ; cholestérol : 67 mg ; calcium : 40 mg ; fibres : 3,7 g ; sodium : 529 mg.

CASSEROLE de SAUCISSES et de POMMES de TERRE

En Irlande, le plat traditionnel Irish coddle est servi sous de nombreuses formes. Toutefois, les ingrédients de base sont toujours les mêmes : pommes de terre, saucisses et bacon.

POUR 4 PERSONNES

15 ml (1 c. à soupe) d'huile végétale
8 grosses saucisses de porc
4 tranches de bacon, en morceaux de 2,5 cm (1 po)
1 gros oignon haché
2 gousses d'ail écrasées
4 grosses pommes de terre pelées et tranchées finement
1,5 ml (¼ c. à thé) de sauge fraîche
300 ml (1 ¼ tasse) de bouillon de légumes
sel et poivre noir moulu

CONSEILS DU CHEF

- Pour donner une authentique saveur irlandaise, servez cette casserole avec du chou vert braisé.
- La qualité de ce plat repose sur celle des saucisses. Essayez de trouver des saucisses de fabrication artisanale irlandaise.

1 Chauffez l'huile dans une poêle. Faites frire doucement les saucisses environ 5 minu-tes, en les tournant fréquemment, jusqu'à ce qu'elles soient dorées sans être cuites. Retirez-les et réservez-les. Conservez 10 ml (2 c. à thé) de graisse dans la poêle et jetez le reste.

2 Dans la poêle, faites revenir le bacon 2 minutes. Ajoutez l'oignon et faites frire environ 8 minutes jusqu'à ce qu'il soit doré. Ajoutez l'ail et continuez à frire 1 minute, puis fermez le feu.

3 Disposez la moitié des tranches de pommes de terre au fond du récipient de cuisson. Étalez la préparation au bacon et à l'oignon sur les tranches. Salez et poivrez bien, puis parsemez de sauge fraîche. Recouvrez du reste de pommes de terre.

4 Versez le bouillon et déposez les saucisses. Couvrez et laissez cuire à haute température 3-4 heures, ou jusqu'à ce que les pommes de terre soient tendres et les saucisses, bien cuites. Servez chaud.

Informations nutritionnelles par portion – calories : 717 ; protéines : 20,5 g ; glucides : 49,9 g dont 6,1 g de sucres ; matières grasses : 49,8 g dont 18,1 g de gras saturés ; cholestérol : 78,1 mg ; calcium : 73 mg ; fibres : 4 g ; sodium : 1 322 mg.

FILETS de PORC FARCIS AUX PRUNEAUX

Le goût sucré et la texture riche des fruits secs, tels que les pruneaux, se marient particulièrement bien au porc. Pour varier, utilisez des abricots ou des figues.

POUR 4 PERSONNES

15 g (1 c. à soupe) de beurre
1 échalote hachée très finement
1 branche de céleri hachée finement
zeste râpé finement de ½ orange
115 g (½ tasse/environ 12) de pruneaux dénoyautés et hachés
25 g (½ tasse) de chapelure fraîche
30 ml (2 c. à soupe) de persil frais haché
pincée de noix de muscade râpée
2 filets de porc de 225 g (8 oz) chacun, parés
6 tranches de jambon de Parme ou de prosciutto
15 ml (1 c. à soupe) d'huile d'olive
150 ml (⅔ tasse) de vin blanc sec
sel et poivre noir moulu
purée de légumes racines et pak-choï, pour servir

1 Faites fondre le beurre dans une poêle et faites suer l'échalote et le céleri. Versez dans un bol et incorporez le zeste d'orange, les pruneaux, la chapelure, le persil et la noix de muscade. Assaisonnez et laissez refroidir.

2 Fendez les filets dans le sens de la longueur, en coupant jusqu'aux trois quarts dans l'épaisseur.

3 Ouvrez les filets, étalez sur une planche et recouvrez d'un morceau de pellicule plastique huilé. Battez doucement avec un rouleau à pâtisserie jusqu'à une épaisseur d'environ 5 mm (¼ po).

4 Disposez 3 tranches de jambon sur une planche et placez un filet dessus. Faites de même pour l'autre filet.

5 Déposez la moitié de la préparation aux pruneaux sur un filet, puis repliez pour enfermer la farce.

6 Enroulez le jambon autour du filet farci et retenez avec un ou deux cure-dents. Répétez l'opération avec l'autre filet.

7 Chauffez l'huile dans la poêle propre et faites dorer rapidement les roulades, en prenant garde de ne pas déplacer les cure-dents. Transférez dans le récipient de cuisson.

8 Mettez le vin blanc dans la poêle, portez à frémissement, puis versez sur le porc.

9 Couvrez et faites cuire à haute température 1 heure, puis à basse température 2-3 heures, ou jusqu'à ce que le porc soit bien cuit et tendre.

10 Retirez les cure-dents et découpez les roulades en tranches. Disposez sur des assiettes chaudes et nappez d'un peu de jus de cuisson. Servez avec une purée de légumes racines et des feuilles de pak-choï.

Informations nutritionnelles par portion – calories : 245 ; protéines : 17,3 g ; glucides : 14,6 g dont 11,3 g de sucres ; matières grasses : 10,8 g dont 4 g de gras saturés ; cholestérol : 59 mg ; calcium : 34 mg ; fibres : 2 g ; sodium : 378 mg.

CASSEROLE de PORC ÉPICÉ aux FRUITS SECS

Inspirée par la mole sud-américaine, une pâte de piment, d'échalotes et de noix, la sauce de cette casserole est épaissie et parfumée par un mélange d'ingrédients qui font ressortir toute la saveur des oignons, de la viande et des fruits secs sucrés. Une partie de la mole est ajoutée en fin de cuisson pour conserver son goût frais. Servez la casserole avec du riz et une salade verte.

POUR 6 PERSONNES

25 ml (1½ c. à soupe) de farine tout usage
1 kg (2¼ lb) de viande de porc (épaule ou cuisse) en cubes de 4 cm (1½ po)
30 ml (2 c. à soupe) d'huile d'olive
450 ml (2 tasses) de vin blanc fruité
150 ml (⅔ tasse) de bouillon de légumes ou d'eau
115 g (1½ tasse) de pruneaux
115 g (1½ tasse) d'abricots secs
zeste râpé et jus de 1 petite orange
pincée de sucre muscovado
30 ml (2 c. à soupe) de persil frais haché
1 piment frais, vert ou rouge, épépiné et haché finement
sel et poivre noir moulu
riz nature, pour servir

Pour la mole
3 piments ancho et 2 piments pasilla (ou autres grands piments rouges séchés moyennement piquants)
30 ml (2 c. à soupe) d'huile d'olive
2 gros oignons hachés finement
3 gousses d'ail hachées
1 piment vert frais, épépiné et haché
10 ml (2 c. à thé) de coriandre moulue
5 ml (1 c. à thé) de paprika doux espagnol ou de pimenton
50 g (½ tasse) d'amandes mondées grillées
15 ml (1 c. à soupe) d'origan frais haché ou 2,5 ml (½ c. à thé) d'origan séché

1 Préparez la mole. Dans une poêle à sec, faites griller les piments séchés à feu doux 1-2 minutes, en remuant jusqu'à ce qu'ils exhalent leur parfum. Retirez les piments, mettez dans un petit bol et recouvrez d'eau tiède. Laissez tremper environ 30 minutes.

2 Égouttez les piments, en réservant le liquide de trempage, équeutez et épépinez.

3 Chauffez l'huile dans une poêle et faites suer les oignons environ 10 minutes. Retirez deux tiers des oignons et réservez. Ajoutez l'ail, le piment vert frais et la coriandre moulue et continuez à cuire 5 minutes.

4 Transférez la préparation aux oignons dans un robot culinaire et ajoutez les piments égouttés, le paprika ou le pimenton, les amandes et l'origan. Réduisez en pâte malléable, en ajoutant 45-60 ml (3-4 c. à soupe) du liquide de trempage des piments.

5 Mettez la farine dans un plat peu profond, salez et poivrez. Ajoutez le porc et remuez pour bien enrober.

6 Essuyez la poêle avec du papier essuie-tout, puis chauffez l'huile d'olive. Faites frire les cubes de porc (une moitié à la fois) 5-6 minutes à feu vif, en remuant fréquemment, jusqu'à ce qu'ils soient saisis de tous côtés. Avec une écumoire, transférez dans le récipient de cuisson et chauffez à haute température.

7 Dans la poêle, mettez les oignons réservés, le vin et le bouillon ou l'eau et laissez mijoter 1 minute. Incorporez la moitié de la mole, portez à ébullition et laissez bouillonner quelques secondes avant de verser sur le porc. Remuez, couvrez et faites cuire 2 heures.

8 Incorporez les fruits, le jus d'orange et le sucre. Poursuivez la cuisson à basse température 2-3 heures, ou jusqu'à ce que le porc soit très tendre.

9 Incorporez le reste de mole et laissez cuire 30 minutes. Servez le ragoût parsemé de zeste d'orange, de persil et de piment frais.

Informations nutritionnelles par portion – calories : 477 ; protéines : 40,7 g ; glucides : 25,6 g dont 21 g de sucres ; matières grasses : 19,1 g dont 3,8 g de gras saturés ; cholestérol : 105 mg ; calcium : 86 mg ; fibres : 4,1 g ; sodium : 149 mg.

JAMBON GLACÉ au CIDRE

Pièce de résistance classique d'un buffet, le jambon glacé est idéal pour les repas du temps des Fêtes ou de l'Action de grâces. Une sauce aux canneberges fraîches met en valeur la richesse de la viande. Préparez-la la veille si le jambon doit être servi chaud. Le trempage toute une nuit du jambon fumé aide à enlever l'excédent de sel.

POUR 8 PERSONNES

1 jambon de 2 kg (4½ lb), trempé toute la nuit s'il est fumé
2 petits oignons
environ 30 clous de girofles
3 feuilles de laurier
10 grains de poivre noir
150 ml (⅔ tasse) de cidre demi-sec
45 ml (3 c. à soupe) de cassonade dorée

Pour la sauce aux canneberges
350 g (3 tasses) de canneberges
175 g (1 petite tasse) de sucre semoule
zeste râpé et jus de 2 clémentines
30 ml (2 c. à soupe) de porto

1 Égouttez le jambon s'il a été trempé et placez-le dans le récipient de cuisson. Piquez chaque oignon de 3 clous de girofle et ajoutez au jambon, avec les feuilles de laurier et les grains de poivre.

2 Mouillez à hauteur d'eau froide, couvrez et faites cuire 1 heure à haute température. Écumez, couvrez et poursuivez la cuisson 4-5 heures. Vérifiez l'eau une fois durant la cuisson et écumez au besoin.

CONSEIL DU CHEF
Durant la cuisson, le jambon devrait rester à peine couvert d'eau. Il devrait y avoir peu d'évaporation, mais s'il le faut, rajoutez de l'eau bouillante.

3 Retirez le jambon à l'aide de grandes fourchettes ou d'écumoires et placez-le dans un plat allant au four. Laissez refroidir environ 15 minutes pour pouvoir le manipuler.

4 Entre-temps, préparez la glace. Versez le cidre dans une petite casserole, ajoutez la cassonade et chauffez doucement, en remuant jusqu'à dissolution. Laissez mijoter 5 minutes pour obtenir une glace collante. Retirez du feu et laissez refroidir quelques minutes pour permettre à la glace d'épaissir légèrement.

5 Préchauffez le four à 220 °C (425 °F/ gaz 7). Retirez la ficelle du jambon, puis coupez la couenne avec précaution, en conservant une mince couche égale de gras sur la viande.

6 Avec un couteau tranchant, entaillez le gras en losanges. Piquez un clou de girofle au centre de chaque losange, puis enduisez le jambon de glace. Faites cuire au four environ 25 minutes, ou jusqu'à ce que le gras soit doré, brillant et croustillant. Retirez du four et mettez de côté jusqu'au moment de servir.

7 En attendant, faites la sauce aux canneberges. Lavez le récipient de cuisson, puis ajoutez tous les ingrédients de la sauce. Faites cuire à haute température 20 minutes à découvert, en remuant constamment jusqu'à dissolution du sucre.

8 Couvrez la mijoteuse et laissez cuire à haute température 1½-2 heures, ou jusqu'à ce que les canneberges soient tendres. Transférez la sauce dans un pot ou un bol, ou gardez au chaud dans la mijoteuse jusqu'au moment de servir le jambon. (La sauce peut être servie chaude ou froide.)

CONSEILS DU CHEF
• Si vous servez le jambon chaud, couvrez de papier d'aluminium et laissez reposer 15 minutes avant de découper.
• Si vous le préférez, servez le jambon avec une sauce ou une gelée de groseilles. Pour la glace, vous pouvez remplacer la cassonade par du miel.

Informations nutritionnelles par portion – calories : 404 ; protéines : 44,1 g ; glucides : 15,2 g dont 14,8 g de sucres ; matières grasses : 18,8 g dont 6,3 g de gras saturés ; cholestérol : 57 mg ; calcium : 25 mg ; fibres : 1 g ; sodium : 220 mg.

RAGOÛT de VEAU aux TOMATES

Ce plat classique français est traditionnellement composé de veau maigre, à la saveur douce. Pour un plat plus économique mais tout aussi excellent, utilisez du filet de porc.

POUR 4 PERSONNES

30 ml (2 c. à soupe) de farine tout usage
675 g (1 ½ lb) d'épaule de veau désossée, parée et coupée en cubes
30 ml (2 c. à soupe) d'huile de tournesol
4 échalotes hachées très finement
300 ml (1 ¼ tasse) de bouillon de légumes ou de poulet bouillant
150 ml (⅔ tasse) de vin blanc sec
15 ml (1 c. à soupe) de pâte de tomate
225 g (8 oz) de tomates pelées, épépinées et hachées
115 g (4 oz) de champignons coupés en quatre
zeste râpé et jus de 1 petite orange non cirée
bouquet garni
sel et poivre noir moulu
30 ml (2 c. à soupe) de persil frais haché, pour garnir

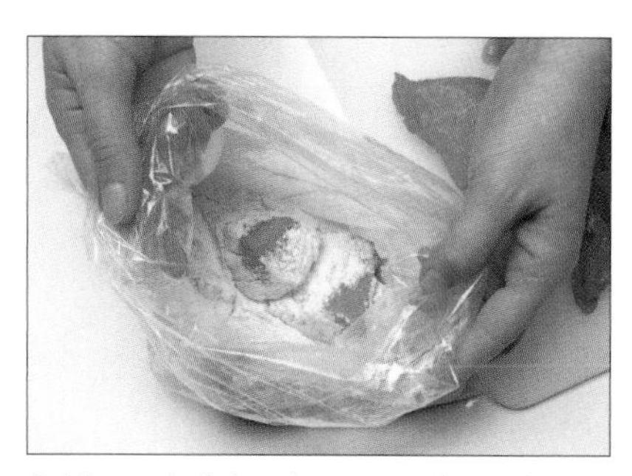

1 Mettez la farine dans un petit sac de plastique et assaisonnez de sel et de poi-vre. Déposez les cubes de viande, quelques-uns à la fois, et secouez pour les enrober de farine.

2 Chauffez la moitié de l'huile dans une casserole et faites cuire doucement les échalotes 5 minutes. Transférez dans le récipient de cuisson et chauffez à haute température ou à la position AUTO.

3 Ajoutez le reste d'huile dans la casserole et faites frire les cubes de viande, une petite quantité à la fois, jusqu'à ce qu'ils soient dorés de tous côtés. Transférez dans le récipient de cuisson.

4 Versez le vin blanc dans la casserole. Incorporez la purée de tomate et portez à ébullition en remuant. Versez la sauce sur la viande. Ajoutez les tomates, les champignons, le zeste et le jus d'orange, ainsi que le bouquet garni, et remuez brièvement pour mélanger les ingrédients. Couvrez et laissez cuire environ 1 heure.

5 Poursuivez la cuisson à basse température ou à la position AUTO 3-4 heures, ou jusqu'à ce que la viande et les champignons soient très tendres. Retirez le bouquet garni et rectifiez l'assaisonnement au besoin. Garnissez de persil frais et servez.

Informations nutritionnelles par portion – calories : 323 ; protéines : 38,2 g ; glucides : 13,8 g dont 5,4 g de sucres ; matières grasses : 10,6 g dont 2,3 g de gras saturés ; cholestérol : 141 mg ; calcium : 47 mg ; fibres : 1,7 g ; sodium : 314 mg.

BOULETTES de VIANDE GRECQUES à la SAUCE TOMATE

Il existe de nombreuses versions de ces boulettes en forme de petites saucisses appelées yiouvarlakias ou soudzoukakias. Elles sont excellentes avec de l'agneau ou du bœuf.

POUR 4 PERSONNES

50 g (1 tasse) de chapelure fraîche
1 œuf battu légèrement
zeste finement râpé de ½ petite orange
2,5 ml (½ c. à thé) d'origan séché
450 g (1 lb) de viande d'agneau hachée
1 petit oignon pelé et râpé
2 gousses d'ail écrasées
15 ml (1 c. à soupe) de farine tout usage
30 ml (2 c. à soupe) d'huile d'olive
sel et poivre noir du moulin
feuilles de persil plat, pour garnir

Pour la sauce
1 oignon haché très finement
400 g (14 oz) de tomates concassées en conserve
150 ml (⅔ tasse) de bouillon d'agneau ou de bœuf bouillant
1 feuille de laurier

1 Dans un bol, mélangez ensemble la chapelure, l'œuf battu, le zeste d'orange et l'origan. Ajoutez l'agneau, l'oignon et l'ail, salez et poivrez. Mélangez bien jusqu'à homogénéité.

2 Humectez vos mains pour empêcher la préparation de s'y coller, façonnez des petites saucisses d'environ 5 cm (2 po) de longueur et enrobez-les de farine. Réfrigérez 30 minutes pour raffermir.

CONSEIL DU CHEF
Servez les boulettes avec une salade rafraîchissante et beaucoup de pain de campagne croustillant pour saucer. Sinon, servez avec des pains pitas que vos convives pourront garnir à leur goût de boulettes et de salade fraîche.

3 Dans une grande poêle, chauffez l'huile et faites cuire les boulettes, en plusieurs fois si nécessaire, pendant 5-8 minutes jusqu'à ce qu'elles soient dorées également. Transférez sur une assiette, en laissant la graisse et les sucs dans la poêle, et réservez.

4 Pour faire la sauce, faites cuire l'oignon dans la poêle 3-4 minutes jusqu'à ce qu'il commence à ramollir. Incorporez les tomates concassées, portez à ébullition et laissez cuire doucement 1 minute.

5 Versez la sauce dans le récipient de cuisson et incorporez le bouillon. Ajoutez la feuille de laurier, salez et poivrez.

6 Disposez les boulettes en une seule couche sur la sauce. Couvrez et laissez cuire à haute température ou à la position AUTO 1 heure, puis à basse température ou à la position AUTO 4-5 heures. Servez les boulettes garnies de feuilles de persil frais.

Informations nutritionnelles par portion – calories : 363 ; protéines : 26,1 g ; glucides : 15 g dont 5,3 g de sucres ; matières grasses : 22,5 g dont 8,3 g de gras saturés ; cholestérol : 141 mg ; calcium : 68 mg ; fibres : 1,5 g ; sodium : 239 mg.

RAGOÛT du LANCASHIRE

Dans ce ragoût anglais, le fameux Lancashire hot-pot, l'agneau et les légumes ne sont pas rissolés. Leur saveur se développe au cours d'une cuisson prolongée à basse température.

POUR 4 PERSONNES

- 8 côtelettes découvertes d'agneau, totalisant environ 900 g (2 lb)
- 900 g (2 lb) de pommes de terre tranchées finement
- 2 oignons pelés et tranchés
- 2 carottes pelées et tranchées
- 1 branche de céleri parée et tranchée
- 1 poireau paré et tranché
- 225 g (8 oz) de champignons de Paris tranchés
- 5 ml (1 c. à thé) d'herbes séchées mélangées
- petit brin de romarin
- 475 ml (2 tasses) de bouillon d'agneau ou de bœuf
- 15 g (1 c. à soupe) de beurre fondu
- sel et poivre noir moulu

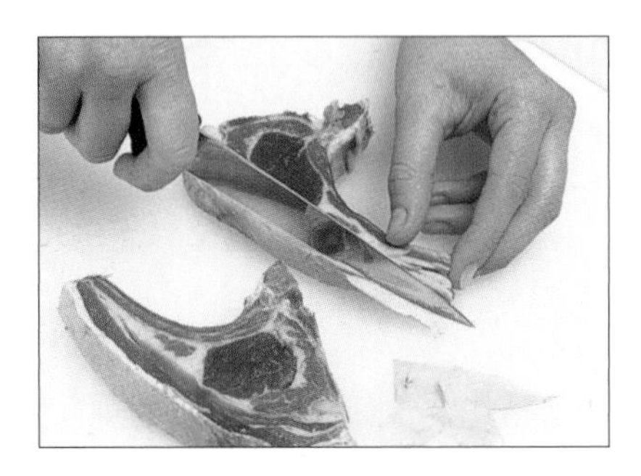

1 Enlevez l'excédent de gras des côtelettes. Tapissez le fond du récipient de cuisson de tranches de pommes de terre, garnissez de quelques légumes tranchés et d'un peu d'herbes séchées, salez et poivrez. Déposez quatre côtelettes.

2 Répétez les couches de pommes de terre, de légumes, d'herbes séchées et de viande. Insérez le brin de romarin sur le côté du récipient. Continuez jusqu'à épuisement des légumes, en terminant par une couche de pommes de terre.

3 Versez le bouillon de viande, couvrez et faites cuire 1 heure à haute température ou à la position AUTO. Poursuivez la cuisson à basse température ou à la position AUTO 6-8 heures jusqu'à tendreté.

4 Badigeonnez les tranches de pommes de terre de beurre fondu. Passez sous le gril préchauffé 5 minutes, ou jusqu'à ce que les pommes de terre soient légèrement dorées. Servez immédiatement.

Informations nutritionnelles par portion – calories : 850 ; protéines : 44,7 g ; glucides : 45,3 g dont 10,1 g de sucres ; matières grasses : 55,8 g dont 26,5 g de gras saturés ; cholestérol : 186 mg ; calcium : 72 mg ; fibres : 4,3 g ; sodium : 274 mg.

PÂTÉ D'AGNEAU GARNI de PURÉE à la MOUTARDE

Voici une version moderne du pâté traditionnel des bergers, agrémenté d'une garniture de purée de pommes de terre aromatisée à la moutarde poivrée. Servez avec des légumes.

POUR 4 PERSONNES

450 g (1 lb) de viande d'agneau maigre hachée
1 oignon haché très finement
2 branches de céleri tranchées finement
2 carottes coupées en petits dés
15 ml (1 c. à soupe) de fécule de maïs dissoute dans 150 ml (⅔ tasse) de bouillon d'agneau
15 ml (1 c. à soupe) de sauce Worcestershire
30 ml (2 c. à soupe) de romarin frais haché ou 10 ml (2 c. à thé) de romarin séché
800 g (1¾ lb) de pommes de terre farineuses coupées en dés
60 ml (4 c. à soupe) de lait
15 ml (1 c. à soupe) de moutarde entière
25 g (2 c. à soupe) de beurre
sel et poivre noir moulu

1 Chauffez une poêle anti-adhésive et faites revenir l'agneau, en l'émiettant avec une cuillère de bois, jusqu'à ce qu'il soit légèrement doré. Ajoutez l'oignon, le céleri et les carottes et faites cuire 2-3 minutes, en remuant fréquemment.

2 Versez la préparation de bouillon et de fécule. Portez à ébullition en remuant constamment, puis retirez du feu. Incorporez la sauce Worcestershire et le romarin, salez et poivrez bien.

3 Transférez la préparation dans le récipient de cuisson, couvrez et faites cuire 3 heures à haute température.

4 Vers la fin du temps de cuisson, faites cuire les pommes de terre jusqu'à tendreté dans une grande casserole d'eau bouillante salée. Égouttez bien, réduisez en purée, puis incorporez le lait, la moutarde et le beurre. Assaisonnez au goût.

5 Déposez la purée sur la préparation à l'agneau, en l'étalant également. Poursuivez la cuisson 45 minutes. Si vous le désirez, faites dorer sous le gril préchauffé quelques minutes.

Informations nutritionnelles par portion – calories : 458 ; protéines : 26,5 g ; glucides : 42,2 g dont 8,1 g de sucres ; matières grasses : 21,5 g dont 10,6 g de gras saturés ; cholestérol : 101 mg ; calcium : 84 mg ; fibres : 3,5 g ; sodium : 264 mg.

MOUSSAKA

Accompagné de salade verte croquante, ce plat classique grec garni d'une sauce légère au fromage est délicieux en été comme en hiver. Choisissez des petites aubergines à la peau ferme et brillante ; ce sont celles qui ont le meilleur goût. Le fromage kefalotyri donne une touche authentique, mais à défaut, utilisez du cheddar.

POUR 6 PERSONNES

900 g (2 lb) de petites aubergines tranchées finement
60 ml (4 c. à soupe) d'huile d'olive
1 oignon haché finement
2 gousses d'ail écrasées
450 g (1 lb) de viande d'agneau maigre hachée
400 g (14 oz) de tomates concassées en conserve
5 ml (1 c. à thé) d'origan séché
pincée de cannelle moulue
sel et poivre noir moulu

Pour la garniture
50 g (1/4 tasse) de beurre
600 ml (2½ tasses) de lait
pincée de noix de muscade fraîchement râpée
75 g (3/4 tasse) de kefalotyri ou de cheddar fort râpé
1 jaune d'œuf
30 ml (2 c. à soupe) de chapelure fraîche

1 Disposez les tranches d'aubergines dans une passoire, en saupoudrant de sel entre les couches. Placez la passoire sur un bol et laissez égoutter 20 minutes. Rincez bien sous l'eau froide et séchez avec du papier essuie-tout.

VARIANTE
Si vous le préférez, remplacez les aubergines par des courgettes. Inutile de les faire dégorger. Tranchez-les, badigeonnez-les d'huile d'olive et grillez-les.

2 Badigeonnez légèrement les tranches d'aubergines avec environ la moitié de l'huile. Disposez en une seule couche sur une plaque à pâtisserie. Passez sous le gril à feu moyen, en tournant une fois, jusqu'à ce que les tranches soient ramollies et dorées des deux côtés.

3 Placez la moitié des tranches d'aubergines au fond du récipient de cuisson et chauffez à haute température. Réservez les tranches restantes.

4 Dans une casserole à fond épais, chauffez le reste de l'huile d'olive et faites suer l'oignon environ 10 minutes. Ajoutez l'ail et l'agneau et faites cuire jusqu'à ce que la viande soit dorée également, en l'émiettant avec une cuillère de bois.

5 Incorporez les tomates, l'origan et la cannelle, salez et poivrez bien, puis portez lentement à ébullition à feu doux.

6 Dans le récipient de cuisson, recouvrez les tranches d'aubergines de préparation à la viande. Disposez les tranches d'aubergines restantes sur le dessus, couvrez et faites cuire 2 heures.

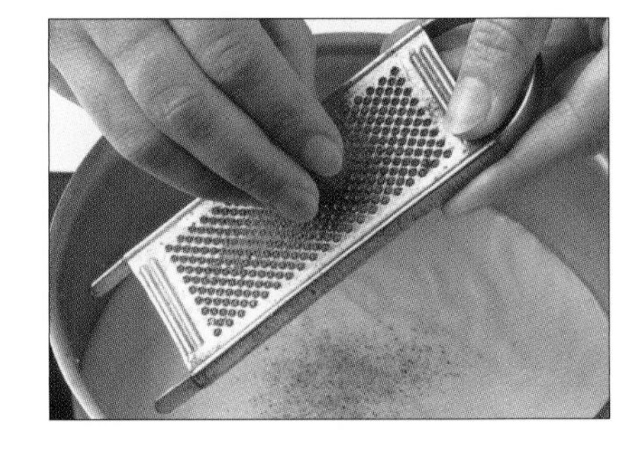

7 Entre-temps, préparez la garniture au fromage. Faites fondre le beurre dans une casserole, saupoudrez la farine et faites cuire 1 minute. Incorporez peu à peu le lait et portez à ébullition à feu doux, en remuant constamment. Laissez cuire jusqu'à consistance épaisse et crémeuse. Baissez le feu et laissez mijoter 1 minute. Retirez du feu, assaisonnez, puis incorporez la noix de muscade et les deux tiers du fromage.

8 Laissez la sauce refroidir 5 minutes, puis incorporez l'œuf en battant. Versez la sauce sur les aubergines. Couvrez et pour-suivez la cuisson 2 heures, ou jusqu'à ce que la garniture soit légèrement prise.

9 Saupoudrez le reste de fromage et la chapelure et passez sous le gril 3-4 minutes, ou jusqu'à ce que la garniture soit bien dorée. Laissez reposer 5-10 minutes avant de servir.

Informations nutritionnelles par portion – calories : 444 ; protéines : 24,1 g ; glucides : 1,5 g dont 11,2 g de sucres ; matières grasses : 31 g dont 14 g de gras saturés ; cholestérol : 93,5 mg ; calcium : 268 mg ; fibres : 4,1 g ; sodium : 266 mg.

AGNEAU au MIEL et aux PRUNEAUX

Les Juifs du Maroc consomment ce plat classique au Rosh Hashanah – le nouvel an juif – lorsque des mets sucrés sont servis en présage d'une nouvelle année pleine de douceur.

POUR 6 PERSONNES

130 g (½ bonne tasse) de pruneaux dénoyautés
350 ml (1½ tasse) de thé chaud
1 kg (2¼ lb) d'agneau à ragoût ou à braiser, comme de l'épaule
30 ml (2 c. à soupe) d'huile d'olive
1 oignon haché
2,5 ml (½ c. à thé) de gingembre moulu
2,5 ml (½ c. à thé) de poudre de curry
pincée de noix de muscade fraîchement râpée
10 ml (2 c. à thé) de cannelle moulue
1,5 ml (¼ c. à thé) de filaments de safran
30 ml (2 c. à soupe) d'eau chaude
75 ml (5 c. à soupe) de miel liquide
200 ml (1 petite tasse) de bouillon d'agneau ou de bœuf frémissant
sel et poivre noir moulu
115 g (1 tasse) d'amandes mondées grillées
30 ml (2 c. à soupe) de coriandre fraîche hachée et 3 œufs durs coupés en quartiers, pour garnir

1 Dans un bol résistant à la chaleur, faites tremper les pruneaux dans le thé chaud. Entre-temps, parez l'agneau et détaillez en morceaux d'au plus 2,5 cm (1 po). Dans une poêle, chauffez l'huile et faites sauter 5 minutes les morceaux, une petite quantité à la fois, en remuant fréquemment jusqu'à ce qu'ils soient bien dorés. Retirez avec une écumoire et transférez dans le récipient de cuisson.

2 Ajoutez l'oignon dans la poêle et faites cuire 5 minutes jusqu'à ce qu'il commence à ramollir. Incorporez le gingembre, le curry, la noix de muscade, la cannelle, le sel et une grosse pincée de poivre noir. Faites cuire 1 minute, puis versez l'oignon et les sucs dans le récipient de cuisson.

3 Égouttez les pruneaux et versez le liquide de trempage sur l'agneau. Couvrez le bol de pruneaux.

4 Faites tremper le safran dans l'eau chaude 1 minute, puis mettez-le dans le récipient de cuisson, avec le miel et le bouillon. Couvrez et faites cuire à haute température ou à la position AUTO 1 heure, puis à basse température ou à la position AUTO 5-7 heures, ou jusqu'à ce que l'agneau soit très tendre.

5 Ajoutez les pruneaux, mélangez et faites cuire 30 minutes, ou jusqu'à ce qu'ils soient chauds. Parsemez d'amandes grillées et de coriandre hachée, garnissez de quartiers d'œufs durs et servez.

Informations nutritionnelles par portion – calories : 490 ; protéines : 43,6 g ; glucides : 23,8 g dont 23,4 g de sucres ; matières grasses : 25,2 g dont 10,3 g de gras saturés ; cholestérol : 279 mg ; calcium : 41 mg ; fibres : 1,4 g ; sodium : 197 mg.

AGNEAU SAUCE à L'ANETH

Dans cette recette, l'agneau est cuit avec les légumes pour donner un bouillon clair, bien aromatisé, qui est ensuite épaissi avec un mélange d'œuf et de crème pour donner une sauce onctueuse.

POUR 6 PERSONNES

1,3 kg (3 lb) d'agneau maigre désossé
1 petit oignon paré et coupé en quatre
1 carotte pelée, en tranches épaisses
1 feuille de laurier
4 brins d'aneth frais, plus 45 ml (3 c. à soupe) d'aneth haché
1 fine lanière de zeste de citron
750 ml (3 tasses) de bouillon d'agneau ou de légumes frémissant
225 g (8 oz) de petites échalotes
15 ml (1 c. à soupe) d'huile d'olive
15 g (1 c. à soupe) de beurre non salé
115 g (4 oz) de petits pois surgelés, décongelés
1 jaune d'œuf
75 ml (⅓ tasse) de crème légère, à température ambiante
sel et poivre noir moulu
pommes de terre nouvelles et jeunes carottes, pour servir

1 Parez l'agneau et détaillez en morceaux de 2,5 cm (1 po). Dans le récipient de cuisson, mettez l'agneau, l'oignon, la carotte, la feuille de laurier, les brins d'aneth et le zeste de citron. Versez le bouillon, couvrez et faites cuire à haute température 1 heure. Écumez, couvrez et poursuivez la cuisson 2 heures à haute température ou 4 heures à basse température, jusqu'à ce que l'agneau soit assez tendre.

2 Entre-temps, mettez les échalotes dans un bol résistant à la chaleur et recouvrez d'eau bouillante. Laissez refroidir, égouttez et épluchez.

3 Retirez la viande. Passez le bouillon et jetez les légumes et les herbes. Lavez le récipient. Remettez la viande et ajoutez la moitié du bouillon (réservez le reste). Couvrez et chauffez à haute température.

4 Chauffez l'huile et le beurre dans une poêle et faites cuire doucement les échalotes 10-15 minutes, en remuant, jusqu'à ce qu'elles soient dorées et tendres. Fermez le feu. Avec une écumoire, transférez les échalotes dans le récipient de cuisson.

5 Saupoudrez la farine sur la graisse dans la poêle, puis incorporez peu à peu le bouillon réservé. Portez à ébullition en remuant sans arrêt jusqu'à épaississement. Incorporez à la préparation à l'agneau et aux échalotes. Ajoutez les petits pois, salez et poivrez. Faites cuire à haute température 30 minutes jusqu'à ce que le tout soit fumant.

6 Mélangez ensemble le jaune d'œuf et la crème, puis incorporez quelques cuillerées du bouillon chaud. Versez en mince filet sur la préparation à l'agneau, en remuant jusqu'à léger épaississement. Incorporez l'aneth haché et servez immédiatement, avec des pommes de terre nouvelles et des carottes.

Informations nutritionnelles par portion – calories : 631 ; protéines : 60,9 g ; glucides : 7 g dont 3,5 g de sucres ; matières grasses : 40 g dont 17,5 g de gras saturés ; cholestérol : 249 mg ; calcium : 123 mg ; fibres : 1,9 g ; sodium : 566 mg.

ÉPAULE D'AGNEAU TOSCANE

Cuite sur un lit de légumes, cette délicieuse épaule d'agneau désossée et roulée, piquée de brins de romarin et d'ail, se savoure comme un rôti. Assurez-vous que l'agneau se loge bien dans la mijoteuse avant de commencer..

POUR 6 PERSONNES

15 ml (1 c. à soupe) d'huile d'olive
1,3 kg (3 lb) d'épaule d'agneau parée, désossée et roulée
3 grosses gousses d'ail
12 petits brins de romarin frais
115 g (4 oz) de lard maigre fumé, sans couenne, haché
1 oignon haché
3 carottes hachées finement
3 branches de céleri hachées finement
1 poireau haché finement
150 ml (⅔ tasse) de vin rouge
300 ml (1 ¼ tasse) de bouillon d'agneau ou de légumes
400 g (14 oz) de tomates concassées en conserve
3 brins de thym frais
2 feuilles de laurier
400 g (14 oz) de flageolets en conserve, égouttés et rincés
sel et poivre noir moulu
pommes de terre ou pain chaud croustillant, pour servir

1 Dans une grande poêle, chauffez l'huile et faites dorer l'agneau de tous côtés. Retirez de la poêle et laissez refroidir pour pouvoir le manipuler

2 Entre-temps, coupez les gousses d'ail en quatre. Lorsque l'agneau est suffisamment refroidi, faites douze entailles profondes autour de la viande. Piquez un morceau d'ail et un brin de romarin dans chaque entaille.

CONSEIL DU CHEF
La viande d'agneau pouvant être assez grasse, demandez au boucher de la dégraisser le plus possible avant de la désosser, de la rouler et de la ficeler.

3 Ajoutez le lard, l'oignon, la carotte, le céleri et le poireau dans la poêle et faites cuire environ 10 minutes jusqu'à ramollissement. Transférez dans le récipient de cuisson et incorporez le vin rouge.

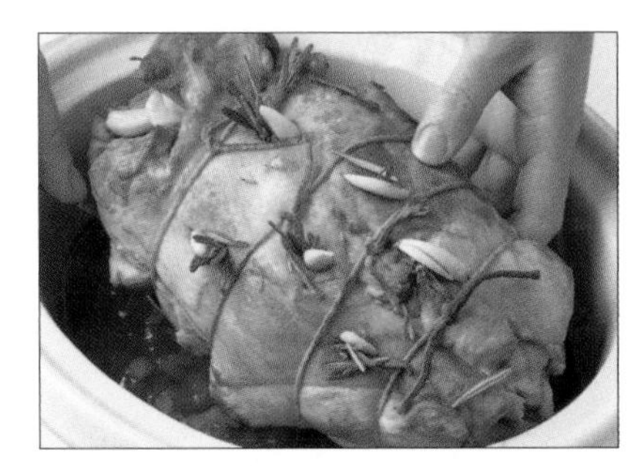

4 Versez le bouillon et les tomates concassées dans le récipient, salez et poivrez. Ajoutez le thym et les feuilles de laurier, en les immergeant dans le liquide. Déposez l'agneau, couvrez et faites cuire 4 heures à haute température.

5 Retirez l'agneau et incorporez les flageolets à la préparation aux légumes. Remettez l'agneau, couvrez et poursuivez la cuisson 1-2 heures, ou jusqu'à ce que la viande soit cuite et tendre.

6 Retirez l'agneau avec une écumoire, couvrez de papier d'aluminium pour le garder chaud et laissez reposer 10 minutes.

7 Ôtez la ficelle et découpez la viande en tranches épaisses. Enlevez le thym et les feuilles de laurier et dégraissez soigneusement la surface du bouillon. Disposez les légumes sur des assiettes chaudes et garnissez de tranches d'agneau. Servez avec des pommes de terre ou du pain chaud.

VARIANTES
- Les flageolets ont une saveur délicate caractéristique qui se marie particulièrement bien à ce mets. Toutefois, vous pouvez les remplacer par d'autres haricots doux.
- Remplacez le thym par 15 ml (1 c. à soupe) d'origan frais ; cette herbe italienne classique a tout aussi bon goût.

Informations nutritionnelles par portion – calories : 710 ; protéines : 60,2 g ; glucides : 13,7 g dont 4,8 g de sucres ; matières grasses : 44,6 g dont 19,4 g de gras saturés ; cholestérol : 229 mg ; calcium : 58 mg ; fibres : 4,7 g ; sodium : 684 mg.

CASSEROLE D'AGNEAU aux CAROTTES et à L'ORGE

Voici un plat réconfortant par excellence. L'orge et les carottes accompagnent naturellement l'agneau et le mouton. Dans cette casserole, l'orge améliore la saveur et la texture de la viande tout en épaississant la sauce.

POUR 6 PERSONNES

675 g (1 ½ lb) d'agneau à braiser
15 ml (1 c. à soupe) d'huile végétale
2 oignons
675 g (1 ½ lb) de carottes en tranches épaisses
4-6 branches de céleri tranchées
45 ml (3 c. à soupe) d'orge perlé rincé
600 ml (2½ tasses) de bouillon d'agneau ou de légumes frémissant
5 ml (1 c. à thé) de feuilles de thym frais ou 1 pincées d'herbes séchées mélangées
sel et poivre noir moulu
chou de printemps et pommes de terre en robe des champs, pour servir

1 Enlevez l'excédent de gras de l'agneau et détaillez en morceaux de 3 cm (1 ¼ po). Dans une poêle, chauffez l'huile et faites dorer les morceaux. Retirez avec une écumoire et réservez.

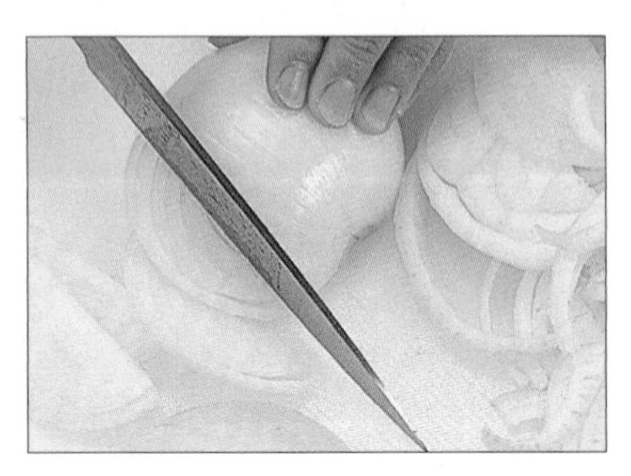

2 Émincez les oignons et faites dorer doucement 5 minutes dans la poêle. Ajoutez les carottes et le céleri et faites cuire 3-4 minutes, ou jusqu'à ce qu'ils commencent à ramollir. Transférez les légumes dans le récipient de cuisson et chauffez à haute température.

3 Saupoudrez l'orge sur les légumes, puis disposez les morceaux d'agneau.

4 Salez et poivrez légèrement. Parsemez d'herbes et mouillez à hauteur de bouillon.

5 Couvrez et laissez cuire 2 heures à haute température ou à la position AUTO. Écumez le bouillon.

6 Couvrez et poursuivez la cuisson à basse température ou à la position AUTO 4-6 heures, ou jusqu'à ce que la viande, les légumes et l'orge soient tendres. Servez avec du chou de printemps et des pommes de terre en robe des champs.

Informations nutritionnelles par portion – calories : 304 ; protéines : 23,2 g ; glucides : 13 g dont 11,3 g de sucres ; matières grasses : 18 g dont 7,5 g de gras saturés ; cholestérol : 84 mg ; calcium : 53 mg ; fibres : 3,6 g ; sodium : 110 mg.

RAGOÛT D'AGNEAU aux TOMATES et à L'AIL

Ce ragoût rustique vient de la région des Pouilles, en Italie, où les moutons paissent près des vignobles. Servez ce plat simplement, avec du pain croustillant et une salade verte.

POUR 4 PERSONNES

- 1,2 kg (2½ lb) d'agneau à braiser
- 30 ml (2 c. à soupe) de farine tout usage, assaisonnée de sel et de poivre noir
- 60 ml (4 c. à soupe) d'huile d'olive
- 2 grosses gousses d'ail hachées finement
- 1 brin de romarin frais
- 150 ml (⅔ tasse) de vin blanc sec
- 150 ml (⅔ tasse) de bouillon d'agneau ou de bœuf
- 2,5 ml (½ c. à thé) de sel
- 450 g (1 lb) de tomates pelées et hachées ou 400 g (14 oz) de tomates concassées en conserve
- sel et poivre noir moulu

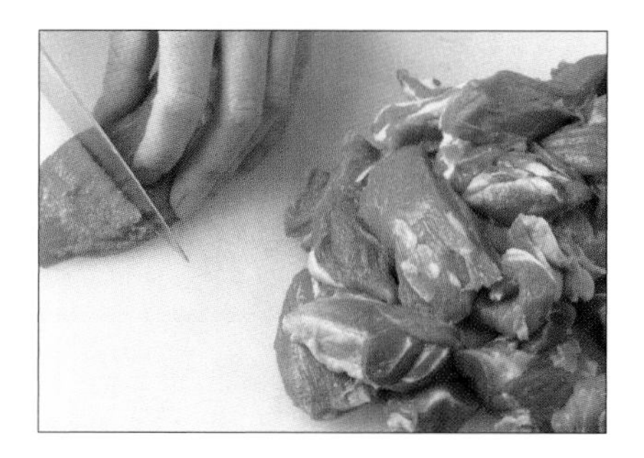

1 Parez l'agneau, détaillez en cubes de 2,5 cm (1 po) et enrobez de farine – réservez l'excédent de farine.

2 Dans une poêle, chauffez l'huile et faites frire 5 minutes les cubes d'agneau, une moitié à la fois, en remuant jusqu'à ce qu'ils soient dorés. Avec une écumoire, transférez les cubes dans le récipient de cuisson.

3 Ajoutez l'ail et faites cuire quelques secondes avant d'incorporer le romarin, le vin et le bouillon. Portez à frémissement en remuant pour décoller les sucs de viande. Versez sur l'agneau.

4 Salez et poivrez, puis incorporez les tomates. Couvrez et faites cuire 1 heure à haute température ou à la position AUTO.

5 Poursuivez la cuisson à basse température ou à la position AUTO 6-8 heures, ou jusqu'à ce que l'agneau soit tendre. Rectifiez l'assaisonnement avant de servir.

VARIANTE

Ragoût d'agneau à la courge musquée : Faites sauter 675 g (1½ lb) de filet d'agneau en cubes dans 15 ml (1 c. à soupe) d'huile ; transférez dans le récipient de cuisson. Faites suer 1 oignon haché et 2 gousses d'ail écrasées ; ajoutez à l'agneau, avec 1 courge musquée en cubes, 400 g (14 oz) de tomates concassées en conserve, 150 ml (⅔ tasse) de bouillon d'agneau et 5 ml (1 c. à thé) de marjolaine séchée. Couvrez et faites cuire 5-6 heures à basse température.

Informations nutritionnelles par portion – calories : 636 ; protéines : 62,4 g ; glucides : 11,5 g dont 3,9 g de sucres ; matières grasses : 35,5 g dont 12,2 g de gras saturés ; cholestérol : 222 mg ; calcium : 62 mg ; fibres : 1,4 g ; sodium : 508 mg.

PLATS VÉGÉTARIENS ET PLATS D'ACCOMPAGNEMENT

Les plats végétariens sont aussi savoureux que ceux à base de viande. Dans ce chapitre, les recettes font appel à une grande variété de merveilleux légumes, d'haricots secs et de céréales. Cuits dans la mijoteuse électrique, ils vous donneront des repas qui plairont autant aux amateurs de viandes qu'aux végétariens. Essayez le riche risotto crémeux au romarin et aux haricots borlottis ou le kashmiri de légumes aromatiques. Si vous préférez un mets plus léger, dégustez des œufs aux poireaux crémeux ou des pois chiches épicés. Quelle que soit votre envie, vous trouverez sûrement le plat végétarien qui vous convient dans les pages qui suivent.

ŒUFS aux POIREAUX CRÉMEUX

Savourez ces œufs délicieusement crémeux au repas du midi ou du soir, avec du pain grillé et une salade. Si vous le désirez, remplacez les poireaux par d'autres légumes, comme une purée d'épinards ou une ratatouille.

POUR 4 PERSONNES

15 g (1 c. à soupe) de beurre, et un peu plus pour graisser
225 g (8 oz) de petits poireaux émincés finement
60-90 ml (4-6 c. à soupe) de crème à fouetter ou épaisse
noix de muscade fraîchement râpée
4 œufs
sel et poivre noir moulu

VARIANTE

Pour faire des œufs aux herbes et au fromage, mettez 1 c. à soupe de crème épaisse dans chaque plat, avec quelques herbes hachées. Cassez les œufs, ajoutez 15 ml (1 c. à soupe) de crème épaisse et un peu de fromage râpé, puis faites cuire selon la recette. Ce plat est parfait pour un brunch décontracté.

1 Versez environ 2,5 cm (1 po) d'eau chaude dans le récipient de cuisson et chauffez à haute température.

2 Badigeonnez légèrement de beurre l'intérieur de quatre ramequins ou moules à soufflé de 175 ml (¾ tasse).

3 Faites fondre le beurre dans une petite poêle et faites ramollir les poireaux à feu moyen, en remuant fréquemment.

4 Ajoutez 45 ml (3 c. à soupe) de la crème et laissez cuire doucement 5 minutes, ou jusqu'à ce que les poireaux soient fondants et que la crème ait légèrement épaissi. Assaisonnez de sel, de poivre noir et de noix de muscade.

5 Répartissez également les poireaux les ramequins ou les moules à soufflé. Avec le dos d'une cuillère, faites un creux au centre des poireaux et cassez-y un œuf. Déposez 5-10 ml (1-2 c. à thé) de crème sur chaque œuf, salez et poivrez.

6 Couvrez chaque plat de pellicule plastique et placez dans le récipient de cuisson. Au besoin, ajoutez un peu d'eau bouillante de façon à ce qu'elle arrive à mi-hauteur des plats. Couvrez et faites cuire 30 minutes, ou jusqu'à ce que les blancs d'œufs soient pris mais que les jaunes soient encore mous, ou plus longtemps si vous préférez des œufs plus fermes.

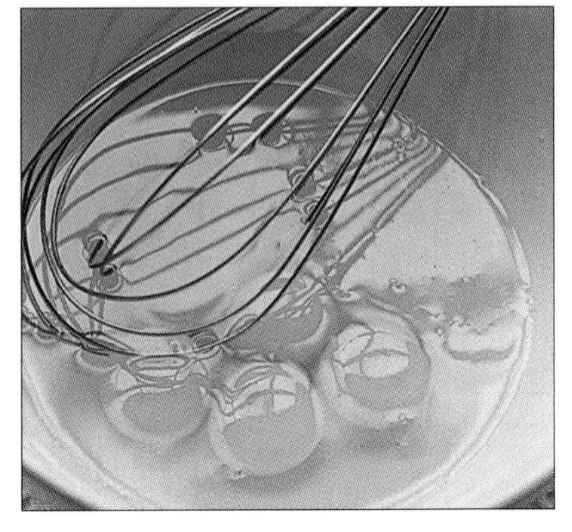

Informations nutritionnelles par portion – calories : 239 ; protéines : 8,5 g ; glucides : 2 g dont 1,6 g de sucres ; matières grasses : 21,9 g dont 11,4 g de gras saturés ; cholestérol : 266 mg ; calcium : 58 mg ; fibres : 1,2 g ; sodium : 110 mg.

PAIN VÉGÉTARIEN aux NOIX

Ce plat complet se substitue parfaitement au traditionnel pain de viande. Il est particulièrement délectable avec une sauce épicée aux tomates fraîches.

POUR 4 PERSONNES

30 ml (2 c. à soupe) d'huile d'olive, et un peu plus pour graisser
1 oignon haché finement
1 poireau haché finement
2 branches de céleri hachées finement
225 g (3 tasses) de champignons hachés
2 gousses d'ail écrasées
425 g (15 oz) de lentilles en conserve, rincées et égouttées
115 g (1 tasse) de noix mélangées, telles que noisettes, noix de cajou et amandes, hachées finement
50 g (½ tasse) de farine tout usage
50 g (½ tasse) de cheddar fort râpé
1 œuf battu
45-60 ml (3-4 c. à soupe) d'herbes fraîches mélangées hachées
sel et poivre noir moulu
ciboulette et brins de persil plat frais, pour garnir

1 Placez une soucoupe renversée ou un emporte-pièce de métal au fond du récipient de cuisson. Versez environ 2,5 cm/1 po d'eau chaude et chauffez à haute température.

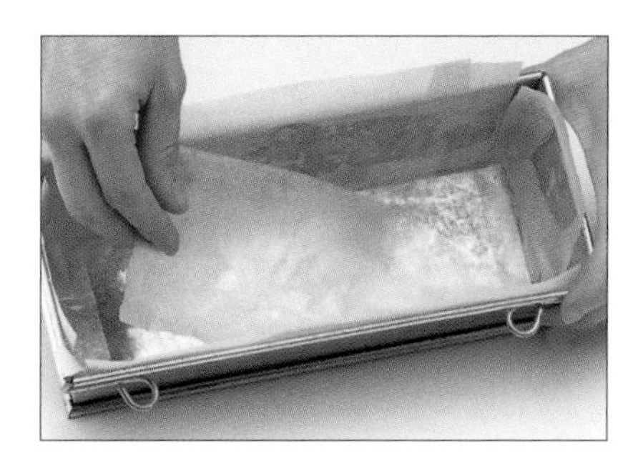

2 Huilez légèrement et tapissez de papier parchemin un moule à pain ou une terrine de 450 g (1 lb) – assurez-vous qu'il se loge bien dans le récipient de cuisson.

3 Dans une grande casserole, chauffez l'huile et faites ramollir 10 minutes l'oignon, le poireau, le céleri, les champignons et l'ail. Ne les laissez pas brunir.

4 Retirez la casserole du feu, incorporez les lentilles, les noix mélangées, la farine, le fromage râpé, l'œuf battu et les herbes. Assaisonnez bien de sel et de poivre noir et mélangez bien.

5 Déposez la préparation aux noix dans le plat tapissé, en pressant bien dans les coins. Égalisez la surface avec une fourchette, puis couvrez le plat de papier d'aluminium. Placez dans le récipient de cuisson et versez de l'eau frémissante jusqu'à mi-hauteur du plat.

6 Couvrez et faites cuire 3-4 heures, ou jusqu'à ce que le pain soit ferme au toucher.

7 Laissez le pain refroidir dans son plat une quinzaine de minutes, puis démoulez sur une assiette de service. Servez chaud ou froid, coupé en tranches épaisses et garni de ciboulette fraîche et de brins de persil plat.

Informations nutritionnelles par portion – calories : 484 ; protéines : 23,7 g ; glucides : 34,1 g dont 5,1 g de sucres ; matières grasses : 29 g dont 5,4 g de gras saturés ; cholestérol : 69 mg ; calcium : 238 mg ; fibres : 8,7 g ; sodium : 128 mg.

RAGOÛT de CHAMPIGNONS au FENOUIL

Consistant et parfumé, ce ragoût savoureux constitue un superbe plat de résistance végétarien. Il peut également être servi en accompagnement d'une viande. Les champignons séchés gonflant beaucoup après le trempage, une petite quantité suffit à garnir et à aromatiser le plat.

POUR 4 PERSONNES

25 g (½ tasse) de shiitakes séchés
1 petit bulbe de fenouil
30 ml (2 c. à soupe) d'huile d'olive
12 échalotes pelées
225 g (3 tasses) de champignons de Paris parés et coupés en deux
250 ml (1 tasse) de cidre sec
25 g (½ tasse) de tomates séchées au soleil
30 ml (2 c. à soupe) de pâte de tomates séchées au soleil
1 feuille de laurier
sel et poivre noir moulu
persil frais haché, pour garnir

1 Mettez les shiitakes dans un bol résistant à la chaleur, mouillez à hauteur d'eau chaude et laissez tremper une quinzaine de minutes. Entre-temps, parez et tranchez le fenouil.

2 Dans une casserole à fond épais, chauffez l'huile et faites sauter les échalotes et le fenouil 10 minutes à feu moyen, jusqu'à ce qu'ils soient ramollis et commencent à brunir. Ajoutez les champignons de Paris et continuez à cuire 2-3 minutes, en remuant de temps en temps.

3 Transférez la préparation aux légumes dans le récipient de cuisson. Égouttez les shiitakes et versez 30 ml (2 c. à soupe) du liquide de trempage dans le récipient de cuisson. Hachez les shiitakes, puis ajoutez-les aux légumes.

4 Versez le cidre dans le récipient et incorporez les tomates séchées et la pâte de tomate. Ajoutez la feuille de laurier. Couvrez et faites cuire à haute température 3-4 heures jusqu'à tendreté.

5 Retirez la feuille de laurier et assaisonnez au goût de sel et de poivre noir. Servez le ragoût parsemé de persil haché.

Informations nutritionnelles par portion – calories : 94 ; protéines : 2,1 g ; glucides : 4,2 g dont 4 g de sucres ; matières grasses : 6 g dont 0,9 g de gras saturés ; cholestérol : 0 mg ; calcium : 28 mg ; fibres : 2,4 g ; sodium : 17 mg.

RAGOÛT AIGRE-DOUX de HARICOTS MÉLANGÉS

Garni de tranches de pommes de terre, ce plat à l'allure impressionnante est incroyablement facile à faire. La plupart des ingrédients sont déjà dans votre garde-manger et il vous suffit de les mélanger à une sauce tomate riche et acidulée.

POUR 6 PERSONNES

40 g (3 c. à soupe) de beurre
4 échalotes pelées et hachées finement
40 g (1/3 tasse) de farine tout usage ou de farine de blé entier
300 ml (1 1/4 tasse) de passata (purée de tomate en bocal)
120 ml (1/2 tasse) de jus de pomme non sucré
60 ml (4 c. à soupe) de cassonade dorée
60 ml (4 c. à soupe) de ketchup
60 ml (4 c. à soupe) de xérès sec
60 ml (4 c. à soupe) de vinaigre de cidre
60 ml (4 c. à soupe) de sauce soja légère
400 g (14 oz) de haricots de Lima en conserve
400 g (14 oz) de flageolets en conserve
400 g (14 oz) de pois chiches en conserve
175 g (6 oz) de haricots verts coupés en tronçons de 2,5 cm (1 po)
225 g (3 tasses) de champignons tranchés
450 g (1 lb) de pommes de terre non pelées
15 ml (1 c. à soupe) d'huile d'olive
15 ml (1 c. à soupe) de thym frais haché
15 ml (1 c. à soupe) de marjolaine fraîche
sel et poivre noir moulu
herbes fraîches, pour garnir

1 Dans une casserole, faites fondre le beurre et faites suer les échalotes 5-6 minutes. Ajoutez la farine et faites cuire 1 minute en remuant constamment, puis incorporez peu à peu la passata.

2 Incorporez le jus de pomme, le sucre, le ketchup, le xérès, le vinaigre et la sauce soja. Portez la préparation à ébullition, en remuant sans arrêt jusqu'à épaississement.

VARIANTES

• Variez les proportions et les types de haricots secs, selon ce que vous avez sous la main. Les haricots rouges et les borlottis donnent de bons résultats ; substituez-les aux haricots de la recette ou mélangez-les avec eux.

• Si vous le préférez, remplacez les haricots verts par des haricots mange-tout ou des pois gourmands.

3 Rincez les haricots et les pois chiches et égouttez bien. Mettez dans le récipient de cuisson, avec les haricots verts et les champignons, et versez la sauce. Remuez bien, couvrez et faites cuire 3 heures à haute température.

4 Entre-temps, tranchez finement les pommes de terre et faites blanchir 4 minutes. Égouttez bien et enrobez légèrement d'huile.

5 Incorporez les herbes fraîches à la préparation aux haricots, salez et poivrez. Disposez les tranches de pommes de terre, en les faisant se chevaucher, de façon à recouvrir toute la préparation. Couvrez et poursuivez la cuisson 2 heures, ou jusqu'à ce que les pommes de terre soient tendres.

6 Faites dorer les pommes de terre 4-5 minutes sous le gril à feu moyen. Servez le ragoût garni d'herbes.

Informations nutritionnelles par portion – calories : 483 ; protéines : 18,5 g ; glucides : 73,3 g dont 24,8 g de sucres ; matières grasses : 13,8 g dont 4,5 g de gras saturés ; cholestérol : 14 mg ; calcium : 134 mg ; fibres : 10,9 g ; sodium : 826 mg.

CASSEROLE de LÉGUMES RACINES et BOULETTES au CARVI

Mélangé au liquide de cuisson, le fromage crémeux donne une incroyable onctuosité à cette casserole toute simple, tout en l'épaississant et en l'aromatisant. Des boulettes de courgettes épicées au carvi complètent le repas.

POUR 3 PERSONNES

300 ml (1 ¼ tasse) de cidre sec
175 ml (¾ tasse) de bouillon de légumes bouillant
2 poireaux
2 carottes
2 petits panais
225 g (8 oz) de pommes de terre
1 petite patate douce d'environ 175 g (6 oz)
1 feuille de laurier
7,5 ml (1 ½ c. à thé) de fécule de maïs
115 g (4 oz) de fromage crémeux à l'ail et aux fines herbes
sel et poivre noir moulu

Pour les boulettes
115 g (1 tasse) de farine à levure
5 ml (1 c. à thé) de graines de carvi
50 g (½ tasse) de graisse végétale
1 courgette râpée
environ 75 ml (5 c. à soupe) d'eau froide

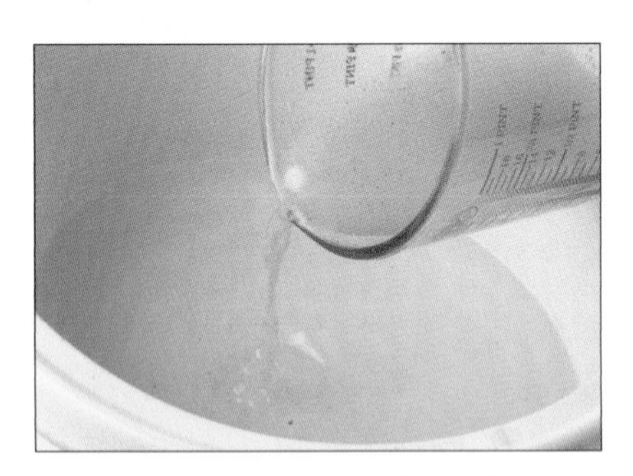

1 Réservez 15 ml (1 c. à soupe) du cidre et versez le reste ainsi que le bouillon dans le récipient de cuisson. Couvrez et chauffez à haute température.

2 Entre-temps, préparez les légumes. Parez les poireaux et coupez en tranches de 2 cm (¾ po) d'épaisseur. Pelez les carottes, les panais, les pommes de terre et la patate douce et détaillez en morceaux de 2 cm (¾ po).

3 Mettez les légumes et la feuille de laurier dans le récipient de cuisson. Couvrez et faites cuire 3 heures.

4 Dans un petit bol, diluez la fécule dans le cidre réservé. Ajoutez le fromage, mélangez bien ensemble, puis incorporez peu à peu quelques cuillerées du liquide de cuisson. Versez sur les légumes et remuez pour bien mélanger. Salez et poivrez. Couvrez et poursuivez la cuisson 1-2 heures, ou jusqu'à ce que les légumes soient presque tendres.

5 Vers la fin du temps de cuisson, faites les boulettes. Tamisez la farine dans un bol et incorporez les graines de carvi, la graisse végétale, la courgette, le sel et le poivre noir. Incorporez l'eau – ajoutez-en si nécessaire – pour former une pâte molle. Enfarinez vos mains et façonnez la pâte en 12 boulettes de la taille d'une noix de Grenoble.

6 Placez délicatement les boulettes sur les légumes, couvrez et poursuivez la cuisson 1 heure, ou jusqu'à ce que les légumes et les boulettes soient cuits. Rectifiez l'assaisonnement et servez dans des assiettes à soupe chaudes.

VARIANTE
Pour faire une version non végétarienne de ce plat, ajoutez un peu de bacon ou de pancetta haché et frit.

Informations nutritionnelles par portion – calories : 616 ; protéines : 11,9 g ; glucides : 74,9 g dont 17,1 g de sucres ; matières grasses : 28,9 g dont 15,9 g de gras saturés ; cholestérol : 35 mg ; calcium : 256 mg ; fibres : 9,5 g ; sodium : 369 mg.

CHILI ÉPICÉ de HARICOTS MÉLANGÉS, GARNITURE au PAIN de MAÏS

Inspiré par la cuisine traditionnelle texane, ce chili est un heureux mélange d'ingrédients Tex-Mex et de pain de maïs classique texan. Grâce à sa délicieuse garniture, il constitue un repas complet.

POUR 4 PERSONNES

115 g (½ bonne tasse) de haricots rouges secs
115 g (½ bonne tasse) de dolics secs
1 feuille de laurier
15 ml (1 c. à soupe) d'huile d'olive
1 gros oignon haché finement
1 gousse d'ail écrasée
5 ml (1 c. à thé) de cumin moulu
5 ml (1 c. à thé) de poudre chili
5 ml (1 c. à thé) de paprika doux
2,5 ml (½ c. à thé) de marjolaine séchée
450 g (1 lb) de légumes mélangés, tels que pommes de terre, carottes, aubergines, panais et céleri
1 cube de bouillon de légumes
400 g (14 oz) de tomates concassées en conserve
15 ml (1 c. à soupe) de pâte de tomate
sel et poivre noir moulu

Pour la garniture
250 g (2¼ tasses) de semoule de maïs fine
30 ml (2 c. à soupe) de farine de blé entier
7,5 ml (1½ c. à thé) de levure chimique
1 œuf, plus 1 jaune d'œuf battu légèrement
300 ml (1¼ tasse) de lait

1 Mettez les haricots secs dans un grand saladier et recouvrez d'au moins deux fois leur volume d'eau froide. Laissez tremper au moins 6 heures ou toute la nuit.

2 Égouttez les haricots, rincez bien et mettez dans une casserole avec 600 ml (2½ tasses) d'eau froide et la feuille de laurier. Portez à ébullition et faites cuire 10 minutes. Fermez le feu et laissez refroidir quelques minutes. Versez dans le récipient de cuisson et chauffez à haute température.

3 Chauffez l'huile dans une poêle et faites cuire l'oignon 7-8 minutes. Ajoutez l'ail, le cumin, la poudre chili, le paprika et la marjolaine et faites cuire 1 minute. Versez dans le récipient de cuisson et remuez.

4 Parez les légumes et coupez en morceaux de 2 cm (¾ po).

5 Ajoutez les légumes à la préparation, en vous assurant que ceux qui noircissent, comme les pommes de terre et les panais, soient bien immergés – les autres peuvent ne pas l'être. Couvrez et faites cuire 3 heures, ou jusqu'à ce que les haricots soient tendres.

6 Incorporez le bouillon cube et les tomates concassées, puis la pâte de tomate, salez et poivrez. Couvrez et poursuivez la cuisson 30 minutes, jusqu'à ce que la préparation frémisse.

7 Pour faire la garniture, mélangez ensemble la semoule de maïs, la farine, a levure et une pincée de sel dans un bol. Faites un puits au centre et ajoutez l'œuf, le jaune d'œuf et le lait. Mélangez et déposez sur la préparation aux haricots. Couvrez et faites cuire 1 heure, ou jusqu'à ce que la garniture soit ferme et cuite.

Informations nutritionnelles par portion – calories : 613 ; protéines : 29,6 g ; glucides : 97,4 g dont 15,8 g de sucres ; matières grasses : 14,5 g dont 3,4 g de gras saturés ; cholestérol : 112 mg ; calcium : 257 mg ; fibres : 13,4 g ; sodium : 413 mg.

PÂTES aux CHAMPIGNONS

Mijotée longuement dans du vin blanc et du bouillon, une préparation aux champignons, à l'ail et aux tomates séchées au soleil donne une sauce bien aromatisée pour les pâtes. Cet excellent repas végétarien se déguste avec des ciabatas chaudes.

POUR 4 PERSONNES

15 g (½ oz) de bolets séchés
120 ml (½ tasse) d'eau chaude
2 gousses d'ail hachées finement
2 gros morceaux de tomates séchées au soleil et conservées dans l'huile d'olive, égouttés et coupés en fines lanières
120 ml (½ tasse) de vin blanc sec
120 ml (½ tasse) de bouillon de légumes
225 g (2 tasses) de champignons café tranchés finement
1 poignée de persil plat frais haché grossièrement
450 g (1 lb) de pâtes courtes telles que roues, pennes, fusillis ou hélices
sel et poivre noir moulu
roquette et/ou feuilles de persil plat frais, pour garnir

1 Dans un grand bol, faites tremper les bolets dans l'eau chaude 15 minutes.

2 Pendant ce temps, mettez l'ail, les tomates, le vin, le bouillon et les champignons café dans le récipient de cuisson et chauffez à haute température.

3 Versez les bolets dans un tamis posé au-dessus d'un bol, puis pressez-les avec vos mains pour les essorer le plus possible. Réservez le liquide de trempage. Hachez les bolets finement. Ajoutez le liquide et les bolets hachés dans le récipient. Couvrez et faites cuire à haute température 1 heure, en remuant à mi-cuisson pour que les champignons cuisent également.

4 Poursuivez la cuisson à basse température 1-2 heures, jusqu'à ce que les champignons soient tendres.

5 Faites cuire les pâtes dans l'eau bouillante salée 10 minutes, ou selon leur mode d'emploi. Égouttez et versez dans un grand bol chaud. Incorporez le persil à la sauce et assaisonnez au goût de sel et de poivre noir. Versez la sauce sur les pâtes et remuez bien. Garnissez de roquette et/ou de persil et servez immédiatement.

VARIANTE
Remplacez les champignons café par des champignons sauvages frais – ils sont toutefois saisonniers et souvent chers – ou par une boîte de champignons sauvages mélangés, disponible dans les bons supermarchés et les épiceries fines.

Informations nutritionnelles par portion – calories : 420 ; protéines : 15,1 g ; glucides : 84,9 g dont 5,1 g de sucres ; matières grasses : 2,6 g dont 0,3 g de gras saturés ; cholestérol : 0 mg ; calcium : 61 mg ; fibres : 4,8 g ; sodium : 14 mg.

LASAGNE aux CHAMPIGNONS et aux COURGETTES

Voici un plat principal parfait pour les végétariens. Les bolets séchés ajoutés aux champignons café frais intensifient la saveur de la lasagne. Préparez-la d'avance et laissez-la cuire tranquillement dans la mijoteuse. Servez avec du pain italien croustillant.

POUR 6 PERSONNES

Pour la sauce tomate
15 g (½ oz) de bolets séchés
120 ml (½ tasse) d'eau chaude
1 oignon
1 carotte
1 branche de céleri
30 ml (2 c. à soupe) d'huile d'olive
800 g (28 oz) de tomates concassées en conserve
15 ml (1 c. à soupe) de pâte de tomates séchées au soleil
5 ml (1 c. à thé) de sucre granulé
5 ml (1 c. à thé) de basilic séché ou d'herbes mélangées

Pour la lasagne
30 ml (2 c. à soupe) d'huile d'olive
50 g (¼ tasse) de beurre
450 g (1 lb) de courgettes tranchées finement
1 oignon haché finement
450 g (6 tasses) de champignons café tranchés finement
2 gousses d'ail écrasées
6-8 lasagnes non précuites
50 g (½ tasse) de parmesan fraîchement râpé
sel et poivre noir moulu
feuilles d'origan frais, pour garnir
pain italien, pour servir (facultatif)

Pour la sauce blanche
40 g (3 c. à soupe) de beurre
40 g (⅓ tasse) de farine tout usage
900 ml (3¾ tasses) de lait
noix de muscade fraîchement râpée

1 Dans un grand bol, faites tremper les bolets dans l'eau chaude 15 minutes. Versez les bolets et le liquide dans un tamis posé au-dessus d'un bol, puis pressez-les avec vos mains pour les essorer le plus possible. Hachez les bolets finement et réservez. Passez le liquide de trempage au tamis fin et réservez.

2 Hachez finement l'oignon, la carotte et le céleri. Chauffez l'huile d'olive dans une poêle et faites ramollir les légumes. Transférez dans un robot culinaire, ajoutez les tomates, la pâte de tomate, le sucre, les herbes et le liquide de trempage des bolets, puis réduisez le tout en purée.

3 Pour la lasagne, chauffez l'huile d'olive et la moitié du beurre dans une grande poêle. Ajoutez la moitié des tranches de courgettes et assaisonnez au goût. Faites cuire 5-8 minutes à feu moyen, en tournant les courgettes fréquemment, jusqu'à ce qu'elles soient légèrement colorées des deux côtés. Retirez avec une écumoire et mettez dans un bol. Répétez l'opération avec le reste de courgettes.

4 Faites fondre le beurre dans la poêle et laissez cuire l'oignon 3 minutes en remuant. Ajoutez les champignons café, les bolets hachés et l'ail et faites cuire 5 minutes. Ajoutez aux courgettes.

5 Pour la sauce blanche, faites fondre le beurre dans une grande casserole, ajoutez la farine et faites cuire 1 minute en remuant. Fermez le feu et incorporez graduellement le lait en fouettant. Portez à ébullition et laissez cuire, en remuant, jusqu'à ce que la sauce soit lisse et épaisse. Assaisonnez de sel, de poivre noir et de noix de muscade.

6 Étalez la moitié de la sauce au fond du récipient de cuisson. Déposez la moitié de la préparation aux légumes sur la sauce et égalisez la surface. Nappez d'environ un tiers de la sauce blanche, puis recouvrez de la moitié des lasagnes cassées aux dimensions voulues. Répétez les couches, puis nappez du reste de sauce blanche et saupoudrez de parmesan râpé.

7 Couvrez la mijoteuse et faites cuire à basse température 2-2½ heures, ou jusqu'à ce que les lasagnes soient tendres. Si vous le désirez, faites dorer sous le gril à feu moyen. Garnissez de feuilles d'origan et servez avec du pain italien.

Informations nutritionnelles par portion – calories : 421 ; protéines : 15,5 g ; glucides : 32,9 g dont 15 g de sucres ; matières grasses : 26,2 g dont 12,4 g de gras saturés ; cholestérol : 49 mg ; calcium : 346 mg ; fibres : 3,8 g ; sodium : 310 mg.

CURRY de CITROUILLE aux CACAHUÈTES

Riches, sucrées, épicées et parfumées, les saveurs de ce délicieux curry de style thaïlandais se développent au cours d'une cuisson prolongée à basse température. Servez avec du riz ou des nouilles.

POUR 4 PERSONNES

30 ml (2 c. à soupe) d'huile végétale
4 gousses d'ail écrasées
4 échalotes hachées finement
30 ml (2 c. à soupe) de pâte de curry jaune
400 ml (1⅔ tasse) de bouillon de légumes frémissant
300 ml (1¼ tasse) de lait de noix de coco
2 feuilles de combava (lime kaffir) déchirées
15 ml (1 c. à soupe) de galanga frais râpé
450 g (1 lb) de citrouille pelée, épépinée et coupée en dés
225 g (8 oz) de patates douces coupées en dés
90 g (1½ tasse) de champignons café tranchés
15 ml (1 c. à soupe) de sauce soja
30 ml (2 c. à soupe) de sauce de poisson thaïlandaise
90 g (1 petite tasse) de cacahuètes rôties et hachées
50 g (⅓ tasse) de graines de citrouille grillées et fleurs de piments verts frais, pour garnir

1 Chauffez l'huile dans une poêle et faites cuire l'ail et les échalotes 10 minutes à feu moyen, en remuant de temps en temps, jusqu'à ce qu'ils soient ramollis et commencent à dorer.

2 Ajoutez la pâte de curry et faites sauter 30 secondes à feu moyen, jusqu'à ce que le curry exhale son parfum. Versez la préparation dans le récipient de cuisson.

CONSEIL DU CHEF

Les piments en forme de fleur font une garniture impressionnante, donnant au curry un authentique accent thaïlandais. Pour faire une fleur, posez le piment sur une planche et, en retenant la queue d'une main, fendez en deux dans la longueur en laissant la queue intacte. Continuez à fendre le piment en fines lanières. Mettez les piments fendus dans un bol d'eau glacée et laissez-les reposer plusieurs heures jusqu'à ce que les lanières se recourbent comme des pétales de fleur.

3 Mettez les feuilles de combava, le galanga, la citrouille et les patates douces dans le récipient de cuisson. Versez le bouillon et 150 ml (⅔ tasse) du lait de noix de coco sur les légumes et mélangez. Couvrez et faites cuire 1½ heure à haute température.

4 Incorporez les champignons, la sauce soja et la sauce de poisson, puis les cacahuètes hachées et le reste de lait de noix de coco. Couvrez et poursuivez la cuisson 3 heures, ou jusqu'à ce que les légumes soient fondants.

5 Servez le curry dans des bols chauds, garni de graines de citrouille et de fleurs de piments.

Informations nutritionnelles par portion – calories : 337 ; protéines : 10,3 g ; glucides : 21,7 g dont 10,8 g de sucres ; matières grasses : 23,8 g dont 4 g de gras saturés ; cholestérol : 0 mg ; calcium : 168 mg ; fibres : 5,1 g ; sodium : 554 mg.

KASHMIRI de LÉGUMES

De délicieux légumes mijotés dans une sauce au yogourt épicée et aromatique constituent un agréable plat principal végétarien. Utilisez une combinaison de vos légumes préférés.

POUR 4 PERSONNES

10 ml (2 c. à thé) de graines de cumin
8 grains de poivre noir
2 capsules de cardamome verte, les graines seulement
1 bâton de 5 cm (2 po) de cannelle
2,5 ml (½ c. à thé) de noix de muscade râpée
45 ml (3 c. à soupe) d'huile végétale
1 piment vert frais, épépiné et haché
1 morceau de 2,5 cm (1 po) de gingembre frais râpé
5 ml (1 c. à thé) de poudre chili
2,5 ml (½ c. à thé) de sel
2 grosses pommes de terre en morceaux de 2,5 cm (1 po)
225 g (8 oz) de bouquets de chou-fleur
400 ml (1⅔ tasse) de bouillon de légumes bouillant
150 ml (⅔ tasse) de yogourt grec
225 g (8 oz) d'okras en tranches épaisses
amandes effilées grillées et brins de coriandre fraîche, pour garnir

1 Dans un mortier ou un moulin à épices, réduisez en poudre fine les graines de cumin, les grains de poivre, les graines de cardamome, le bâton de cannelle et la noix de muscade.

2 Chauffez l'huile dans une poêle et faites frire le piment et le gingembre 2 minutes en remuant sans arrêt. Ajoutez la poudre de chili, le sel et le mélange d'épices moulues et faites frire doucement 2-3 minutes, en remuant constamment pour les empêcher de coller à la poêle.

3 Transférez la préparation dans le récipient de cuisson. Incorporez les pommes de terre et le chou-fleur, puis le bouillon. Couvrez et faites cuire 2 heures à haute température.

4 Dans un bol, incorporez quelques cuillerées de bouillon chaud au yogourt, versez sur la préparation aux légumes et mélangez bien.

5 Ajoutez les okras, mélangez, couvrez et poursuivez la cuisson 1½-2 heures, ou jusqu'à ce que les légumes soient fondants.

6 Servez le curry dans le récipient de cuisson ou dans un plat de service chaud. Parsemez d'amandes grillées et garnissez de brins de coriandre fraîche.

Informations nutritionnelles par portion – calories : 294 ; protéines : 9 g ; glucides : 35,5 g dont 7 g de sucres ; matières grasses : 13,8 g dont 4 g de gras saturés ; cholestérol : 6 mg ; calcium : 161 mg ; fibres : 5,1 g ; sodium : 427 mg.

BIRYANI de LÉGUMES aux NOIX de CAJOU

Regorgeant de saveurs de l'Inde, ce plat de résistance est parfait pour les soirées froides d'hiver. Les noix ajoutent des protéines et la combinaison d'aubergines et de panais est exquise.

POUR 4 PERSONNES

1 petite aubergine tranchée
3 oignons
2 gousses d'ail
1 morceau de 2,5 cm (1 po) de gingembre frais pelé
environ 60 ml (4 c. à soupe) d'huile de tournesol
3 panais en morceaux de 2 cm (3/4 po)
5 ml (1 c. à thé) de cumin moulu
5 ml (1 c. à thé) de coriandre moulue
2,5 ml (1/2 c. à thé) de poudre chili
750 ml (3 tasses) de bouillon de légumes bouillant
1 poivron rouge épépiné et tranché
275 g (1 bonne tasse) de riz basmati ou riz blanc étuvé
175 g (1 1/2 tasse) de noix de cajou non salées
40 g (1/4 tasse) de raisins de Smyrne
sel et poivre noir moulu
2 œufs durs en quartiers et brins de coriandre fraîche, pour garnir

1 Disposez les tranches d'aubergine dans une passoire, saupoudrez légèrement de sel et laissez égoutter 30 minutes. Rincez bien sous l'eau froide, séchez et coupez en bouchées.

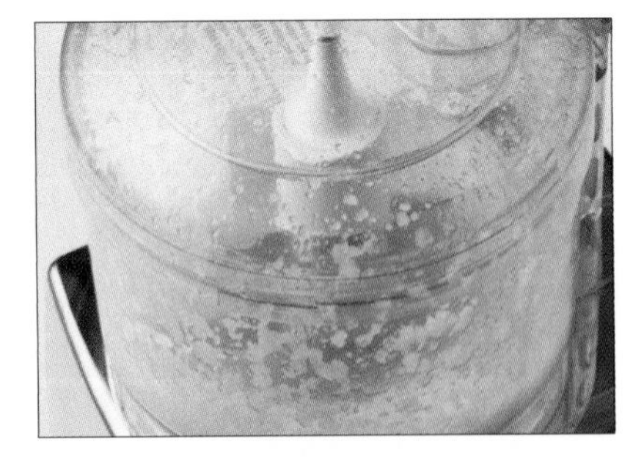

2 Hachez grossièrement l'un des oignons et mettez dans un robot culinaire, avec l'ail et le gingembre. Ajoutez 45 ml (3 c. à soupe) d'eau froide et réduisez en pâte lisse.

3 Émincez finement les autres oignons. Dans une grande poêle, chauffez 30 ml (2 c. à soupe) de l'huile et faites frire doucement les oignons 10-15 minutes jusqu'à ce qu'ils soient ramollis et dorés. Ajoutez l'aubergine et les panais et faites ramollir 3-4 minutes. Transférez dans le récipient de cuisson.

4 Ajoutez 15 ml (1 c. à soupe) d'huile dans la poêle et faites cuire la pâte d'oignon 3-4 minutes en remuant. Incorporez le cumin, la coriandre et la poudre chili et faites cuire 1 minute.

5 Incorporez peu à peu un tiers du bouillon, versez dans le récipient de cuisson et chauffez à haute température. Ajoutez le reste de bouillon et le poivron, assaisonnez et couvrez. Faites cuire 2-3 heures ou jusqu'à ce que les légumes soient presque tendres.

6 Parsemez le riz sur les légumes, couvrez et laissez cuire 45-60 minutes jusqu'à ce que le riz soit tendre et le bouillon en grande partie absorbé. Si le riz est trop sec, ajoutez 30 ml (2 c. à soupe) de bouillon.

7 Entre-temps, chauffez le dernier 15 ml (1 c. à soupe) d'huile dans une poêle propre et faites sauter les noix de cajou environ 2 minutes. Ajoutez les raisins secs et faites frire quelques secondes jusqu'à ce qu'ils soient gonflés. Retirez la poêle du feu et égouttez les noix et les raisins sur du papier essuie-tout.

8 Ajoutez la moitié des noix et des raisins au riz aux légumes et incorporez délicatement à la fourchette. Arrêtez la mijoteuse, couvrez et laissez le biryani finir de cuire 5 minutes.

9 Mettez le biryani sur un plat de service chaud et parsemez du reste de noix et de raisins. Garnissez de quartiers d'œufs et de coriandre fraîche, puis servez immédiatement.

Informations nutritionnelles par portion – calories : 801 ; protéines : 18,7 g ; glucides : 103,4 g dont 25,7 g de sucres ; matières grasses : 37,6 g dont 6,7 g de gras saturés ; cholestérol : 0 mg ; calcium : 129 mg ; fibres : 9,2 g ; sodium : 230 mg.

PILAF SAFRANÉ aux NOIX MARINÉES

Le safran parfumé donne à cet excellent plat de riz une chaude saveur épicée et une couleur formidable. Les noix de Grenoble marinées, disponibles dans les grands supermarchés et les épiceries fines, ont un goût affirmé qui va bien avec les épices, les pignons de pin et les fruits secs.

POUR 4 PERSONNES

- 5 ml (1 c. à thé) de filaments de safran
- 50 g (½ tasse) de pignons de pin
- 45 ml (3 c. à soupe) d'huile d'olive
- 1 gros oignon haché finement
- 3 gousses d'ail écrasées
- 1,5 ml (¼ c. à thé) de piment de la Jamaïque moulu
- 1 morceau de 4 cm (1½ po) de gingembre frais râpé
- 750 ml (3 tasses) de bouillon de légumes bouillant
- 300 g (1½ bonne tasse) de riz étuvé
- 50 g (½ tasse) de noix de Grenoble marinées, égouttées et hachées grossièrement
- 40 g (¼ tasse) de raisins secs
- 45 ml (3 c. à soupe) de persil frais ou de coriandre fraîche, haché grossièrement
- sel et poivre noir moulu
- feuilles de persil ou de coriandre, pour garnir
- yogourt nature, pour servir

1 Dans un bol résistant à la chaleur, laissez reposer les filaments de safran dans 15 ml (1 c. à soupe) d'eau bouillante.

2 Entre-temps, chauffez une grande poêle, grillez les pignons de pin à sec jusqu'à ce qu'ils soient dorés et réservez.

3 Chauffez l'huile dans une poêle et faites frire doucement l'oignon 8 minutes. Incorporez l'ail, le piment de la Jamaïque et le gingembre et faites cuire 2 minutes en remuant constamment. Transférez dans le récipient de cuisson.

4 Versez le bouillon de légumes bouillant sur les oignons et mélangez. Couvrez et faites cuire 1 heure à haute température.

5 Incorporez le riz. Couvrez et laissez cuire 1 heure, ou jusqu'à ce que le riz soit presque tendre et le bouillon en grande partie absorbé. Si la préparation est sèche, ajoutez un peu de liquide bouillant (bouillon ou eau).

6 Incorporez le safran et le liquide de trempage au riz, puis les pignons de pin, les noix marinées, les raisins et le persil ou la coriandre. Salez et poivrez au goût.

7 Couvrez et poursuivez la cuisson 15 minutes jusqu'à ce que le riz soit très tendre et que tous les ingrédients soient bien chauds. Garnissez de feuilles de persil ou de coriandre et servez le yogourt nature dans un bol à part.

CONSEIL DU CHEF

Épice la plus chère du monde, le safran est le nom usuel du crocus dont les stigmates doivent être cueillis à la main. Avec son goût et son arôme chauds, le curcuma moulu est un produit plus abordable, donnant lui aussi une couleur jaune doré. Mélangez simplement 2,5 ml (½ c. à thé) de curcuma avec le piment de la Jamaïque et le gingembre.

VARIANTE

Pilaf aux champignons épicés : Faites suer 3 échalotes tranchées dans 15 ml (1 c. à soupe) d'huile. Mélangez ensemble 2,5 ml (½ c. à thé) de curcuma moulu et 5 ml (1 c. à thé) chacun de cumin et de coriandre. Transférez dans le récipient de cuisson. Ajoutez 750 ml (3 tasses) de bouillon de légumes chaud. Couvrez et faites cuire 30 minutes à haute température. Incorporez 300 g (1½ bonne tasse) de riz étuvé et laissez cuire 30 minutes. Faites ramollir 225 g (8 oz) de champignons mélangés dans 25 g (2 c. à soupe) de beurre, puis incorporez au riz et assaisonnez au goût. Poursuivez la cuisson 30 minutes et servez.

Informations nutritionnelles par portion – calories : 585 ; protéines : 10,2 g ; glucides : 77,1 g dont 11,1 g de sucres ; matières grasses : 28,5 g dont 3,1 g de gras saturés ; cholestérol : 0 mg ; calcium : 72 mg ; fibres : 2 g ; sodium : 222 mg.

RISOTTO au ROMARIN et aux HARICOTS BORLOTTIS

En utilisant du riz italien étuvé, vous pourrez verser tout le vin et le bouillon en même temps plutôt qu'une louche à la fois, comme dans le risotto traditionnel. La chaleur douce et constante de la mijoteuse électrique produit un délicieux risotto épais et crémeux.

POUR 3 PERSONNES

400 g (14 oz) de haricots borlottis en conserve
15 g (1 c. à soupe) de beurre
15 ml (1 c. à soupe) d'huile d'olive
1 oignon haché finement
2 gousses d'ail écrasées
120 ml (½ tasse) de vin blanc sec
225 g (1 bonne tasse) de riz italien étuvé
750 ml (3 tasses) de bouillon de légumes bouillant
60 ml (4 c. à soupe) de mascarpone
5 ml (1 c. à thé) de romarin frais haché
65 g (¾ tasse) de parmesan fraîchement râpé, et un peu plus pour servir (facultatif)
sel et poivre noir moulu

1 Versez les haricots borlottis dans un tamis, rincez bien sous l'eau froide et égouttez. Réservez un tiers des haricots dans un bol. Réduisez en purée les deux autres tiers au robot culinaire ou au mélangeur.

2 Chauffez le beurre et l'huile dans une poêle et faites suer l'oignon et l'ail 7-8 minutes. Transférez dans le récipient de cuisson et incorporez le vin et la purée de haricots. Couvrez et faites cuire 1 heure à haute température.

3 Ajoutez le riz, puis incorporez le bouillon. Couvrez et laissez cuire environ 45 minutes, en remuant une fois à mi-cuisson. Le riz devrait être presque tendre et le bouillon en grande partie absorbé.

4 Incorporez les haricots réservés, le mas-carpone et le romarin. Couvrez et poursuivez la cuisson 15 minutes jusqu'à ce que le riz soit tout juste tendre.

5 Incorporez le parmesan, salez et poivrez au goût. Arrêtez la mijoteuse, couvrez et laissez reposer environ 5 minutes pour permettre au risotto d'absorber toutes les saveurs et au riz de finir de cuire.

6 Servez immédiatement le risotto dans des bols de service chauds, saupoudré de parmesan si vous le désirez.

VARIANTES

- Essayez différentes herbes fraîches pour varier la saveur. Le thym ou la marjolaine se substituent bien au romarin.
- Pour faire une version faible en gras, remplacez le mascarpone par du fromage quark qui offre la même texture crémeuse avec beaucoup moins de matières grasses.

Informations nutritionnelles par portion – calories : 651 ; protéines : 25 g ; glucides : 87 g dont 4,6 g de sucres ; matières grasses : 22,2 g dont 10,5 g de gras saturés ; cholestérol : 41,9 mg ; calcium : 357 mg ; fibres : 7,1 g ; sodium : 1 462 mg.

POIVRONS FARCIS au COUSCOUS

Avant d'être farcis, les poivrons sont ramollis dans l'eau bouillante pour garantir leur tendreté. Choisissez des poivrons rouges, jaunes ou orange – évitez les verts, car ils ont tendance à se décolorer après quelques heures de cuisson et n'ont pas un goût aussi sucré.

POUR 4 PERSONNES

4 poivrons
75 g (½ tasse) de couscous instantané
75 ml (⅓ tasse) de bouillon de légumes bouillant
15 ml (1 c. à soupe) d'huile d'olive
10 ml (2 c. à thé) de vinaigre de vin blanc
50 g (2 oz) d'abricots secs hachés finement
75 g (3 oz) de feta en petits dés
3 tomates mûres pelées, épépinées et hachées
45 ml (3 c. à soupe) de pignons de pin grillés
30 ml (2 c. à soupe) de persil frais haché
sel et poivre noir moulu
persil plat frais, pour garnir

1 Coupez les poivrons en deux dans la longueur, retirez le cœur et les pépins. Placez les moitiés dans un grand bol résistant à la chaleur et couvrez d'eau bouillante. Laissez reposer environ 3 minutes, puis égouttez bien et réservez.

2 Entre-temps, mettez le couscous dans un bol et versez le bouillon. Laissez reposer environ 5 minutes jusqu'à ce que tout le bouillon soit absorbé.

3 Remuez le couscous avec une fourchette, puis incorporez l'huile, le vinaigre, les abricots, la feta, les tomates, les pignons de pin et le persil. Assaisonnez au goût de sel et de poivre noir moulu.

CONSEIL DU CHEF
Avant de saler, goûtez à la farce au couscous, car la feta peut être déjà très salée.

4 Farcissez les poivrons de préparation au couscous, en la tassant avec le dos d'une cuillère.

5 Dans le récipient de cuisson, placez les poivrons farce vers le haut, puis versez autour 150 ml (⅔ tasse) d'eau frémissante.

6 Couvrez et faites cuire à haute température 2-3 heures, ou jusqu'à ce que les poivrons soient tendres. Faites dorer 2 minutes sous le gril chaud, garnissez de persil frais et servez.

Informations nutritionnelles par portion – calories : 303 ; protéines : 33,7 g ; glucides : 33,6 g dont 17 g de sucres ; matières grasses : 15,8 g dont 3,9 g de gras saturés ; cholestérol : 13 mg ; calcium : 105 mg ; fibres : 4,3 g ; sodium : 285 mg.

RAGOÛT de PANAIS et de POIS CHICHES ÉPICÉS

Dans ce ragoût de légumes de style indien, la saveur douce des panais se marie bien aux épices. C'est un mets complet idéal pour les végétariens, car les pois chiches sont riches en protéines. Servez le ragoût avec du pain chaud indien tel que chapati ou naan.

POUR 4 PERSONNES

5 gousses d'ail hachées finement
1 petit oignon haché
1 morceau de 5 cm (2 po) de gingembre frais haché
2 piments verts épépinés et hachés finement
75 ml (5 c. à soupe) d'eau froide
60 ml (4 c. à soupe) d'huile d'arachide
5 ml (1 c. à thé) de graines de cumin
10 ml (2 c. à thé) de graines de coriandre
5 ml (1 c. à thé) de curcuma moulu
2,5 ml (½ c. à thé) de poudre chili ou de paprika doux
50 g (½ tasse) de noix de cajou grillées et moulues
225 g (8 oz) de tomates pelées et hachées
400 g (14 oz) de pois chiches en conserve, égouttés et rincés
900 g (2 lb) de panais en morceaux de 2 cm (¾ po)
350 ml (1½ tasse) de bouillon de légumes bouillant
jus de 1 lime, au goût
sel et poivre noir moulu
feuilles de coriandre fraîche hachées, noix de cajou grillées et yogourt nature, pour servir

1 Réservez 10 ml (2 c. à thé) de l'ail et mettez le reste dans un robot culinaire ou un mélangeur, avec l'oignon, le gingembre et la moitié des piments. Ajoutez l'eau et réduisez en pâte lisse.

2 Dans une grande poêle, chauffez l'huile et faites cuire les graines de cumin environ 30 secondes. Incorporez les graines de coriandre, le curcuma, la poudre chili ou le paprika et les noix de cajou moulues. Ajoutez la pâte au gingembre et aux piments et faites cuire, en remuant fréquemment, jusqu'à ce qu'elle bouillonne et que l'eau commence à s'évaporer.

3 Incorporez les tomates et faites cuire 1 minute. Transférez dans le récipient de cuisson et chauffez à haute température.

4 Ajoutez les pois chiches et les panais, remuez pour les enrober de sauce tomate épicée, puis incorporez le bouillon, salez et poivrez. Couvrez et faites cuire à haute température 4 heures, ou jusqu'à ce que les panais soient tendres.

5 Incorporez la moitié du jus de lime, l'ail réservé et le reste de piments verts. Couvrez et poursuivez la cuisson 30 minutes. Goûtez et ajoutez du jus de lime au besoin. Répartissez le ragoût dans quatre assiettes, saupoudrez de feuilles de coriandre fraîche et de noix de cajou grillées et garnissez d'une bonne cuillerée de yogourt nature. Servez immédiatement.

Informations nutritionnelles par portion – calories : 453 ; protéines : 14,8 g ; glucides : 50,1 g dont 16,6 g de sucres ; matières grasses : 23 g dont 4,3 g de gras saturés ; cholestérol : 0 mg ; calcium : 148 mg ; fibres : 15,8 g ; sodium : 394 mg.

OIGNONS FARCIS au FROMAGE DE CHÈVRE et aux TOMATES SÉCHÉES

La cuisson prolongée à basse température permettant de tirer le meilleur de la saveur des oignons, l'utilisation de la mijoteuse électrique s'impose tout naturellement. Servez ces délicieux oignons farcis en plat principal, sur un pilaf de riz ou de blé concassé.

POUR 4 PERSONNES

2 gros oignons
30 ml (2 c. à soupe) d'huile d'olive (ou utilisez l'huile des tomates séchées)
150 g (⅔ tasse) de fromage de chèvre ferme, émietté ou en cubes
50 g (1 tasse) de chapelure fraîche
8 tomates séchées au soleil conservées dans l'huile d'olive, égouttées et hachées
1 gousse d'ail hachée finement
2,5 ml (½ c. à thé) de thym frais
30 ml (2 c. à soupe) de persil frais haché
1 petit œuf battu
45 ml (3 c. à soupe) de pignons de pin
150 ml (⅔ tasse) de bouillon de légumes frémissant
sel et poivre noir moulu
persil frais haché, pour garnir

1 Portez une grande casserole d'eau à ébullition. Faites bouillir 10 minutes les oignons entiers, non épluchés.

2 Égouttez les oignons et laissez refroidir suffisamment pour pouvoir les manipuler. Coupez chaque oignon en deux horizontalement. Avec une cuillère à café, évidez le centre de chaque oignon, en laissant une coquille épaisse.

3 Hachez finement la chair d'une des moitiés d'oignon évidé et mettez dans un bol. Incorporez 5 ml (1 c. à thé) de l'huile d'olive (ou de celle des tomates séchées), puis le fromage de chèvre, la chapelure, les tomates séchées, l'ail, le thym, le persil, l'œuf et les pignons de pin. Salez, poivrez et mélangez bien.

4 Farcissez également les oignons et couvrez chacun d'eux de papier d'aluminium. Badigeonnez le fond du récipient de cuisson de 15 ml (1 c. à soupe) d'huile, puis versez le bouillon. Disposez les oignons dans le récipient, couvrez et faites cuire à haute température 4 heures, ou jusqu'à ce qu'ils soient très tendres tout en conservant leur forme.

5 Retirez délicatement les oignons et mettez-les sur une lèchefrite. Retirez le papier d'aluminium et aspergez le dessus des oignons de 10 ml (2 c. à thé) d'huile. Grillez 3-4 minutes sous le gril à feu moyen, en prenant garde de ne pas brûler les pignons. Parsemez de persil frais haché et servez immédiatement.

Informations nutritionnelles par portion – calories : 330 ; protéines : 13,8 g ; glucides : 14,3 g dont 11,3 g de sucres ; matières grasses : 24,7 g dont 8,4 g de gras saturés ; cholestérol : 83,7 mg ; calcium : 98 mg ; fibres : 1,9 g ; sodium : 349 mg.

PATATES DOUCES CONFITES à L'ORANGE

Les patates douces confites sont un plat d'accompagnement classique d'un souper traditionnel de l'Action de grâces. Pour donner de la fraîcheur et un air de fête, servez avec des quartiers d'orange.

POUR 8 PERSONNES

900 g (2 lb) de patates douces
150 ml (⅔ tasse) de jus d'orange
30 ml (2 c. à soupe) de sirop d'érable
5 ml (1 c. à thé) de gingembre fraîchement râpé
2,5 ml (½ c. à thé) de cannelle moulue
2,5 ml (½ c. à thé) de cardamome moulue
5 ml (1 c. à thé) de sel
poivre noir moulu
quartiers d'orange, pour servir (facultatif)

VARIANTE
Si vous le désirez, servez ce riche plat de légumes en purée (omettez les quartiers d'orange). Mettez les patates douces confites dans un robot culinaire, ajoutez un peu de sauce et réduisez en purée – rajoutez de la sauce, au besoin, pour obtenir une purée plus onctueuse.

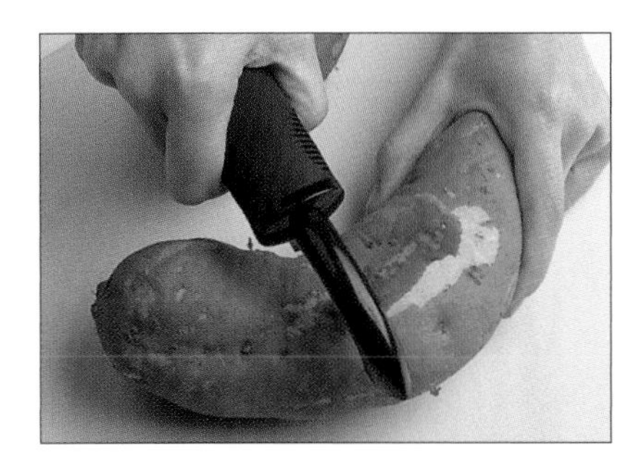

1 Pelez les patates et détaillez en cubes de 2 cm (¾ po). Mettez dans un grand bol résistant à la chaleur et mouillez à hauteur d'eau bouillante. Laissez reposer 5 minutes.

2 Entre-temps, mettez le jus d'orange, le sirop d'érable, les épices et le sel dans le récipient de cuisson, mélangez et chauffez à haute température.

3 Égouttez les cubes de patates douces et versez dans le récipient de cuisson. Remuez délicatement pour enrober les cubes de préparation à l'orange épicée. Couvrez et faites cuire 4-5 heures jusqu'à tendreté, en remuant deux fois en cours de cuisson.

4 Incorporez les quartiers d'orange, s'il y a lieu, salez et poivrez au goût. Servez immédiatement.

Informations nutritionnelles par portion – calories : 53 ; protéines : 2,9g ; glucides : 13,7 g dont 11,8 g de sucres ; matières grasses : 0 g dont 0 g de gras saturés ; cholestérol : 0 mg ; calcium : 5 mg ; fibres : 0,2 g ; sodium : 158 mg.

GRATIN de POMMES de TERRE à L'OIGNON et à L'AIL

Ce plat savoureux est parfait pour accompagner un rôti, un ragoût ou une grillade de viande ou de poisson. Les pommes de terre cuites avec des oignons et de l'ail ont une saveur vraiment riche.

POUR 4 PERSONNES

40 g (3 c. à soupe) de beurre
1 gros oignon tranché en rondelles très fines
2-4 gousses d'ail hachées finement
2,5 ml (½ c. à thé) de thym séché
900 g (2 lb) de pommes de terre farineuses coupées en tranches très fines
450 ml (2 petites tasses) de bouillon bouillant (légumes, poulet, bœuf ou agneau)
sel de mer et poivre noir moulu

1 Graissez l'intérieur du récipient de cuisson avec 15 g (1 c. à soupe) du beurre. Tapissez le fond du récipient d'une mince couche d'oignons et parsemez d'un peu d'ail haché, de thym, de sel et de poivre.

2 Disposez soigneusement une couche de tranches de pommes de terre, en les faisant se chevaucher. Répétez les couches jusqu'à épuisement des oignons, de l'ail, des herbes et des pommes de terre, en finissant par ces dernières.

3 Mouillez à hauteur de bouillon. Couvrez et faites cuire à basse température 8-10 heures ou à haute température 4-5 heures, ou jusqu'à ce que les pommes de terre soient tendres.

4 Si vous le désirez, faites dorer les pom-mes de terre 3-4 minutes sous le gril chaud. Saupoudrez d'un peu de sel de mer et de poivre noir moulu et servez.

VARIANTES

- Pour faire un plat plus consistant, saupoudrez les pommes de terre cuites de 115 g (1 tasse) de gruyère râpé et faites gratiner 3-4 minutes sous le gril préchauffé.
- Sinon, 30 minutes avant la fin du temps de cuisson, saupoudrez le gratin de 165 g (1 petite tasse) de fromage de chèvre émietté.
- Pour varier la saveur, remplacez le thym par du romarin ou de la sauge haché, ou des baies de genièvre écrasées.

Informations nutritionnelles par portion – calories : 260 ; protéines : 5,1 g ; glucides : 41,9 g dont 6,4 g de sucres ; matières grasses : 9,1 g dont 5,4 g de gras saturés ; cholestérol : 21 mg ; calcium : 31 mg ; fibres : 3,3 g ; sodium : 171 mg.

RIZ BRUN aux LIMES et à la CITRONNELLE

Dans ce mets délicieux, la saveur de noix du riz brun – ingrédient inhabituel dans la cuisine thaïlandaise – est rehaussée par le parfum des limes et de la citronnelle.

POUR 4 PERSONNES

2 limes
1 tige de citronnelle
15 ml (1 c. à soupe) d'huile de tournesol
1 oignon haché
1 morceau de 2,5 cm (1 po) de gingembre frais pelé et haché très finement
7,5 ml (1 ½ c. à thé) de graines de coriandre
7,5 ml (1 ½ c. à thé) de graines de cumin
750 ml (3 tasses) de bouillon de légumes bouillant
275 g (1 ½ tasse) de riz brun étuvé
60 ml (4 c. à soupe) de coriandre fraîche hachée
sel et poivre noir moulu
oignons verts, lamelles de noix de coco grillées et quartiers de lime, pour garnir

1 À l'aide d'un zesteur ou d'une râpe fine, prélevez le zeste des limes, en veillant à ne pas enlever la peau blanche amère. Réservez.

2 Coupez la partie inférieure de la tige de citronnelle, retirez les extrémités minces, puis hachez la tige finement. Réservez.

3 Chauffez l'huile dans une grande casserole et faites suer l'oignon 5 minutes. Incorporez le gingembre, les graines de coriandre et de cumin, la citronnelle et le zeste de lime. Laissez cuire 2-3 minutes, puis versez dans le récipient de cuisson.

4 Ajoutez le bouillon et mélangez rapidement. Couvrez la mijoteuse et faites cuire 1 heure à haute température.

5 Rincez le riz sous l'eau froide, jusqu'à ce que l'eau de rinçage soit transparente. Égouttez et versez dans le récipient de cuisson. Laissez cuire 45-90 minutes, ou jusqu'à ce que le riz soit tendre et ait absorbé le bouillon.

6 Incorporez la coriandre fraîche au riz, salez et poivrez. Remuez le riz avec une fourchette et servez-le garni de lanières d'oignons verts, de lamelles de noix de coco grillées et de quartiers de lime.

Informations nutritionnelles par portion – calories : 308 ; protéines : 5,6 g ; glucides : 64 g dont 5,1 g de sucres ; matières grasses : 5,1 g dont 0,9 g de gras saturés ; cholestérol : 0 mg ; calcium : 17 mg ; fibres : 2 g ; sodium : 129 mg.

POIS CHICHES au TAMARIN ÉPICÉS

Les pois chiches sont de bons ingrédients de base pour de nombreux plats végétariens. Assaisonnés de tamarin et d'épices, ils se dégustent en repas léger ou en plat d'accompagnement.

POUR 4 PERSONNES

225 g (1 1/4 tasse) de pois chiches secs
50 g (2 oz) de pulpe de tamarin
45 ml (3 c. à soupe) d'huile végétale
2,5 ml (1/2 c. à thé) de graines de cumin
1 oignon haché très finement
2 gousses d'ail écrasées
1 morceau de 2,5 cm (1 po) de gingembre frais pelé et râpé
1 piment vert frais haché finement
5 ml (1 c. à thé) de cumin moulu
5 ml (1 c. à thé) de coriandre moulue
1,5 ml (1/4 c. à thé) de curcuma moulu
2,5 ml (1/2 c. à thé) de sel
225 g (8 oz) de tomates pelées et hachées finement
2,5 ml (1/2 c. à thé) de garam masala
piment frais et oignon hachés, pour servir

1 Mettez les pois chiches dans un grand bol et recouvrez d'eau froide. Laissez tremper au moins 8 heures ou toute la nuit.

2 Égouttez les pois chiches et mettez-les dans une casserole avec au moins deux fois leur volume d'eau froide. (Ne salez pas l'eau, car le sel fait durcir les pois chiches.)

3 Portez à ébullition et faites bouillir au moins 10 minutes. Écumez l'eau, égouttez les pois chiches et versez dans le récipient de cuisson.

4 Mouillez les pois chiches de 750 ml (3 tasses) d'eau frémissante. Couvrez et laissez cuire à haute température 4-5 heures, ou jusqu'à ce que les pois soient tendres.

5 Vers la fin du temps de cuisson, mettez le tamarin dans un bol et écrasez avec une fourchette. Versez 120 ml (1/2 tasse) d'eau bouillante et laissez tremper environ 15 minutes.

6 Versez le tamarin dans un tamis et jetez l'eau. Au-dessus d'un bol, forcez la pulpe à travers le tamis en enlevant toute graine ou fibre.

7 Chauffez l'huile dans une grande casserole et faites griller les graines de cumin 2 minutes jusqu'à ce qu'elles grésillent. Ajoutez l'oignon, l'ail et le gingembre et faites frire 5 minutes. Ajoutez le cumin, la coriandre, le curcuma, le piment et le sel et faites cuire 3-4 minutes. Incorporez les tomates, le garam masala et la pulpe de tamarin, puis portez à ébullition.

8 Versez la préparation au tamarin dans le récipient de cuisson et mélangez. Couvrez et poursuivez la cuisson 1 heure. Servez directement dans le récipient de cuisson ou dans un plat de service chaud. Garnissez de piment et d'oignon hachés.

CONSEIL DU CHEF
Pour gagner du temps, doublez la quantité de pulpe de tamarin et congelez dans des bacs à glaçons. Elle se conservera jusqu'à deux mois.

Informations nutritionnelles par portion – calories : 277 ; protéines : 12,8 g ; glucides : 32,6 g dont 5,3 g de sucres ; matières grasses : 11,5 g dont 1,3 g de gras saturés ; cholestérol : 0 mg ; calcium : 103 mg ; fibres : 7,1 g ; sodium : 274 mg.

DHAL de LENTILLES aux TOMATES et à la NOIX de COCO

Avec son petit goût de revenez-y, ce plat de lentilles richement parfumé et coloré comblera votre appétit. Servez-le avec du pain naan chaud et du yogourt nature. Ce mets se fait aussi avec des pois cassés jaunes, mais il prendra un peu plus de temps à cuire.

POUR 4 PERSONNES

30 ml (2 c. à soupe) d'huile végétale
1 gros oignon haché très finement
3 gousses d'ail hachées
1 carotte en dés
10 ml (2 c. à thé) de graines de cumin
10 ml (2 c. à thé) de graines de moutarde jaune
1 morceau de 2,5 cm (1 po) de gingembre frais râpé
10 ml (2 c. à thé) de curcuma moulu
5 ml (1 c. à thé) de poudre chili doux
5 ml (1 c. à thé) de garam masala
225 g (1 tasse) de lentilles rouges cassées
400 ml (1⅔ tasse) de bouillon de légumes bouillant
400 ml (1⅔ tasse) de lait de noix de coco
5 tomates pelées, épépinées et hachées
jus de 2 limes
60 ml (4 c. à soupe) de coriandre fraîche hachée
sel et poivre noir moulu
25 g (¼ tasse) d'amandes effilées grillées, pour garnir

1 Chauffez l'huile dans une casserole et faites suer l'oignon 5 minutes en remuant de temps en temps.

2 Ajoutez l'ail, la carotte, le cumin, les graines de moutarde et le gingembre et faites cuire 3-4 minutes, en remuant, jusqu'à ce que les graines exhalent leur parfum et que les carottes soient légèrement ramollies.

CONSEIL DU CHEF
Ce plat se réchauffant bien, doublez les quantités et congelez la moitié. Pour réchauffer, dégelez et ajoutez un peu d'eau.

3 Ajoutez le curcuma moulu, la poudre chili et le garam masala et laissez cuire 1 minute, en remuant jusqu'à ce que les saveurs commencent à se mélanger.

4 Versez la préparation dans le récipient de cuisson. Incorporez les lentilles, le bouillon, le lait de noix de coco et les tomates, salez et poivrez. Remuez et couvrez la mijoteuse.

5 Faites cuire à haute température 2 heures, ou jusqu'à ce que les lentilles soient tendres, en remuant à mi-cuisson pour les empêcher de coller. Incorporez le jus de lime et 45 ml (3 c. à soupe) de coriandre fraîche.

6 Vérifiez l'assaisonnement et poursuivez la cuisson 30 minutes. Avant de servir, parsemez le reste de coriandre fraîche et les amandes grillées.

Informations nutritionnelles par portion – calories : 335 ; protéines : 16,6 g ; glucides : 46,3 g dont 14,3 g de sucres ; matières grasses : 10,6 g dont 1,4 g de gras saturés ; cholestérol : 0 mg ; calcium : 99 mg ; fibres : 5,5 g ; sodium : 230 mg.

RIZ INDIEN ÉPICÉ aux ÉPINARDS, aux TOMATES et aux NOIX de CAJOU

Servez ce mets végétarien complet, délicieux et nutritif, en plat principal ou en accompagnement d'un curry de viande épicé. Le ghee, un beurre clarifié couramment utilisé dans la cuisine indienne, est disponible en conserve dans les supermarchés et les magasins d'alimentation asiatiques.

POUR 4 PERSONNES

30 ml (2 c. à soupe) d'huile d'olive
15 ml (1 c. à soupe) de ghee ou de beurre non salé
1 oignon haché finement
2 gousses d'ail écrasées
3 tomates pelées, épépinées et hachées
275 g (1½ tasse) de riz brun étuvé
5 ml (1 c. à thé) chacun de coriandre et de cumin moulus ou 10 ml (2 c. à thé) de poudre dhana jeera
2 carottes râpées grossièrement
750 ml (3 tasses) de bouillon de légumes bouillant
175 g (6 oz) de feuilles de jeunes épinards lavées
50 g (½ tasse) de noix de cajou non salées grillées
sel et poivre noir moulu

1 Chauffez l'huile et le ghee ou le beurre dans une casserole à fond épais et faites suer l'oignon 6-7 minutes. Incorporez l'ail et les tomates hachées et continuez à cuire 2 minutes.

2 Rincez le riz sous l'eau froide, égouttez bien et versez dans la casserole. Ajoutez la coriandre et le cumin ou la poudre dhana jeera et remuez quelques secondes. Fermez le feu et transférez la préparation dans le récipient de cuisson.

3 Ajoutez les carottes, versez le bouillon, salez et poivrez. Remuez, couvrez et faites cuire 1 heure à haute température.

4 Déposez les épinards sur le riz, couvrez et poursuivez la cuisson 30-40 minutes, ou jusqu'à ce que les épinards soient flétris et que le riz soit cuit et tendre.

5 Mélangez les épinards au riz et rectifiez l'assaisonnement au besoin. Parsemez de noix de cajou et servez.

CONSEIL DU CHEF
À défaut de jeunes épinards, utilisez des grandes feuilles d'épinards frais. Ôtez les tiges dures et hachez les feuilles grossièrement avant de les ajouter au riz.

Informations nutritionnelles par portion – calories : 473 ; protéines : 10,1 g ; glucides : 72,1 g dont 9,2 g de sucres ; matières grasses : 18 g dont 4,5 g de gras saturés ; cholestérol : 8 mg ; calcium : 111 mg ; fibres : 4,8 g ; sodium : 349 mg.

DESSERTS ET GÂTEAUX

Des flans et fruits pochés aux poudings et gâteaux succulents,
les recettes alléchantes de ce chapitre raviront
tout amateur de sucreries. Régalez-vous
de classiques poires pochées, de pommes au four farcies
ou de pouding au tapioca. Laissez-vous tenter
par le flan à l'érable du Vermont ou
le pouding aux bananes et aux pépites de chocolat.
Dégustez votre thé ou votre café
avec un morceau de gâteau savoureux,
tel que le gâteau glacé aux carottes et aux panais,
le brownie au chocolat et au fromage
ou le gâteau moelleux au gingembre.
Une bouchée de ces délices vous mènera au septième ciel.

FLAN à la NOIX de COCO

Ce dessert classique thaïlandais, fait de lait de noix de coco riche et crémeux, est souvent servi avec des fruits frais, en particulier des mangues et des tamarillos.

POUR 4 PERSONNES

4 œufs
75 g (⅓ bonne tasse) de cassonade dorée
250 ml (1 tasse) de lait de noix de coco
5 ml (1 c. à thé) d'essence de vanille,
de rose ou de jasmin
sucre glace, pour décorer
tranches de fruits frais, pour servir

CONSEIL DU CHEF

Tapissez le fond du ramequin d'un disque de papier parchemin, puis huilez légèrement la paroi. Lorsque le flan est cuit et refroidi, passez la lame d'un couteau autour du flan et démoulez-le sur une assiette à dessert.

1 Versez environ 2,5 cm (1 po) d'eau chaude dans le récipient de cuisson et chauffez à basse température. Dans un bol, battez ensemble les œufs et la cassonade jusqu'à consistance lisse. Tout en battant, incorporez peu à peu le lait de noix de coco et l'essence parfumée.

2 Passez la préparation dans un pot, puis versez dans un grand plat ou quatre plats individuels (verres ou ramequins) allant au four. Couvrez chaque plat de pellicule plastique.

3 Mettez les plats dans le récipient de cuisson. L'eau devrait dépasser légèrement la mi-hauteur des plats ; dans le cas contraire, rajoutez del'eau bouillante.

4 Couvrez la mijoteuse et faites cuire 3 heures, ou jusqu'à ce que les flans soient légèrement pris – une brochette fine ou un cure-dents inséré au centre devrait en ressortir propre.

5 Retirez délicatement les plats et laissez refroidir. Une fois refroidis, réfrigérez jusqu'au moment de servir. Décorez les flans avec un peu de sucre glace et servez avec des tranches de fruits.

Informations nutritionnelles par portion – calories : 175 ; protéines : 7,5 g ; glucides : 22,7 g dont 22,7 g de sucres ; matières grasses : 6,7 g dont 2 g de gras saturés ; cholestérol : 227 mg ; calcium : 57 mg ; fibres : 0 g ; sodium : 151 mg.

POUDING au TAPIOCA

Fait de gros tapioca perlé et de lait de noix de coco, ce dessert de style thaïlandais est une version du classique pouding au tapioca. Servez-le chaud, idéalement accompagné de litchis frais.

POUR 4 PERSONNES

115 g (⅔ tasse) de gros tapioca perlé
475 ml (2 tasses) d'eau très chaude
115 g (½ bonne tasse) de sucre semoule
pincée de sel
250 ml (1 tasse) de lait de noix de coco
250 g (9 oz) de fruits tropicaux préparés
fines lanières de zeste de lime et lamelles de noix de coco fraîche, pour décorer (facultatif)

CONSEIL DU CHEF

Comme il se doit en Thaïlande, ce plat contient beaucoup de sucre. Si vous le préférez, réduisez-en la quantité au goût.

1 Mettez le tapioca dans un bol et recouvrez largement d'eau tiède. Laissez tremper 1 heure jusqu'à ce que les grains soient bien gonflés. Égouttez et réservez.

2 Versez l'eau mesurée dans le récipient de cuisson. Ajoutez le sucre et le sel et remuez jusqu'à dissolution. Couvrez et chauffez à haute température environ 30 minutes jusqu'au point de frémissement.

3 Incorporez le tapioca et le lait de noix de coco, couvrez et poursuivez la cuisson 1-1½ heure, ou jusqu'à ce que les grains soient transparents.

4 Versez à la louche dans un grand bol ou quatre bols individuels et servez tiède, accompagné de tranches de fruits tropicaux et, s'il y a lieu, décoré de zeste de lime et de lamelles de noix de coco.

Informations nutritionnelles par portion – calories : 273 ; protéines : 2,7 g ; glucides : 66,7 g dont 41,9 g de sucres ; matières grasses : 1,3 g dont 0,4 g de gras saturés ; cholestérol : 0 mg ; calcium : 43 mg ; fibres : 1,7 g ; sodium : 73 mg.

POIRES POCHÉES au VIN ROUGE

Les poires pochées au vin sont un régal pour les yeux et le palais. Il est préférable de les cuire dans une petite mijoteuse, afin qu'elles restent immergées durant la cuisson.

POUR 4 PERSONNES

1 bouteille de vin rouge fruité
150 g (¾ tasse) de sucre semoule
45 ml (3 c. à soupe) de miel liquide
1 bâton de cannelle
1 gousse de vanille fendue dans la longueur
grande lanière de zeste de citron ou d'orange
2 clous de girofle
2 grains de poivre noir
4 poires mûres et fermes
jus de ½ citron
feuilles de menthe, pour garnir
crème fouettée ou crème sure, pour servir

1 Versez le vin dans le récipient de cuisson. Ajoutez le sucre, le miel, le bâton de cannelle, la gousse de vanille, le zeste d'agrume, les clous de girofle et les grains de poivre. Couvrez et faites cuire à haute température 30 minutes, en remuant de temps en temps.

2 Entre-temps, pelez les poires en laissant leur queue intacte. Enlevez une mince tranche à leur base pour qu'elles tiennent bien debout. Passez immédiatement chaque poire pelée dans le jus de citron pour empêcher la chair de brunir à l'air.

3 Disposez les poires dans la préparation au vin épicé. Couvrez et faites cuire 2-4 heures, en tournant les poires de temps à autre, jusqu'à ce qu'elles soient tendres ; ne les cuisez pas trop.

CONSEIL DU CHEF
Le temps de cuisson dépendra de la taille et de la maturité des poires. Les petites poires mûres cuiront plus vite que les grosses poires dures.

4 Avec une écumoire, transférez les poires dans un bol. Pour gagner du temps, versez la préparation au vin dans une casserole et faites bouillir rapidement 10-15 minutes. Sinon, continuez à cuire la préparation dans le récipient de cuisson 1 heure à découvert, jusqu'à ce qu'elle ait réduit et épaissi un peu. Arrêtez la mijoteuse et laissez refroidir.

5 Passez le liquide refroidi sur les poires et réfrigérez au moins 3 heures. Disposez une poire dans chaque assiette de service et nappez d'un peu de sirop de vin. Garnissez de feuilles de menthe fraîche et servez avec de la crème fouettée ou de la crème sure.

Informations nutritionnelles par portion – calories : 87 ; protéines : 0,5 g ; glucides : 16,6 g dont 16,6 g de sucres ; matières grasses : 0,2 g dont 0 g de gras saturés ; cholestérol : 0 mg ; calcium : 19 mg ; fibres : 3,3 g ; sodium : 7 mg.

FRUITS D'HIVER POCHÉS au VIN CHAUD

Pochées dans un sirop de vin épicé, des pommes et des poires accompagnées de figues et d'abricots secs constituent un délicieux dessert d'hiver. Servez-les nature ou avec une généreuse cuillerée de crème épaisse.

POUR 4 PERSONNES

300 ml (1 ¼ tasse) de vin rouge fruité
300 ml (1 ¼ tasse) de jus frais de pomme ou d'orange
fine lanière de zeste d'orange ou de citron
45 ml (3 c. à soupe) de miel liquide
1 petit bâton de cannelle
4 clous de girofle
4 capsules de cardamome fendues
2 poires telles que comices ou williams
8 figues sèches
12 abricots secs non sulfurés
2 pommes de table pelées, évidées et coupées en tranches épaisses

1 Versez le jus de pomme ou d'orange dans le récipient de cuisson. Ajoutez le

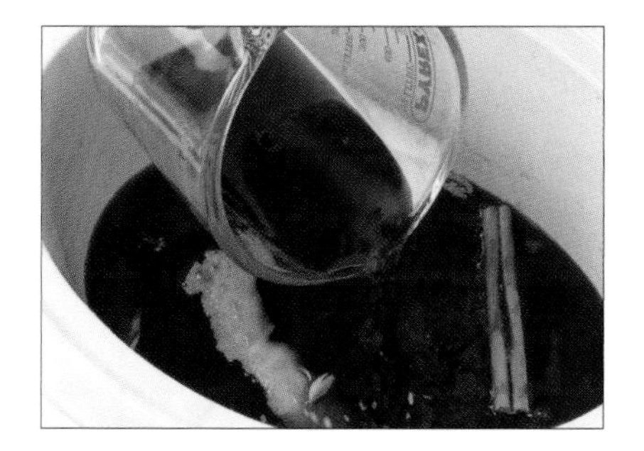

zeste d'agrume, le miel, le bâton de cannelle, les clous de girofle et les capsules de cardamomes. Couvrez et faites cuire 1 heure à haute température.

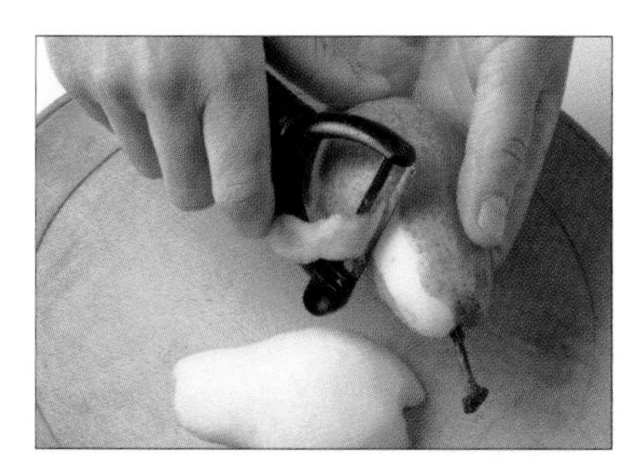

2 Pelez et coupez les poires en deux, en laissant la queue intacte. Évidez et mettez dans le récipient de cuisson, avec les figues et les abricots. Laissez cuire 1 heure. Tournez délicatement les poires, puis ajoutez les tranches de pommes. Poursuivez la cuisson 1½-2 heures, ou jusqu'à ce que tous les fruits soient tendres.

3 Retirez les fruits avec une écumoire, placez sur un plat de service et réservez.

4 Passez le sirop dans une casserole et jetez les épices. Portez à ébullition et faites bouillir vivement une dizaine de minutes, jusqu'à ce que le sirop ait réduit d'environ un tiers. Versez sur les fruits et servez-les chauds ou froids.

CONSEIL DU CHEF

Choisissez des pommes acides et goûteuses, telles que cox orange pipping, braeburn ou granny smith. Leur acidité contrebalance bien la douceur des fruits secs et la robustesse du vin rouge épicé.

Informations nutritionnelles par portion – calories : 347 ; protéines : 5 g ; glucides : 78,1 g dont 78,1 g de sucres ; matières grasses : 1,9 g dont 0 g de gras saturés ; cholestérol : 0 mg ; calcium : 284 mg ; fibres : 11,4 g ; sodium : 72 mg.

POMMES au FOUR FARCIES

Les amarettis italiens donnent à la farce une délicieuse saveur d'amandes, tandis que les canneberges sèches et les fruits confits ajoutent de la douceur et de la couleur. Choisissez des pommes qui resteront fermes après une longue cuisson.

POUR 4 PERSONNES

75 g (6 c. à soupe) de beurre ramolli
45 ml (3 c. à soupe) de jus d'orange ou de pomme
75 g (½ petite tasse) de sucre muscovado clair
zeste râpé et jus de ½ orange
1,5 ml (¼ c. à thé) de cannelle moulue
30 ml (2 c. à soupe) d'amarettis émiettés
25 g (¼ tasse) de pacanes hachées
25 g (¼ tasse) de canneberges ou de cerises acides sèches
25g (¼ tasse) de fruits confits mélangés hachés
4 grosses pommes à cuire, telles que des bramleys
crème, crème fraîche ou glace à la vanille, pour servir

1 Graissez le récipient de cuisson avec 15 g (1 c. à soupe) du beurre. Versez le jus de fruit et chauffez à haute température.

2 Dans un bol, mélangez bien ensemble le reste de beurre, le sucre, le zeste et le jus d'orange, la cannelle et les amarettis émiettés.

3 Ajoutez les pacanes, les canneberges ou les cerises acides séchées et les fruits confits. Mélangez bien et réservez pour farcir.

4 Lavez et séchez les pommes. Avec un vide-pomme, enlevez le trognon et agrandissez la cavité de deux fois sa taille. Avec un couteau tranchant, entaillez la pelure autour de la circonférence de chaque pomme.

5 Répartissez la farce également entre les pommes, en la tassant dans la cavité et en l'empilant sur l'ouverture. Mettez les pom-mes debout dans le récipient de cuisson. Couvrez et faites cuire à basse tempéra-ture 4 heures ou jusqu'à tendreté. Transférez les pommes sur des assiettes chaudes et nappez de sauce. Servez avec de la crème, de la crème fraîche ou de la glace à la vanille.

CONSEIL DU CHEF
Le temps de cuisson dépendra du type et de la taille des pommes.

Informations nutritionnelles par portion – calories : 347 ; protéines : 1,6 g ; glucides : 42,4 g dont 41,3 g de sucres ; matières grasses : 20,3 g dont 10,3 g de gras saturés ; cholestérol : 40 mg ; calcium : 27 mg ; fibres : 3 g ; sodium : 131 mg.

PAPAYES FARCIES, PARFUMÉES au GINGEMBRE

Le gingembre épicé rehausse parfaitement la saveur délicate de la papaye. Cette recette ne demande que 10 minutes de préparation. Prenez garde de ne pas trop cuire la papaye, sinon, sa chair deviendra très humide.

POUR 4 PERSONNES

150 ml (2/3 tasse) d'eau chaude
45 ml (3 c. à soupe) de raisins secs
fines lanières de zeste et jus de 1 lime
2 papayes mûres
2 noix de gingembre au sirop égouttées, plus 15 ml (1 c. à soupe) du sirop
8 amarettis ou autres biscuits écrasés grossièrement
25 g (1/4 tasse) de pistaches hachées
15 ml (1 c. à soupe) de sucre muscovado clair
60 ml (4 c. à soupe) de crème fraîche, et un peu plus pour servir

VARIANTE

Utilisez des amandes hachées et du yogourt grec à la place des pistaches et de la crème fraîche.

1 Versez l'eau chaude dans le récipient de cuisson et chauffez à haute température. Dans un bol, mélangez ensemble les raisins secs et le jus de lime. Laissez reposer au moins 5 minutes, pendant que vous préparez les autres ingrédients.

2 Coupez les papayes en deux et évidez-les avec une cuillère à thé.

3 Hachez finement les noix de gingembre et mettez-les dans le bol de raisins secs trempés de jus de lime. Ajoutez les biscuits, le zeste de lime, les deux tiers des pistaches, le sucre et la crème fraîche. Mélangez bien.

4 Farcissez les papayes et placez dans le récipient de cuisson. Couvrez et laissez cuire 1-1 ½ heure. Arrosez de sirop de gingembre, parsemez du reste de pistaches et servez avec de la crème fraîche.

Informations nutritionnelles par portion – calories : 302 ; protéines : 4,1 g ; glucides : 45,6 g dont 36,6 g de sucres ; matières grasses : 12,8 g dont 5,7 g de gras saturés ; cholestérol : 17 mg ; calcium : 70 mg ; fibres : 5,7 g ; sodium : 136 mg.

FLAN à L'ÉRABLE du VERMONT

Le sirop d'érable a une saveur vraiment particulière et donne à ce flan un goût merveilleusement riche. Pour obtenir le meilleur résultat, utilisez du sirop d'érable pur.

POUR 6 PERSONNES

3 œufs
120 ml (½ tasse) de sirop d'érable
250 ml (1 tasse) de lait tiède
150 ml (⅔ tasse) de crème légère tiède
5 ml (1 c. à thé) d'essence de vanille
noix de muscade, pour râper

CONSEIL DU CHEF

Le lait et la crème tièdes aideront le flan à cuire et à prendre plus vite. Réchauffez-les dans une casserole sur le feu ou, plus simplement, dans un bol ou un pot résistant à la chaleur placé dans la mijoteuse remplie d'environ 5 cm (2 po) d'eau frémissante. Chauffez à haute température 30 minutes, retirez le lait et la crème et réglez la mijoteuse à basse température. Utilisez l'eau chaude du récipient de cuisson pour cuire le flan.

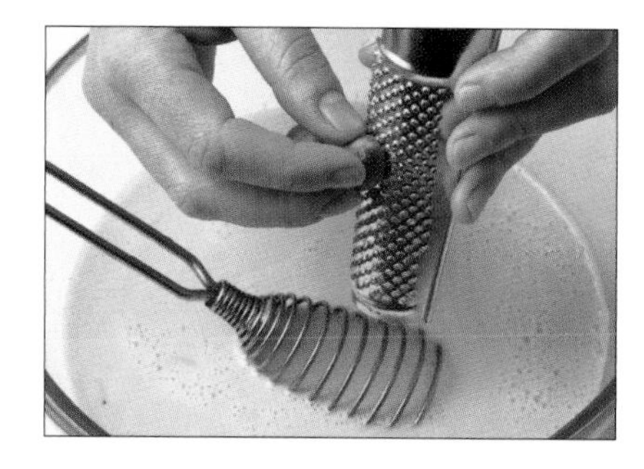

1 Battez les œufs dans un grand bol. En fouettant, incorporez successivement le sirop d'érable, le lait et la crème tièdes, puis l'essence de vanille. Râpez un peu de noix de muscade.

2 Passez la préparation dans six ramequins – assurez-vous au préalable qu'ils tiennent tous côte à côte dans le récipient de cuisson. Couvrez soigneusement chaque ramequin de papier d'aluminium, puis placez dans le récipient de cuisson.

3 Versez de l'eau très chaude jusqu'aux trois quarts de la hauteur des ramequins. Couvrez et faites cuire à basse température 2½-3 heures, ou jusqu'à ce que les flans soient pris – une brochette insérée au centre devrait en ressortir propre.

4 Transférez les ramequins sur une grille de métal. Laissez reposer 5 minutes et servez les flans tièdes. Sinon, laissez refroidir complètement et réfrigérez. Sortez du réfrigérateur environ 30 minutes avant de servir.

Informations nutritionnelles par portion – calories : 174 ; protéines : 8,6 g ; glucides : 24,5 g dont 18,7 g de sucres ; matières grasses : 5,3 g dont 1,6 g de gras saturés ; cholestérol : 116 mg ; calcium : 97 mg ; fibres : 9,1 g ; sodium : 120 mg.

PETITS POTS de CRÈME au MOKA

Le nom de ces flans classiques français vient des petits pots dans lesquels ils sont cuits. L'ajout de café donne à ce dessert une saveur encore plus riche et plaisante.

POUR 4 PERSONNES

5 ml (1 c. à thé) de café instantané
15 ml (1 c. à soupe) de cassonade dorée
300 ml (1 1/4 tasse) de lait
150 ml (2/3 tasse) de crème épaisse
115 g (4 oz) de chocolat noir
15 ml (1 c. à soupe) de liqueur de café (facultatif)
4 jaunes d'œufs
crème fouettée et décorations en sucre, pour décorer (facultatif)

1 Mettez le café instantané et le sucre dans une casserole et incorporez le lait et la crème. Portez à ébullition à feu moyen, en remuant constamment jusqu'à dissolution du café et du sucre.

2 Retirez la casserole du feu et ajoutez le chocolat. Remuez jusqu'à ce que le chocolat soit fondu, puis incorporez la liqueur de café, s'il y a lieu.

3 Dans un bol, battez les jaunes d'œufs. Tout en fouettant, incorporez lentement la préparation au chocolat. Passez la préparation dans un grand pot, puis versez dans quatre pots de crème ou ramequins – assurez-vous au préalable qu'ils tiennent tous côte à côte dans le récipient de cuisson.

4 Couvrez chaque plat de papier d'aluminium et placez dans le récipient de cuisson. Versez de l'eau chaude jusqu'à mi-hauteur des plats. Couvrez et faites cuire à haute température 2½-3 heures, ou jusqu'à ce que les flans soient juste pris – la lame d'un couteau insérée au centre devrait en ressortir propre.

5 Retirez les pots avec précaution et laissez refroidir. Couvrez et réfrigérez jusqu'au moment de servir. Garnissez de crème fouettée et de décorations en sucre, si vous le désirez.

Informations nutritionnelles par portion – calories : 443 ; protéines : 8,3 g ; glucides : 23,7 g dont 23,7 g de sucres ; matières grasses : 35,7 g dont 20,2 g de gras saturés ; cholestérol : 264 mg ; calcium : 196 mg ; fibres : 0,2 g ; sodium : 74 mg.

BANANES CHAUDES au RHUM et aux RAISINS

Ces bananes cuites, sirupeuses et sucrées, sont délectables en tout temps de l'année. La sauce riche qui se caramélise durant la cuisson est tout simplement irrésistible.

POUR 4 PERSONNES

- 30 ml (2 c. à soupe) de raisins secs sans pépins
- 45 ml (3 c. à soupe) de rhum brun
- 40 g (3 c. à soupe) de beurre non salé
- 50 g (¼ tasse) de cassonade dorée
- 4 bananes pas tout à fait mûres, pelées et tranchées dans la longueur
- 1,5 ml (¼ c. à thé) de noix de muscade râpée
- 1,5 ml (¼ c. à thé) de cannelle moulue
- 25 g (¼ tasse) d'amandes effilées grillées (facultatif)
- crème fouettée ou glace à la vanille, pour servir

VARIANTE

Si vous n'aimez pas le rhum, utilisez une liqueur d'orange, comme du Cointreau, au goût plus doux.

1 Dans un bol, mettez les raisins secs à tremper dans 30 ml (2 c. à soupe) du rhum.

2 Coupez le beurre en petits cubes et mettez dans le récipient de cuisson avec le sucre et le 15 ml (1 c. à soupe) de rhum restant. Chauffez 15 minutes à haute température, sans couvrir, jusqu'à ce que le beurre et le sucre soient fondus.

3 Disposez les bananes dans la préparation au beurre sucré. Couvrez et faites cuire environ 30 minutes, ou jusqu'à ce que les bananes soient presque tendres, en les tournant à mi-cuisson.

4 Saupoudrez de noix de muscade et de cannelle et ajoutez les raisins au rhum. Remuez très doucement pour mélanger, couvrez et poursuivez la cuisson 10 minutes.

5 Retirez délicatement les bananes et disposez sur un plat de service ou des assiettes individuelles. Nappez de sauce et parsemez d'amandes, s'il y a lieu. Servez les bananes chaudes, garnies de crème fouettée ou de glace à la vanille.

CONSEIL DU CHEF

Choisissez des bananes presque mûres dont la peau est de couleur égale. Les bananes trop mûres se réduiront en bouillie durant la cuisson.

Informations nutritionnelles par portion – calories : 323 ; protéines : 3 g ; glucides : 47,1 g dont 44,7 g de sucres ; matières grasses : 12,1 g dont 5,6 g de gras saturés ; cholestérol : 21 mg ; calcium : 33 mg ; fibres : 1,9 g ; sodium : 72 mg.

POUDING aux BANANES et aux PÉPITES de CHOCOLAT

Nappé d'une sauce brillante au chocolat, ce pouding à la vapeur riche, dense et collant est un excellent dessert d'hiver. Pour le rendre encore plus exquis, servez-le avec une boule de glace à la vanille.

POUR 4 PERSONNES

200 g (1¾ tasse) de farine à levure
75 g (6 c. à soupe) de beurre non salé
2 bananes mûres
75 g (6 c. à soupe) de sucre semoule
50 ml (¼ tasse) de lait
1 œuf battu légèrement
75 g (⅔ tasse) de pépites de chocolat
ou de chocolat noir haché

Pour la sauce au chocolat
90 g (½ tasse) de sucre semoule
50 ml (¼ tasse) d'eau
175 g (1¼ tasse) de pépites de chocolat
ou de chocolat noir haché
25 g (2 c. à soupe) de beurre non salé
30 ml (2 c. à soupe) de brandy
ou de jus d'orange

1 Graissez et tapissez de papier parchemin le fond d'un bol à pouding de 1 l (4 tasses). Placez une soucoupe renversée ou un emporte-pièce de métal au fond du récipient de cuisson. Versez environ 2,5 cm (1 po) d'eau chaude et chauffez à haute température.

2 Dans un grand bol à mélanger, tamisez la farine et incorporez le beurre jusqu'à l'obtention d'une chapelure grossière. Dans un autre bol, écrasez les bananes, puis mélangez-les à la préparation de farine. Ajoutez le sucre et mélangez bien.

3 Dans un bol propre, battez ensemble le lait et l'œuf, puis incorporez-les à la préparation aux bananes. Ajoutez les pépites ou le chocolat haché, mélangez et versez dans le bol à pouding tapissé. Couvrez d'une double épaisseur de papier d'aluminium beurré et placez dans le récipient de cuisson. Versez de l'eau bouillante jusqu'à mi-hauteur du bol à pouding.

4 Couvrez et faites cuire à haute température 3-4 heures, ou jusqu'à ce que le pouding soit bien levé et qu'une brochette insérée au centre en sorte propre. Arrêtez la mijoteuse et laissez le bol dans l'eau pendant que vous faites la sauce.

5 Dans une casserole à fond épais, chauffez le sucre et l'eau à feu doux jusqu'à dissolution du sucre, en remuant de temps en temps avec une cuillère de bois. Retirez du feu, ajoutez le chocolat et remuez jusqu'à ce qu'il soit fondu, puis faites de même avec le beurre. Incorporez le brandy ou le jus d'orange.

6 Retirez le bol de la mijoteuse et passez un couteau autour du pouding pour le détacher. Démoulez sur un plat de service chaud, nappez de sauce et servez chaud.

Informations nutritionnelles par portion – calories : 926 ; protéines : 11,1 g ; glucides : 131,9 g dont 93,2 g de sucres ; matières grasses : 41,1 g dont 24,6 g de gras saturés ; cholestérol : 118 mg ; calcium : 266 mg ; fibres : 3,3 g ; sodium : 378 mg.

POUDING COLLANT au CAFÉ et aux POIRES

Ce délicieux pouding fruité, foncé et humide, se savoure avec une crème parfumée à l'orange. Sa saveur riche et sa texture remarquable sont à leur meilleur lorsqu'il est servi chaud ou à température ambiante.

POUR 6 PERSONNES

115 g (½ tasse) de beurre ramolli, et un peu plus pour graisser
30 ml (2 c. à soupe) de café moulu
15 ml (1 c. à soupe) d'eau frémissante
50 g (½ tasse) de noisettes grillées et mondées
4 petites poires mûres
jus de ½ orange
115 g (½ bonne tasse) de sucre semoule brun, plus 15 ml (1 c. à soupe) pour saupoudrer
2 œufs battus
50 g (½ tasse) de farine à levure
45 ml (3 c. à soupe) de sirop d'érable
fines lanières de zeste d'orange, pour décorer

Pour la crème à l'orange
300 ml (1 ¼ tasse) de crème à fouetter
15 ml (1 c. à soupe) de sucre glace tamisé
zeste finement râpé de ½ orange

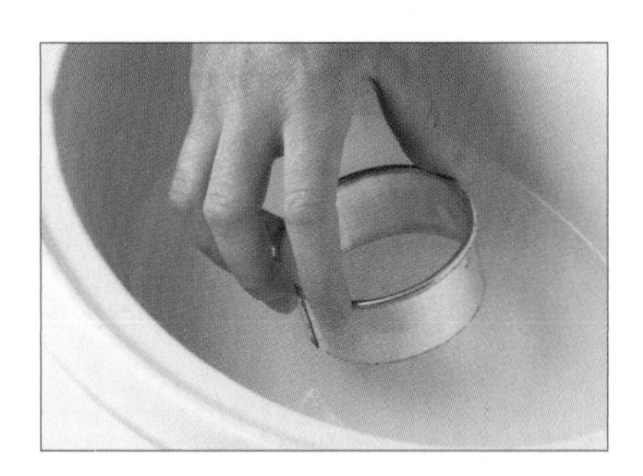

1 Dans le récipient de cuisson, versez environ 2,5 cm/1 po d'eau chaude, déposez une soucoupe renversée ou un emporte-pièce de métal et chauffez à haute température. Graissez et tapissez le fond d'un moule profond à gâteau ou à soufflé de 18 cm (7 po) de diamètre.

CONSEILS DU CHEF
• Pour griller et monder les noisettes, passez-les environ 3 minutes sous le gril chaud, en les tournant fréquemment, jusqu'à ce qu'elles soient bien dorées. Laissez refroidir, puis frottez avec vos doigts pour enlever les peaux.
• Pour ce dessert, utilisez de préférence un café parfumé aux noisettes.

2 Dans un petit bol, versez l'eau frémissante sur le café moulu. Laissez infuser 4 minutes, puis passez au tamis fin. Mettez les noisettes dans un moulin à café et réduisez en poudre fine.

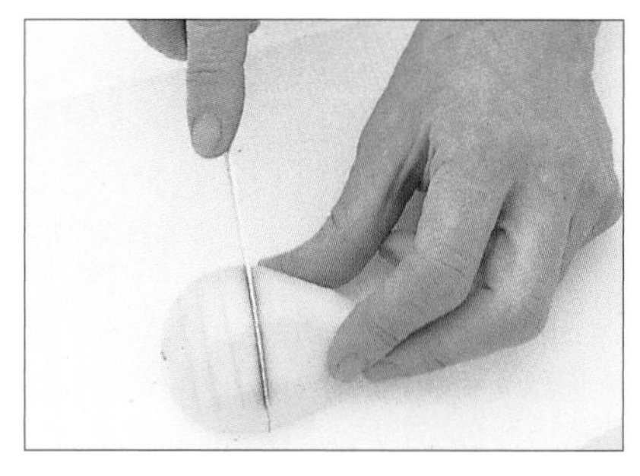

3 Pelez les poires, coupez en deux et évidez. Sans traverser toute l'épaisseur, tranchez finement les moitiés dans le sens de la largeur, puis badigeonnez de jus d'orange.

4 Dans un bol, battez ensemble le beurre et le sucre semoule jusqu'à consistance légère et mousseuse. Tout en battant, incorporez graduellement les œufs. Tamisez la farine sur la préparation et incorporez en pliant. Ajoutez les noisettes et le café. Déposez la préparation dans le moule tapissé et égalisez la surface.

5 Séchez les poires sur du papier essuie-tout et disposez en cercle dans la préparation, côté plat en dessous. Badigeonnez d'un peu de sirop d'érable, puis saupoudrez le 15 ml (1 c. à soupe) de sucre semoule.

6 Couvrez le moule de papier d'aluminium et placez dans le récipient de cuisson. Versez de l'eau bouillante jusqu'à un peu plus de la mi-hauteur du moule. Couvrez et faites cuire 3-3½ heures, ou jusqu'à ce que le pouding soit ferme et bien levé.

7 Entre-temps, faites la crème à l'orange. Fouettez en neige la crème, le sucre glace et le zeste d'orange. Déposez sur un plat de service et réfrigérez.

8 Laissez le pouding refroidir dans son moule environ 10 minutes, puis démoulez sur une assiette de service. Badigeonnez légèrement du reste de sirop d'érable, décorez de zeste d'orange et servez avec la crème à l'orange.

Informations nutritionnelles par portion – calories : 852 ; protéines : 12,5 g ; glucides : 107 g dont 45 g de sucres ; matières grasses : 44,5 g dont 23,8 g de gras saturés ; cholestérol : 169 mg ; calcium : 362 mg ; fibres : 5,3 g ; sodium : 493 mg.

POUDINGS VAPEUR au CHOCOLAT et aux FRUITS

Imbibé d'un riche sirop de chocolaté, cet irrésistible pouding vapeur se substitue sans peine au traditionnel pouding de Noël. Agrémenté de canneberges, il donne un air de fête à vos repas en tout temps de l'année.

POUR 4 PERSONNES

huile végétale, pour graisser
1 pomme
25 g (¼ tasse) de canneberges, dégelées si congelées
175 g (¾ tasse) de cassonade foncée
115 g (½ tasse) de margarine molle
2 œufs battus légèrement
50 g (½ tasse) de farine à levure tamisée
45 ml (3 c. à soupe) de cacao en poudre non sucré

Pour le sirop
115 g (4 oz) de chocolat noir haché
30 ml (2 c. à soupe) de miel liquide
15 g (1 c. à soupe) de beurre non salé
2,5 ml (½ c. à thé) d'essence de vanille

1 Versez 2,5 cm (1 po) d'eau chaude dans le récipient de cuisson et chauffez à haute température. Huilez quatre bols à pouding et tapissez de papier parchemin.

2 Pelez et évidez la pomme, puis détaillez sa chair en dés. Dans un bol à mélanger, mettez les dés de pomme, les canneberges et 15 ml (1 c. à soupe) de la cassonade. Mélangez bien, puis répartissez la préparation dans les bols tapissés, en la tassant délicatement dans le fond.

3 Dans un bol à mélanger propre, mettez le reste de cassonade, la margarine, les œufs, la farine et le cacao. Battez ensemble avec une cuillère de bois jusqu'à consistance homogène, lisse et crémeuse.

4 Déposez la préparation dans les bols à pouding et couvrez chacun d'eux d'une double épaisseur de papier d'aluminium graissé. Placez les bols dans le récipient de cuisson et versez de l'eau très chaude jusqu'à environ deux tiers de la hauteur des bols.

5 Couvrez et faites cuire à haute température 1½-2 heures, ou jusqu'à ce que les poudings soient bien levés et fermes au toucher. Retirez les bols et laissez reposer 10 minutes.

6 Entre-temps, faites le sirop. Mettez le chocolat, le miel, le beurre et l'essence de vanille dans un bol résistant à la chaleur et placez le bol dans l'eau chaude de la mijoteuse. Laissez le beurre fondre environ 10 minutes, puis remuez jusqu'à consistance lisse.

7 Passez un couteau autour de chaque pouding, puis démoulez sur une assiette chaude. Servez immédiatement, nappé de sirop chocolaté.

Informations nutritionnelles par portion – calories : 739 ; protéines : 9,1 g ; glucides : 88,3 g dont 77,2 g de sucres ; matières grasses : 41,3 g dont 14,4 g de gras saturés ; cholestérol : 124 mg ; calcium : 103 mg ; fibres : 3,1 g ; sodium : 438 mg.

POUDINGS CHAUDS aux DATTES NAPPÉS de CARAMEL

Moins riche que dans sa version classique aux dattes sèches, ce pouding aux dattes fraîches n'en demeure pas moins un dessert des plus alléchants. Pelez les dattes car leur peau peut être dure – faites glisser la peau en pressant la datte entre votre pouce et votre index.

POUR 6 PERSONNES

- 50 g (¼ tasse) de beurre ramolli
- 75 g (½ tasse) de sucre muscovado clair
- 2 œufs battus
- 175 g (1 bonne tasse) de dattes fraîches pelées, dénoyautées et hachées
- 75 ml (5 c. à soupe) d'eau bouillante
- 115 g (1 tasse) de farine à levure
- 2,5 ml (½ c. à thé) de bicarbonate de soude

Pour la sauce

- 50 g (¼ tasse) de beurre à température ambiante
- 75 g (½ tasse) de sucre muscovado clair
- 60 ml (4 c. à soupe) de crème épaisse
- 30 ml (2 c. à soupe) de brandy

1 Graissez six moules ou bols à pouding individuels, en vous assurant au préalable que votre mijoteuse peut tous les contenir. Versez 2 cm (¾ po) d'eau très chaude dans le récipient de cuisson et chauffez à haute température.

2 Dans un saladier, battez ensemble le beurre et le sucre jusqu'à consistance pâle et mousseuse. Tout en battant, incorporez graduellement les œufs.

3 Mettez les dattes dans un bol résistant à la chaleur, versez l'eau bouillante et écrasez avec un presse-purée pour obtenir une pâte relativement lisse.

4 Tamisez la farine et le bicarbonate de soude sur la préparation au beurre. Mélangez bien, puis incorporez délicatement la pâte de dattes.

5 Répartissez la préparation dans les moules ou les bols graissés. Couvrez chacun d'eux de papier d'aluminium et placez dans le récipient de cuisson. Versez de l'eau bouillante jusqu'à la mi-hauteur des plats. Couvrez et faites cuire à haute température 1½-2 heures, ou jusqu'à ce que les poudings soient bien levés et fermes. Retirez les plats.

6 Entre-temps, faites la sauce. Dans une casserole, faites chauffer à feu très doux le beurre, le sucre, la crème et le brandy, en remuant de temps en temps, jusqu'à ce que la préparation soit lisse. Augmentez la chaleur et faites bouillir 1 minute.

7 Démoulez les poudings chauds sur des assiettes. Nappez chacun d'eux de sauce et servez immédiatement.

Informations nutritionnelles par portion – calories : 462 ; protéines : 5,1 g ; glucides : 50,3 g dont 35,9 g de sucres ; matières grasses : 26,9 g dont 16 g de gras saturés ; cholestérol : 138 mg ; calcium : 109 mg ; fibres : 1,1 g ; sodium : 244 mg.

POUDING aux FRUITS FRAIS

Les groseilles fraîches ajoutent une pointe d'acidité à ce délicieux pouding chaud. Utilisez un plat large peu profond plutôt qu'un plat étroit et profond, en vous assurant qu'il se loge bien dans la mijoteuse. Servez le pouding bien imbibé de crème.

POUR 4 PERSONNES

40 g (3 c. à soupe) de beurre ramolli, et un peu plus pour graisser
6 tranches de pain de la veille, d'épaisseur moyenne, croûtes retirées
115 g (1 tasse) de groseilles et de framboises préparées
3 œufs battus
50 g (¼ tasse) de sucre semoule
300 ml (1 ¼ tasse) de lait crémeux
5 ml (1 c. à thé) d'essence de vanille
noix de muscade fraîchement râpée
30 ml (2 c. à soupe) de sucre demerara
crème légère, pour servir

1 Beurrez généreusement un plat allant au four rond ou ovale de 1 l (4 tasses) pouvant se loger dans le récipient de cuisson.

2 Versez environ 2,5 cm/1 po d'eau très chaude dans le récipient de cuisson, placez une soucoupe renversée ou un emporte-pièce de métal et chauffez à haute température.

3 Beurrez généreusement les tranches de pain et coupez-les en deux diagonalement.

VARIANTES

- Pour faire un pouding particulièrement riche et délectable, substituez du panettone italien au pain blanc.
- Remplacez les baies de la recette par des bleuets ou des cassis frais.
- À défaut de baies et de groseilles fraîches, utilisez des abricots secs hachés.

4 Disposez les triangles de pain dans le plat, en les faisant se chevaucher, côté beurré vers le haut.

5 Parsemez les groseilles et les baies sur et entre les tranches de pain, en veillant à bien répartir également.

6 Dans un grand bol à mélanger, battez légèrement les œufs et le sucre semoule. Tout en battant, incorporez graduellement le lait, l'essence de vanille et une grosse pincée de noix de muscade fraîchement râpée.

CONSEIL DU CHEF
Achetez toujours des noix de muscade entières. Une fois râpée, l'épice perd sa saveur rapidement.

7 Mettez le plat dans le récipient de cuisson, puis versez lentement la préparation aux œufs sur le pain, en poussant les tranches vers le fond pour bien les imbiber. Saupoudrez le sucre demerara et un peu de noix de muscade, puis couvrez le plat de papier d'aluminium.

8 Versez de l'eau frémissante jusqu'à un peu plus de la mi-hauteur du plat. Couvrez et faites cuire à haute température 3-4 heures, ou jusqu'à ce qu'une brochette insérée au centre en sorte propre.

9 Retirez le plat et, si vous le désirez, faites dorer rapidement sous le gril chaud. Laissez refroidir légèrement et servez avec la crème légère.

Informations nutritionnelles par portion – calories : 405 ; protéines : 12,6 g ; glucides : 53,7 g dont 30,7 g de sucres ; matières grasses : 16,9 g dont 8,6 g de gras saturés ; cholestérol : 202 mg ; calcium : 234 mg ; fibres : 2,1 g ; sodium : 405 mg.

RICHE GÂTEAU au CHOCOLAT

Riche et dense, ce gâteau cuit à la vapeur est fourré de crème au beurre onctueuse à souhait. Servez ce petit délice avec une grosse tasse de café fort.

POUR 8 PERSONNES

115 g (4 oz) de chocolat noir haché en petits morceaux
45 ml (3 c. à soupe) de lait
150 g (10 c. à soupe) de beurre à température ambiante
200 g (1 petite tasse) de cassonade dorée
3 œufs battus légèrement
200 g (1¾ tasse) de farine à levure
15 ml (1 c. à soupe) de cacao en poudre non sucré
sucre glace et cacao en poudre non sucré, pour saupoudrer

Pour la crème au beurre
75 g (6 c. à soupe) de beurre à température ambiante
115 g (1 tasse) de sucre glace
15 ml (1 c. à soupe) de cacao en poudre non sucré
2,5 ml (½ c. à thé) d'essence de vanille

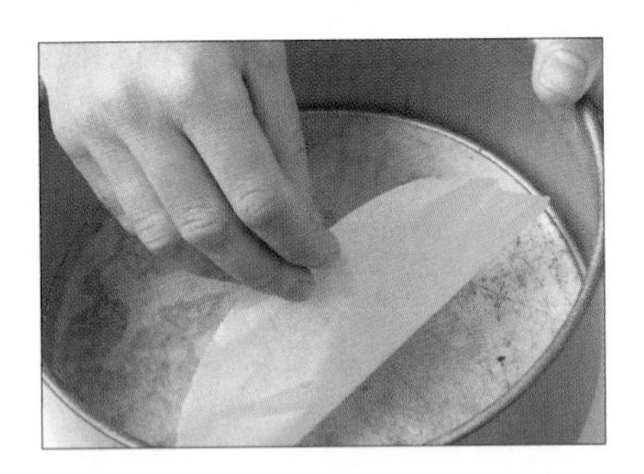

1 Graissez et tapissez de papier parchemin un moule profond à gâteau ou à soufflé de 18 cm (7 po) de diamètre. Versez environ 5 cm (2 po) d'eau très chaude dans le récipient de cuisson et chauffez à haute température.

2 Mettez le chocolat et le lait dans un bol résistant à la chaleur et placez le bol dans le récipient de cuisson. Laissez le chocolat ramollir environ 10 minutes, puis remuez jusqu'à consistance lisse. Retirez le bol et laissez refroidir quelques minutes.

3 Entre-temps, mettez le beurre et le sucre dans un bol à mélanger et battez ensemble jusqu'à consistance légère et mousseuse. Toujours en battant, incorporez les œufs, un peu à la fois, puis la préparation au chocolat.

4 Tamisez la farine et le cacao sur la préparation et incorporez bien en pliant. Déposez la préparation dans le moule tapissé et couvrez de papier d'aluminium. Mettez une soucoupe renversée au fond du récipient de cuisson et posez le moule dessus. Si nécessaire, ajoutez un peu d'eau bouillante de façon à ce qu'elle atteigne un peu plus de la mi-hauteur du moule.

5 Couvrez et faites cuire 3-3½ heures, ou jusqu'à ce que le pouding soit ferme au toucher et qu'une brochette insérée au centre en sorte propre. Retirez le moule et laissez reposer sur une grille de métal 10 minutes. Démoulez et laissez refroidir. Retirez le papier parchemin.

6 Pour faire la crème, mettez le beurre dans un grand bol et battez jusqu'à ce qu'il soit très mou. Tamisez le sucre glace et le cacao sur le beurre et remuez bien. Ajoutez l'essence de vanille et battez jusqu'à consistance légère et mousseuse.

7 Coupez soigneusement le gâteau en deux dans l'épaisseur. Étalez une couche épaisse de crème au beurre sur la moitié inférieure et recouvrez de l'autre moitié. Avant de servir, saupoudrez d'un mélange de sucre glace et de cacao.

Informations nutritionnelles par portion – calories : 564 ; protéines : 6,6 g ; glucides : 70 g dont 51 g de sucres ; matières grasses : 30,5 g dont 18,2 g de gras saturés ; cholestérol : 146 mg ; calcium : 129 mg ; fibres : 1,5 g ; sodium : 321 mg.

GÂTEAU aux PÉPITES de CHOCOLAT et aux NOIX

L'orange donne une agréable saveur acidulée à ce gâteau au chocolat et aux noix, qui peut être garni simplement de sucre glace ou, comme ici, d'une glace à l'orange.

POUR 8 PERSONNES

115 g (1 tasse) de farine tout usage
25 g (1/4 tasse) de fécule de maïs
5 ml (1 c. à thé) de levure chimique
115 g (1/2 tasse) de beurre à température ambiante
115 g (1/2 tasse) de sucre semoule
2 œufs battus légèrement
75 g (1/2 tasse) de pépites de chocolat noir, au lait ou blanc
50 g (1/2 tasse) de noix de Grenoble hachées
zeste finement râpé de 1/2 orange

Pour le glaçage

115 g (1 tasse) de sucre glace tamisée, et un peu plus pour saupoudrer
20-30 ml (4 c. à thé-2 c. à soupe) de jus d'orange fraîchement pressé
cerneaux de noix, pour décorer

1 Graissez et tapissez de papier parchemin un moule à pain de 450 g (1 lb), d'une capacité de 900 ml (3¾ tasses). Placez un emporte-pièce de métal ou une soucoupe renversée au fond du récipient de cuisson. Versez environ 2,5 cm (1 po) d'eau très chaude et chauffez à haute température.

2 Tamisez ensemble la farine, la fécule et la levure deux fois, afin de bien les mélanger et de les aérer. Réservez.

3 Dans un grand bol à mélanger, battez le beurre en crème. Ajoutez le sucre semoule et continuez à battre jusqu'à consistance légère et mousseuse. Incorporez les œufs, un peu à la fois, en battant bien après chaque addition.

4 Incorporez délicatement environ la moitié de la préparation de farine. Ajoutez le reste de farine, les pépites de chocolat, les noix et le zeste d'orange et pliez juste assez pour mélanger.

5 Déposez la préparation dans le moule et couvrez de papier d'aluminium sans serrer, en laissant un espace sur le dessus pour permettre au gâteau de lever.

6 Placez le moule dans le récipient de cuisson. Versez de l'eau bouillante jusqu'aux deux tiers de la hauteur du moule.

7 Couvrez et faites cuire 2½-3 heures, ou jusqu'à ce qu'une fine brochette insérée au centre du gâteau en sorte propre. Retirez le moule et laissez reposer 10 minutes sur une grille de métal. Démoulez et laissez refroidir sur la grille.

8 Pour le glaçage, mettez 115 g (1 tasse) de sucre glace dans un bol à mélanger. Incorporez 20 ml (4 c. à thé) du jus d'orange et un peu plus au besoin pour obtenir une crème épaisse. Versez la préparation sur le gâteau, puis décorez de cerneaux de noix saupoudrés de 5 ml (1 c. à thé) de sucre glace. Laissez la glace prendre avant de servir.

Informations nutritionnelles par portion – calories : 395 ; protéines : 4,7 g ; glucides : 51 g dont 36,9 g de sucres ; matières grasses : 20,5 g dont 9,9 g de gras saturés ; cholestérol : 87 mg ; calcium : 49 mg ; fibres : 0,9 g ; sodium : 171 mg.

GÂTEAU GLACÉ aux CAROTTES ET AUX PANAIS

Cette délicieuse version du classique gâteau aux carottes a une texture incroyablement légère et friable. Grâce aux légumes râpés, le gâteau reste humide et se conserve admirablement bien. Se substituant à la traditionnelle garniture au fromage à la crème, la meringue cuite fait un heureux contraste avec la consistance du gâteau.

POUR 8 PERSONNES

huile, pour graisser
1 orange ou citron
10 ml (2 c. à thé) de sucre semoule
175 g (¾ tasse) de beurre ou de margarine
175 g (¾ tasse) de cassonade dorée
3 œufs battus légèrement
175 g (6 oz) de carottes et panais râpés
50 g (⅓ tasse) de raisins de Smyrne
115 g (1 tasse) de farine à levure
50 g (½ tasse) de farine de blé entier à levure
5 ml (1 c. à thé) de levure chimique

Pour la garniture
50 g (¼ tasse) de sucre semoule
1 blanc d'œuf
pincée de sel

1 Placez une soucoupe renversée ou un emporte-pièce de métal au fond du récipient de cuisson. Versez environ 2,5 cm (1 po) d'eau chaude et chauffez à haute température. Huilez légèrement un moule profond à gâteau ou à soufflé de 18 cm (7 po) de diamètre et tapissez le fond de papier parchemin.

2 Râpez finement le zeste d'agrume, en prenant soin de ne pas accrocher la peau blanche. En choisissant les filaments les plus longs, mettez environ la moitié du zeste dans un bol et mélangez au sucre semoule. Disposez les filaments enrobés de sucre sur une feuille de papier ciré et laissez sécher dans un endroit chaud.

3 Dans un grand bol à mélanger, battez ensemble le beurre ou la margarine et la cassonade, jusqu'à consistance pâle et mousseuse. Ajoutez les œufs, un peu à la fois, en battant bien après chaque addition. Incorporez les filaments de zeste non sucrés, les carottes et les panais râpés, ainsi que les raisins secs.

4 Tamisez ensemble les farines et la levure, en ajoutant le son resté dans le tamis, puis incorporez graduellement à la préparation aux carottes et aux panais.

5 Transférez dans le moule tapissé et égalisez la surface. Couvrez sans serrer de papier d'aluminium graissé, puis placez le moule dans le récipient de cuisson. Versez de l'eau bouillante jusqu'à un peu plus de la mi-hauteur du moule.

6 Couvrez et faites cuire 3-5 heures, ou jusqu'à ce qu'une brochette insérée au centre du gâteau en sorte propre. Retirez le moule et laissez reposer 5 minutes. Démoulez sur une grille de métal et laissez refroidir.

7 Pour faire la garniture, mettez le sucre semoule dans un bol posé dans l'eau presque frémissante de la mijoteuse. Pressez le jus d'agrume et versez 30 ml (2 c. à soupe) sur le sucre. Remuez jusqu'à dissolution du sucre et retirez le bol. Ajoutez le blanc d'œuf et le sel, puis fouettez 1 minute au batteur électrique.

8 Remettez le bol dans le récipient de cuisson et fouettez environ 6 minutes, jusqu'à ce que la préparation devienne ferme et brillante et conserve bien sa for-me. Retirez le bol et laissez refroidir en-viron 5 minutes, en fouettant fréquemment.

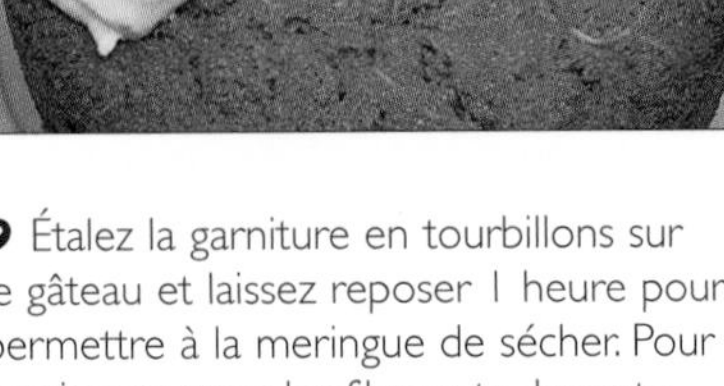

9 Étalez la garniture en tourbillons sur le gâteau et laissez reposer 1 heure pour permettre à la meringue de sécher. Pour servir, parsemez les filaments de zeste sucrés sur la meringue.

VARIANTE
Si vous n'aimez pas les panais, utilisez seulement des carottes ou remplacez-les par un poids égal de courgettes râpées. Ajoutez une pincée de cannelle et de noix de muscade.

Informations nutritionnelles par portion – calories : 410 ; protéines : 5,9 g ; glucides : 53 g dont 38,2 g de sucres ; matières grasses : 20,8 g dont 12,2 g de gras saturés ; cholestérol : 132 mg ; calcium : 98 mg ; fibres : 1,9 g ; sodium : 290 mg.

BROWNIES au CHOCOLAT et au FROMAGE

Du fromage à la crème mêlé en tourbillons à la pâte au chocolat très dense donne un joli effet marbré. Savourez ce pur délice en petites bouchées.

DONNE 9 CARRÉS

50 g (2 oz) de chocolat noir
(au moins 70 % de cacao pur haché
50g (¼ tasse) de beurre non salé
65 g (5 c. à soupe) de sucre muscovado clair
1 œuf battu
25 g (¼ tasse) de farine tout usage

Pour la garniture au fromage
115 g (½ tasse) de fromage à la crème
25 g (2 c. à soupe) de sucre semoule
5 ml (1 c. à thé) d'essence de vanille
½ œuf battu

1 Tapissez de papier parchemin un moule carré de 15 cm (6 po). Versez environ 5 cm (2 po) d'eau très chaude dans le récipient de cuisson et chauffez à haute température.

2 Mettez le chocolat et le beurre dans un bol résistant à la chaleur, placez le bol dans le récipient de cuisson et laissez reposer 10 minutes.

3 Entre-temps, faites la garniture. Dans un bol propre, battez ensemble le fromage à la crème, le sucre et l'essence de vanille. Toujours en battant, incorporez graduellement l'œuf jusqu'à ce que la préparation soit très lisse et crémeuse. Réservez.

4 Remuez la préparation au chocolat et au beurre jusqu'à consistance lisse. Retirez le bol et incorporez le muscovado. Placez une soucoupe renversée ou un emporte-pièce de métal au fond du récipient de cuisson.

5 Ajoutez l'œuf battu à la préparation au chocolat fondu, un peu à la fois, et battez bien jusqu'à homogénéité. Tamisez la farine sur la préparation et incorporez délicatement.

6 Mettez la préparation au chocolat dans le moule tapissé. Laissez tomber de petites cuillerées de garniture au fromage sur la préparation. À l'aide d'une brochette, mélangez les préparations en faisant des tourbillons.

7 Couvrez le moule de papier d'aluminium et placez dans la mijoteuse. Ajoutez de l'eau bouillante jusqu'à un peu plus de la mi-hauteur du moule. Faites cuire 2 heures, ou jusqu'à ce que l'intérieur soit tout juste cuit. Retirez le moule et laissez refroidir sur une grille de métal. Découpez en carrés.

Informations nutritionnelles par portion – calories : 174 ; protéines : 2,9 g ; glucides : 16,2 g dont 14 g de sucres ; matières grasses : 11,3 g dont 6,8 g de gras saturés ; cholestérol : 65 mg ; calcium : 25 mg ; fibres : 0,2 g ; sodium : 86 mg.

GÂTEAU LÉGER aux FRUITS

Ce gâteau aux fruits, à la texture friable, est incroyablement facile à faire. Grâce à la farine de blé entier et à la cuisson à basse température, le gâteau reste délicieusement humide.

POUR 12 PERSONNES

2 œufs
130 g (½ bonne tasse) de beurre à température ambiante
225 g (1 tasse) de sucre muscovado clair
150 g (1 ¼ tasse) de farine à levure
150 g (1 ¼ tasse) de farine de blé entier à levure
pincée de sel
5 ml (1 c. à thé) d'épices pour tartes aux pommes
450 g (2½ tasses) de fruits secs mélangés de luxe

1 Graissez et tapissez de papier parchemin un moule profond rond (18 cm/7 po de diamètre) ou carré (15 cm/6 po de côté). Placez une soucoupe renversée ou un emporte-pièce de métal au fond du récipient de cuisson. Versez environ 2,5 cm (1 po) d'eau très chaude et chauffez à haute température.

2 Cassez les œufs dans un grand bol à mélanger. Ajoutez le beurre et le sucre, puis tamisez ensemble les farines, le sel et les épices, en remettant le son resté dans le tamis. Remuez bien avec une cuillère de bois, ajoutez les fruits secs et battez 2 minutes jusqu'à ce que la préparation soit lisse et brillante.

CONSEIL DU CHEF
Choisissez un mélange de fruits secs de bonne qualité. Il devrait contenir des raisins de Corinthe, des raisins de Smyrne, différentes variétés de cerises confites et d'autres fruits secs.

3 Déposez la préparation dans le moule tapissé et égalisez la surface. Couvrez le moule de papier d'aluminium beurré.

4 Mettez le moule dans la mijoteuse. Ajoutez de l'eau bouillante jusqu'à un peu plus de la mi-hauteur du moule. Couvrez et faites cuire 4-5 heures, ou jusqu'à ce qu'une brochette insérée au centre du gâteau en sorte propre.

5 Retirez le moule et placez sur une grille de métal. Laissez le gâteau reposer dans son moule environ 15 minutes. Démoulez et laissez refroidir complètement. Enveloppez le gâteau de papier ciré et conservez dans un endroit frais.

Informations nutritionnelles par portion – calories : 351 ; protéines : 4,9 g ; glucides : 63 g dont 46 g de sucres ; matières grasses : 10,6 g dont 6 g de gras saturés ; cholestérol : 60,8 mg ; calcium : 78,6 mg ; fibres : 2,3 g ; sodium : 148 mg.

GÂTEAU MARBRÉ aux ÉPICES

Ce gâteau peut être cuit dans un moule à kouglof ou kougelhopf, une brioche alsacienne d'origine allemande et autrichienne, ou dans un moule en couronne ordinaire. L'effet marbré est particulièrement remarquable lorsque le gâteau est cuit dans un tel moule.

POUR 8 PERSONNES

75 g (6 c. à soupe) de beurre à température ambiante, et un peu plus pour graisser
130 g (1 bonne tasse) de farine tout usage, et un peu plus pour saupoudrer
115 g (½ tasse) de cassonade dorée
2 œufs
quelques gouttes d'essence de vanille
7,5 ml (1½ c. à thé) de levure chimique
45 ml (3 c. à soupe) de lait
30 ml (2 c. à soupe) d'extrait de malt ou de mélasse noire
5 ml (1 c. à thé) d'épices à tartes aux pommes
2,5 ml (½ c. à thé) de gingembre moulu
75 g (¾ tasse) de sucre glace tamisé, pour décorer

1 Graissez et farinez un moule à kouglof ou en couronne de 1,2 l (5 tasses). Placez une soucoupe renversée ou un emporte-pièce de métal au fond du récipient de cuisson. Versez environ 5 cm (2 po) d'eau chaude et chauffez à haute température.

2 Dans un bol, battez ensemble le beurre et le sucre jusqu'à consistance légère et mousseuse.

3 Dans un autre bol, battez ensemble les œufs et l'essence de vanille, puis incorporez la préparation au beurre, un peu à la fois, en battant bien entre chaque addition.

CONSEIL DU CHEF
Pour faire un gâteau marbré au chocolat et à la vanille, remplacez l'extrait de malt (ou la mélasse) et les épices par 15 ml (1 c. à soupe) d'extrait de chocolat.

4 Tamisez ensemble la farine et la levure pour les mélanger, puis incorporez à la préparation au beurre, en pliant et en ajoutant un peu de lait entre chaque addition jusqu'à consistance homogène.

5 Déposez environ un tiers de la préparation dans un petit bol, incorporez l'extrait de malt ou la mélasse, les épices à tartes aux pommes et le gingembre, en remuant juste assez pour mélanger.

6 Dans le moule, laissez tomber une grosse cuillerée de préparation pâle, puis une petite cuillerée de préparation foncée. Continuez ainsi jusqu'à épuisement des préparations. Passez un couteau ou une brochette dans les préparations pour donner un effet marbré.

7 Couvrez le moule de papier d'aluminium et mettez dans le récipient de cuisson. Ajoutez de l'eau bouillante jusqu'à un peu plus de la mi-hauteur du moule. Couvrez et faites cuire 3-4 heures, jusqu'à ce que le gâteau soit cuit – une brochette insérée au centre devrait en ressortir propre.

8 Retirez le moule et laissez reposer environ 10 minutes. Démoulez sur une grille de métal et laissez refroidir.

9 Pour décorer, mettez le sucre glace dans un bol et ajoutez juste assez d'eau tiède pour faire une glace lisse de la consistance d'une crème légère. Aspergez rapidement la préparation sur le gâteau, puis laissez la glace prendre avant de servir le gâteau en tranches épaisses.

Informations nutritionnelles par portion – calories : 215 ; protéines : 2,8 g ; glucides : 33 g dont 20,3 g de sucres ; matières grasses : 8,8 g dont 5,2 g de gras saturés ; cholestérol : 49 mg ; calcium : 84 mg ; fibres : 0,5 g ; sodium : 172 mg.

POUDING-MUFFIN aux BLEUETS

Les muffins traditionnels ne peuvent être cuits à la mijoteuse électrique. Toutefois, si une envie subite de muffin vous prend, ce délicieux pouding saura vous combler. Il est particulièrement bon avec une crème anglaise tiède ou de la crème fraîche. Sortez les œufs et le babeurre au moins une heure avant de commencer.

POUR 4 PERSONNES

75 g (6 c. à soupe) de beurre, et un peu plus pour graisser
75 g (6 c. à soupe) de cassonade dorée
105 ml (7 c. à soupe) de babeurre à température ambiante
2 œufs battus légèrement, à température ambiante
225 g (2 tasses) de farine à levure
pincée de sel
5 ml (1 c. à thé) de cannelle moulue
150 g (1/4 tasse) de bleuets (myrtilles) frais
10 ml (2 c. à thé) de sucre demerara (brut), pour saupoudrer
crème anglaise ou crème fraîche, pour servir

1 Placez une soucoupe renversée ou un emporte-pièce de métal au fond du récipient de cuisson. Versez environ 5 cm (2 po) d'eau très chaude et chauffez à haute température. Beurrez légèrement un plat résistant à la chaleur de 1,5 l (6 1/4 tasses), en vous assurant au préalable qu'il se loge bien dans la mijoteuse.

2 Mettez le beurre et le sucre dans un pot résistant à la chaleur et placez dans le récipient de cuisson. Laissez chauffez à découvert 20 minutes, en remuant, jusqu'à ce que le beurre soit fondu.

3 Retirez le pot et laissez tiédir. Incorporez le babeurre, puis l'œuf battu.

CONSEIL DU CHEF
Comme l'eau s'évapore moins pendant la cuisson à la mijoteuse électrique, la pâte du pouding est plus épaisse que celle d'un muffin classique.

4 Dans un bol à mélanger, tamisez ensemble la farine, le sel et la cannelle. Incorporez les bleuets. Faites un puits au centre, versez la préparation au babeurre et remuez juste assez pour mélanger.

5 Déposez la préparation dans le plat graissé et saupoudrez de sucre demerara. Couvrez de papier d'aluminium beurré et mettez dans le récipient de cuisson. Ajoutez de l'eau bouillante jusqu'à mi-hauteur du plat.

6 Couvrez et laissez cuire 3-4 heures, ou jusqu'à ce qu'une brochette insérée au centre du pouding en sorte propre. Retirez le plat et laissez le pouding refroidir légèrement. Servez avec de la crème anglaise ou de la crème fraîche.

Informations nutritionnelles par portion – calories : 499 ; protéines : 10,1 g ; glucides : 76,2 g dont 34,4 g de sucres ; matières grasses : 19,2 g dont 10,7 g de gras saturés ; cholestérol : 153 mg ; calcium : 262 mg ; fibres : 2,2 g ; sodium : 367 mg.

GÂTEAU à la CITROUILLE et aux BANANES

Fêtez Halloween en grand. Avec l'enveloppe d'une citrouille, fabriquez la traditionnelle lanterne et avec la chair, confectionnez un succulent gâteau garni de fromage à la crème, à mi-chemin entre le gâteau aux carottes et le pain aux bananes.

POUR 12 PERSONNES

225 g (2 tasses) de farine à levure
7,5 ml (1½ c. à thé) de levure chimique
2,5 ml (½ c. à thé) de cannelle moulue
2,5 ml (½ c. à thé) de gingembre moulu
pincée de sel
125 g (10 c. à soupe) de cassonade dorée
75 g (¾ tasse) de pacanes ou de noix de Grenoble hachées
115 g (4 oz) de chair de citrouille râpée grossièrement
2 petites bananes pelées et écrasées
2 œufs battus légèrement
150 ml (⅔ tasse) d'huile de tournesol

Pour la garniture
50 g (¼ tasse) de beurre à température ambiante
150 g (⅔ tasse) de fromage à la crème
1,5 ml (¼ c. à thé) d'essence de vanille
115 g (1 tasse) de sucre glace
cerneaux de pacanes, pour décorer

1 Tapissez de papier parchemin un moule profond à gâteau ou à soufflé de 20 cm (8 po) de diamètre. Placez une soucoupe renversée ou un emporte-pièce de métal au fond du récipient de cuisson. Versez environ 2,5 cm/1 po d'eau très chaude et chauffez à haute température.

2 Dans un grand bol à mélanger, tamisez ensemble la farine, la levure, la cannelle, le gingembre et le sel. Incorporez le sucre, les pacanes ou noix hachées et la citrouille râpée. Faites un puits peu profond au centre.

3 Dans un autre bol, mélangez ensemble les bananes, les œufs et l'huile de tournesol, puis incorporez à la préparation à la citrouille. Versez dans le moule tapissé et égalisez la surface.

4 Couvrez le moule de papier d'aluminium beurré et mettez dans la mijoteuse. Ajoutez de l'eau bouillante jusqu'à mi-hauteur du moule.

5 Couvrez et laissez cuire à haute température 4-4½ heures, ou jusqu'à ce que le gâteau soit ferme et qu'une brochette insérée au centre en sorte propre.

6 Retirez le moule et laissez reposer 15 minutes sur une grille de métal. Démoulez et laissez refroidir complètement, puis enlevez le papier parchemin.

7 Pour faire la garniture, mettez le beurre, le fromage à la crème et l'essence de vanille dans un bol et battez jusqu'à ce que la préparation soit homogène et lisse. Tamisez le sucre glace sur la préparation et battez de nouveau jusqu'à consistance lisse et crémeuse. Étalez la garniture sur le gâteau et décorez de cerneaux de pacanes. Réfrigérez au moins 1 heure avant de servir pour permettre à la garniture de durcir.

Informations nutritionnelles par portion – calories : 374 ; protéines : 5,1 g ; glucides : 43,2 g dont 28,7 g de sucres ; matières grasses : 21,3 g dont 6,5 g de gras saturés ; cholestérol : 58 mg ; calcium : 101,7 mg ; fibres : 1 g ; sodium : 203 mg.

GÂTEAU au GINGEMBRE DORÉ

Voici le gâteau au gingembre suprême. Un mélange de sirop de maïs et d'extrait de malt remplace la traditionnelle mélasse noire, donnant une texture vraiment collante et moite. La cuisson douce activant sa maturation, le gâteau peut être dégusté immédiatement. Toutefois, sa saveur et sa texture se bonifieront si vous l'enveloppez et le laissez reposer un jour ou deux.

POUR 10 PERSONNES

175 g (¾ tasse) de sucre muscovado clair
115 g (½ tasse) de beurre
150 g (⅔ tasse) de sirop de maïs
25 g (1 oz) d'extrait de malt
175 g (1 ½ tasse) de farine à levure
50 g (½ tasse) de farine tout usage
10 ml (2 c. à thé) de gingembre moulu
pincée de sel
1 œuf battu légèrement
120 ml (½ tasse) de lait à température ambiante
2,5 ml (½ c. à thé) de bicarbonate de soude

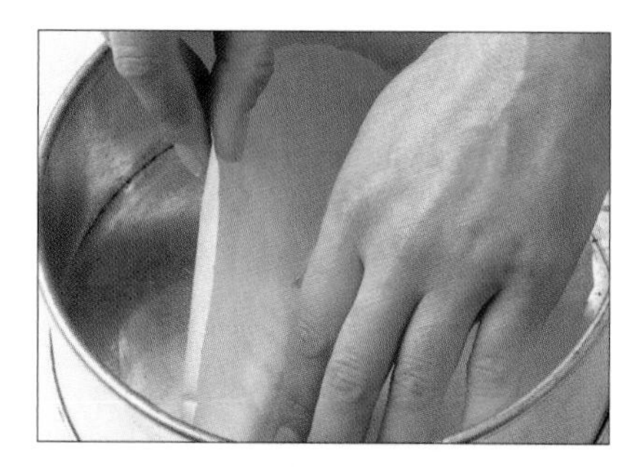

1 Tapissez de papier parchemin le fond d'un moule profond à gâteau ou à soufflé de 18 cm (7 po) de diamètre. Versez 5 cm (2 po) d'eau très chaude dans le récipient de cuisson et chauffez à haute température.

2 Mettez le sucre, le beurre, le sirop de maïs et l'extrait de malt dans un bol résistant à la chaleur. Placez le bol dans le récipient de cuisson et laissez chauffer 15 minutes, ou jusqu'à ce que le beurre soit fondu.

3 Retirez le bol et remuez jusqu'à consistance lisse. Placez une soucoupe renversée ou un emporte-pièce de métal au fond du récipient de cuisson.

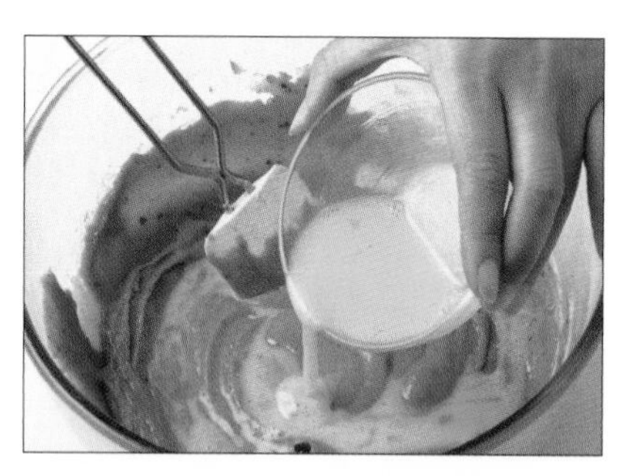

4 Dans un autre bol, tamisez ensemble les farines, le gingembre et le sel. Versez la préparation au beurre fondu sur les farines, battez jusqu'à consistance lisse, puis incorporez l'œuf battu.

VARIANTE

Pour rendre ce gâteau irrésistible aux yeux des enfants, décorez-le de glace au citron et de minuscules perles de sucre multicolores. Pour la garniture, mettez 75 g (¾ tasse) de sucre glace dans un bol et incorporez juste assez de jus de citron pour faire une glace lisse de la consistance d'une crème légère. Aspergez sur le gâteau et parsemez de nonpareilles.

5 Versez le lait dans un pot, ajoutez le bicarbonate de soude et remuez, puis incorporez à la préparation de gâteau.

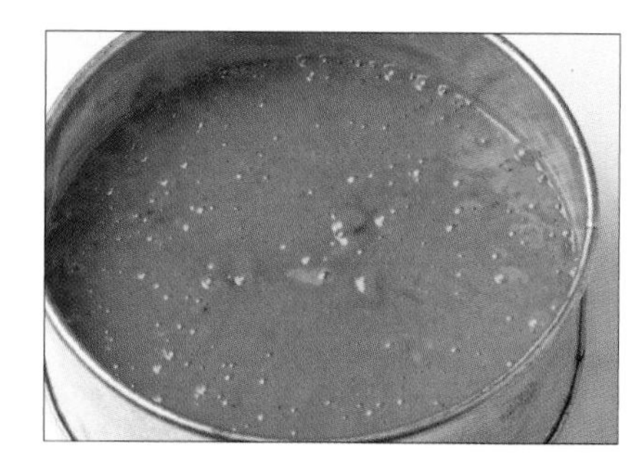

6 Versez la préparation dans le moule tapissé, couvrez de papier d'aluminium et placez dans le récipient de cuisson.

7 Ajoutez de l'eau bouillante jusqu'à un peu plus de la mi-hauteur du moule. Couvrez et laissez cuire 5-6 heures, ou jusqu'à ce que le gâteau soit ferme et qu'une brochette insérée au centre en sorte propre.

8 Retirez le moule et laissez reposer 15 minutes sur une grille de métal. Démoulez et laissez refroidir complètement avant de trancher.

CONSEIL DU CHEF

C'est le gâteau parfait pour les réceptions : comme il se bonifie avec le temps, vous pouvez le préparer plusieurs jours à l'avance.

Informations nutritionnelles par portion – calories : 289 ; protéines : 3,4 g ; glucides : 48 g dont 31,1 g de sucres ; matières grasses : 10,6 g dont 6,4 g de gras saturés ; cholestérol : 48 mg ; calcium : 98 mg ; fibres : 0,7 g ; sodium : 211 mg.

CONSERVES ET BOISSONS

La mijoteuse électrique ne convient pas pour la confection de confitures, de gelées et de marmelades, car sa température ne peut atteindre le point de gélification. Elle est toutefois parfaite pour la fabrication de chutneys et autres condiments. La cuisson prolongée à basse température permet aux saveurs de se développer, rendant la période de maturation inutile pour beaucoup d'entre eux. La mijoteuse est particulièrement indiquée pour la confection de conserves riches en morceaux, car les fruits et les légumes gardent bien leur forme. Par ailleurs, les tartinades aux fruits, telle la classique tartinade au citron, n'ont pas besoin d'être remuées constamment, comme c'est le cas lors d'une cuisson conventionnelle. Vous trouverez également un grand nombre de délicieuses boissons. La mijoteuse est excellente pour infuser les épices et garder au chaud les punchs et les boissons jusqu'au moment de servir.

CHUTNEY aux MANGUES

Aucun repas indien ne saurait se passer de ce chutney classique. Sa saveur merveilleusement sucrée et affirmée complémente parfaitement le goût chaud des épices. Il accompagne délicieusement le poulet ou les poitrines de canard grillés sur le barbecue et donne du mordant aux sandwichs au fromage.

DONNE 450 G (1 LB)

3 mangues fermes
120 ml (½ tasse) de vinaigre de cidre
200 g (1 petite tasse) de sucre muscovado clair
1 petit piment de Cayenne ou piment japaleno fendu
1 morceau de 2,5 cm (1 po) de gingembre frais pelé et haché finement
1 gousse d'ail hachée finement
5 capsules de cardamome froissées
1 feuille de laurier
2,5 ml (½ c. à thé) de sel

1 Pelez et dénoyautez les mangues, puis coupez la chair en petits morceaux ou en tranches fines.

2 Mettez les mangues dans le récipient de cuisson. Ajoutez le vinaigre de cidre, remuez brièvement pour mélanger et couvrez. Faites cuire 2 heures à haute température, en remuant à mi-cuisson.

3 Incorporez le sucre, le piment, le gingembre, l'ail, la cardamome, la feuille de laurier et le sel, en remuant jusqu'à dissolution du sucre.

4 Couvrez et laissez cuire 2 heures. Découvrez et poursuivez la cuisson 1 heure, ou jusqu'à ce que le chutney soit épais et qu'il ne reste plus de liquide. Durant la dernière heure, remuez le chutney toutes les 15 minutes.

5 Jetez la feuille de laurier et le piment. Transférez le chutney dans des pots stérilisés chauds et fermez hermétiquement. Laissez reposer 1 semaine avant de consommer et utilisez dans l'année suivant la fabrication.

CONSEIL DU CHEF
Pour faire un chutney plus piquant, ajoutez deux petits piments verts épépinés et tranchés aux autres épices.

Informations nutritionnelles (total) – calories : 1 045 ; protéines : 4,1 g ; glucides : 272,5 g dont 271,1 g de sucres ; matières grasses : 0,9 g dont 0,5 g de gras saturés ; cholestérol : 0 mg ; calcium : 908 mg ; fibres : 11,7 g ; sodium : 1 002 mg.

CHUTNEY à la COURGE MUSQUÉE, aux ABRICOTS et aux AMANDES

Les graines de coriandre et le curcuma apportent une touche légèrement épicée à ce riche chutney doré. Il est délicieux sur des petits canapés salés ou avec des cubes de mozzarella fondue. Il aide aussi à rehausser le goût des sandwichs fades ou ordinaires.

DONNE ENVIRON 1,8 KG (4 LB)

1 petite courge musquée d'environ 800 g (1 ¾ lb)
400 g (2 tasses) de sucre granulé
300 ml (1 ¼ tasse) de vinaigre de cidre
2 oignons hachés finement
225 g (1 tasse) d'abricots secs hachés
zeste finement râpé et jus de 1 orange
2,5 ml (½ c. à thé) de curcuma
15 ml (1 c. à soupe) de graines de coriandre
15 ml (1 c. à soupe) de sel
115 g (1 tasse) d'amandes effilées

1 Coupez la courge en deux et retirez les graines. Enlevez la peau, puis coupez la chair en cubes de 1 cm (½ po).

2 Mettez le sucre et le vinaigre dans le récipient de cuisson et chauffez 30 minutes à haute température, en remuant jusqu'à dissolution du sucre.

3 Incorporez la courge, les oignons, les abricots, le zeste et le jus d'orange, le curcuma, les graines de coriandre et le sel.

4 Couvrez et laissez cuire 5-6 heures, en remuant de temps en temps. Après environ 5 heures, le chutney devrait être assez épais, avec peu de liquide. Dans le cas contraire, laissez cuire à découvert pendant la dernière heure. Incorporez les amandes effilées.

5 Transférez le chutney dans des pots stérilisés chauds et fermez hermétiquement. Rangez dans un endroit frais et sombre. Laissez le chutney vieillir au moins 1 mois avant consommation et conservez au plus deux ans. Après ouverture, réfrigérez le pot et utilisez dans les deux mois.

Informations nutritionnelles (total) – calories : 2 770 ; protéines : 41,7 g ; glucides : 532,6 g dont 524,1 g de sucres ; matières grasses : 67,3 g dont 5,9 g de gras saturés ; cholestérol : 0 mg ; calcium : 807 mg ; fibres : 31,6 g ; sodium : 5 967 mg.

CHUTNEY aux FRUITS SECS

Riche, épais et légèrement collant, ce chutney aux fruits secs épicés relève admirablement les restes de dinde de Noël ou de l'Action de grâces.

DONNE ENVIRON 1,5 KG (3 LB 6 OZ)

350 g (1 ½ tasse) d'abricots secs
225 g (1 ½ tasse) de dattes sèches dénoyautées
225 g (1 ⅓ tasse) de figues sèches
50 g (⅓ tasse) de zeste d'agrume confit
150g (1 tasse) de raisins secs
50 g (½ tasse) de canneberges sèches
75 ml (⅓ tasse) de jus de canneberge
300 ml (1 ¼ tasse) de vinaigre de cidre
225 g (1 tasse) de sucre semoule
zeste finement râpé de 1 citron
5 ml (1 c. à thé) d'épices à tartes aux pommes
5 ml (1 c. à thé) de coriandre moulue
5 ml (1 c. à thé) de poivre de Cayenne
5 ml (1 c. à thé) de sel

1 Hachez grossièrement les abricots, les dattes, les figues et le zeste d'agrume confit. Mettez tous les fruits dans le récipient de cuisson et incorporez le jus de canneberge. Couvrez et faites cuire à basse température 1 heure, ou jusqu'à ce que les fruits aient absorbé presque tout le jus.

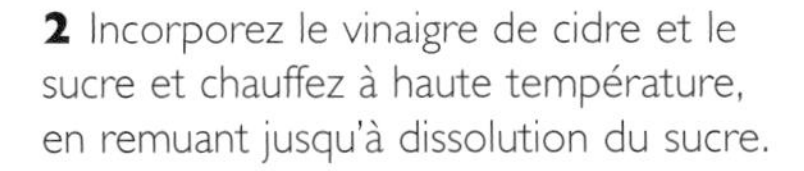

2 Incorporez le vinaigre de cidre et le sucre et chauffez à haute température, en remuant jusqu'à dissolution du sucre.

3 Couvrez et poursuivez la cuisson 2 heures, ou jusqu'à ce que les fruits soient très tendres et que le chutney soit relativement épais (il continuera à épaissir en refroidissant). Incorporez le zeste de citron râpé, les épices, la coriandre, le poivre de Cayenne et le sel. Laissez cuire à découvert 30 minutes jusqu'à ce qu'il ne reste que peu de liquide.

4 Transférez le chutney dans des pots stérilisés chauds et fermez hermétiquement. Rangez dans un endroit frais et sombre et conservez au plus 10 mois. Après ouverture, réfrigérez le pot et utilisez dans les 2 mois.

VARIANTES
Remplacez les dattes sèches par des pruneaux et les canneberges sèches par des cerises acides sèches. Au lieu du jus de canneberge, utilisez du jus de pomme.

Informations nutritionnelles (total) – calories : 2 873 ; protéines : 32 g ; glucides : 714,3 g dont 703,5 g de sucres ; matières grasses : 6,8 g dont 0,2 g de gras saturés ; cholestérol : 0 mg ; calcium : 1 075 mg ; fibres : 52,1 g ; sodium : 2 358 mg.

CHUTNEY aux BETTERAVES, aux DATTES et aux ORANGES

Avec sa couleur rouge éclatante et sa riche saveur de terre, ce chutney accompagne remarquablement bien les salades et les fromages au goût affirmé, comme le cheddar fort, le stilton ou le gorgonzola.

DONNE ENVIRON 1,4 KG (3 LB)

300 ml (1 ¼ tasse) de vinaigre de malt
200 g (1 tasse) de sucre granulé
350 g (12 oz) de betteraves crues
350 g (12 oz) de pommes de table
225 g (8 oz) d'oignons rouges hachés très finement
1 gousse d'ail écrasée
zeste finement râpé de 2 oranges
5 ml (1 c. à thé) de piment de la Jamaïque moulu
5 ml (1 c. à thé) de sel
175 g (1 tasse) de dattes sèches hachées

1 Mettez le vinaigre et le sucre dans le récipient de cuisson. Couvrez et chauffez à haute température jusqu'à ce que la préparation soit fumante.

2 Entre-temps, grattez ou pelez les betteraves, puis coupez en morceaux de 1 cm (½ po). Pelez les pommes, coupez en quatre, évidez et détaillez en morceaux de 1 cm (½ po).

3 Remuez la préparation au vinaigre avec une cuillère de bois jusqu'à dissolution du sucre. Ajoutez les betteraves, les pommes, les oignons, l'ail, le zeste d'orange, le piment de Jamaïque et le sel. Mélangez, couvrez et laissez cuire 4-5 heures, en remuant de temps en temps, jusqu'à ce que les ingrédients soient fondants.

4 Incorporez les dattes et poursuivez la cuisson jusqu'à ce que la préparation soit vraiment épaisse. Remuez une ou deux fois durant ce temps pour empêcher le chutney de coller au fond du récipient.

5 Transférez le chutney dans des pots stérilisés chauds et fermez hermétiquement. Rangez dans un endroit frais et sombre. Conservez au plus 5 mois. Après l'ouverture, réfrigérez le pot et utilisez dans le mois qui suit.

CONSEIL DU CHEF

Pour gagner du temps et obtenir un délicieux chutney à texture fine, râper grossièrement les betteraves pelées au robot culinaire ou à la main.

Informations nutritionnelles (total) – calories : 1 632 ; protéines : 16,8 g ; glucides : 413,7 g dont 406 g de sucres ; matières grasses : 1,5 g dont 0,2 g de gras saturés ; cholestérol : 0 mg ; calcium : 278 mg ; fibres : 23,1 g ; sodium : 2 241 mg.

RELISH aux CAROTTES et aux AMANDES

Ce condiment classique du Moyen-Orient est habituellement fait de longs filaments de carottes. Dans cette version, tout aussi bonne, les carottes sont râpées grossièrement.

DONNE ENVIRON 675 G (1 ½ LB)

15 ml (1 c. à soupe) de graines de coriandre
500 g (1 ¼ tasse) de carottes râpées
50 g (2 oz) de gingembre frais râpé finement
200 g (1 tasse) de sucre semoule
120 ml (½ tasse) de vinaigre de vin blanc
30 ml (2 c. à soupe) de miel liquide
7,5 ml (1 ½ c. à thé) de sel
zeste finement râpé de 1 citron
50 g (½ tasse) d'amandes effilées

1 Écrasez les graines de coriandre dans un mortier, puis mettez-les dans le récipient de cuisson, avec les carottes, le gingembre et le sucre. Mélangez bien.

2 Mettez le vinaigre, le miel et le sel dans un pot et remuez jusqu'à dissolution du sel. Versez sur les carottes et mélangez bien. Couvrez et laissez reposer 1 heure.

3 Faites cuire à haute température environ 2 heures, ou jusqu'à ce que les carottes et le gingembre soient presque tendres, en remuant seulement si les bords de la préparation semblent secs.

4 Incorporez le zeste de citron et poursuivez la cuisson 1 heure jusqu'à ce que la préparation soit épaisse. Remuez une fois vers la fin du temps de cuisson pour empêcher la préparation de coller au fond du récipient.

5 Dans une poêle, faites griller les amandes à feu doux jusqu'à ce qu'elles commencent à se colorer. Incorporez délicatement à la relish , en prenant bien soin de ne pas briser les amandes.

6 Transférez la relish dans des pots stérilisés chauds et fermez hermétiquement. Rangez dans un endroit frais et sombre. Laissez vieillir 1 semaine. La relish se conservera jusqu'à 1 an. Après ouverture, réfrigérez le pot et utilisez dans les 2 semaines.

Informations nutritionnelles (total) – calories : 1 407 ; protéines : 13,7 g ; glucides : 289,6 g dont 285,8 g de sucres ; matières grasses : 29,4 g dont 2,7 g de gras saturés ; cholestérol : 0 mg ; calcium : 268 mg ; fibres : 15,7 g ; sodium : 2 898 mg.

RELISH à la PAPAYE et au CITRON

Cette relish riche en gros morceaux est faite préférablement avec une papaye ferme, pas mûre. La cuisson à basse température permet aux saveurs de prendre du moelleux. Servez avec des viandes rôties ou avec du fromage et des craquelins.

DONNE 450 G (1 LB)

1 grosse papaye pas mûre
1 oignon émincé très finement
175 g (¾ bonne tasse) de vinaigre de vin rouge
jus de 2 citrons
165 g (¾ tasse) de sucre semoule
1 bâton de cannelle
1 feuille de laurier
2,5 ml (½ c. à thé) de paprika fort
2,5 ml (½ c. à thé) de sel
150 g (1 tasse) de raisins de Smyrne

1 Pelez la papaye et coupez-la en deux dans la longueur. Retirez les graines et détaillez la chair en petits morceaux.

2 Mettez la papaye dans le récipient de cuisson, ajoutez les rondelles d'oignon et incorporez le vinaigre. Couvrez et laissez cuire 2 heures à haute température.

3 Ajoutez le jus de citron, le sucre, le bâton de cannelle, la feuille de laurier, le paprika, le sel et les raisins secs, puis remuez bien jusqu'à dissolution du sucre.

4 Laissez cuire à découvert 1 heure pour permettre à la préparation de réduire légèrement ; la relish devrait être assez épais et sirupeux.

5 Transférez la relish dans des pots stérilisés chauds. Fermez hermétiquement et laissez reposer 1 semaine avant de consommer. Conservez au plus 1 an. Après ouverture, réfrigérez le pot et utilisez dans les 2 semaines.

Informations nutritionnelles (total) – calories : 1 294 ; protéines : 8,4 g ; glucides : 332,7 g dont 332,7 g de sucres ; matières grasses : 1,4 g dont 0 g de gras saturés ; cholestérol : 0 mg ; calcium : 272 mg ; fibres : 16,1 g ; sodium : 1 111 mg.

MINCEMEAT de NOËL

Dans beaucoup de recettes de mincemeat, les ingrédients crus sont simplement mélangés ensemble. Comme la cuisson à basse température développe et intensifie les saveurs, l'étape de maturation est inutile. En outre, le fait de chauffer le mincemeat au point de frémissement aide à empêcher la fermentation, ce qui prolonge considérablement la durée de conservation.

DONNE ENVIRON 1,75 KG (4 LB)

450 g (1 lb) de pommes à cuire
115 g (¾ tasse) de zeste d'agrume confit
115 g (½ tasse) de cerises confites
115 g (½ tasse) d'abricots secs
115 g (1 tasse) d'amandes mondées
150 ml (⅔ tasse) de brandy
225 g (1 tasse) de raisins de Corinthe
225 g (1⅓ tasse) de raisins de Smyrne
450 g (3¼ tasse) de raisins secs sans pépins
225 g (1 tasse) de cassonade foncée
225 g (1⅔ tasse) de graisse végétale
10 ml (2 c. à thé) de gingembre moulu
5 ml (1 c. à thé) de piment de la Jamaïque moulu
5 ml (1 c. à thé) de cannelle moulue
2,5 ml (½ c. à thé) de noix de muscade râpée
zeste râpé et jus de 1 citron
zeste râpé et jus de 1 orange

1 Pelez, évidez et hachez les pommes, puis hachez grossièrement le zeste d'agrume, les cerises, les abricots et les amandes.

2 Réservez la moitié du brandy et mettez le reste dans le récipient de cuisson avec tous les autres ingrédients. Mélangez bien.

3 Couvrez la mijoteuse et laissez cuire 1 heure à haute température.

4 Remuez bien la préparation. Couvrez et poursuivez la cuisson à basse température 2 heures, en remuant à mi-cuisson pour empêcher la préparation de trop chauffer et de coller sur la paroi du récipient.

5 Découvrez et laissez la préparation refroidir complètement, en remuant de temps en temps.

6 Incorporez le brandy réservé, puis transférez le mincemeat dans des pots stérilisés. Fermez hermétiquement et conservez dans un endroit frais et sec jusqu'à six mois. Après ouverture, réfrigérez le pot et utilisez dans les deux semaines.

Informations nutritionnelles (total) – calories : 7 149 ; protéines : 55,6 g ; glucides : 1 114 g dont 1 088,3 g de sucres ; matières grasses : 267,7 g dont 106,3 g de gras saturés ; cholestérol : 0 mg ; calcium : 1 228 mg ; fibres : 47,3 g ; sodium : 774 mg.

CONFIT D'OIGNONS MIJOTÉS

Ce confit d'oignons caramélisés, mijotés dans du vinaigre balsamique aigre-doux, se conserve plusieurs jours au réfrigérateur dans un pot hermétique. Utilisez des oignons rouges, blancs ou jaunes, ces derniers donnant le résultat le plus sucré. Les échalotes font aussi un excellent confit.

POUR 6 PERSONNES

30 ml (2 c. à soupe) d'huile d'olive vierge extra
15 g (1 c. à soupe) de beurre
500 g (1 ¼ tasse) d'oignons émincés finement
3-5 brins de thym frais
1 feuille de laurier
30 ml (2 c. à soupe) de sucre muscovado clair, et un peu plus
30 ml (2 c. à soupe) de vinaigre balsamique, et un peu plus
120 ml (½ tasse) de vin rouge
50 g (¼ tasse) de pruneaux hachés
sel et poivre noir moulu

1 Mettez l'huile et le beurre dans le récipient de cuisson et chauffez à haute température environ 1 heure jusqu'à ce que le beurre soit fondu. Ajoutez les oignons et remuez pour les enrober.

2 Couvrez et placez un torchon plié en deux sur le couvercle. Faites cuire les oignons 5 heures, en remuant plusieurs fois durant la cuisson pour les ramollir également.

3 Salez et poivrez bien, puis ajoutez le thym, la feuille de laurier, le vinaigre balsamique et le vin rouge. Remuez doucement avec une cuillère de bois jusqu'à dissolution du sucre, puis incorporez les pruneaux.

4 Couvrez et poursuivez la cuisson 1 ½-2 heures, ou jusqu'à ce que la préparation soit épaisse et collante. Rectifiez l'assaisonnement, en ajoutant du sucre et/ou du vinaigre au goût. Laissez refroidir et réfrigérez. Servez froid ou tiède.

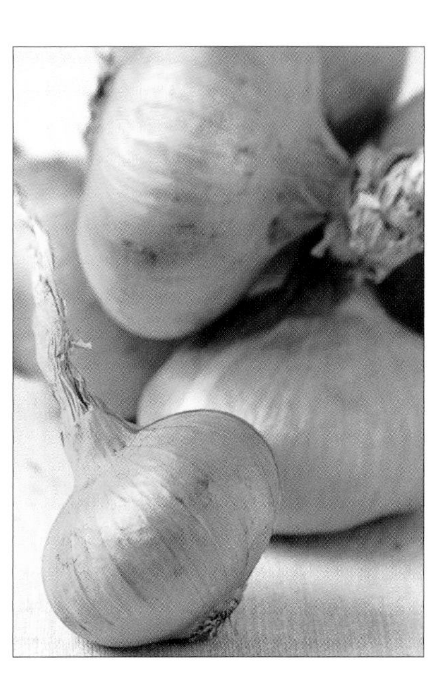

Informations nutritionnelles par portion – calories : 133 ; protéines : 1,2 g ; glucides : 16,5 g dont 14,6 g de sucres ; matières grasses : 5,9 g dont 1,8 g de gras saturés ; cholestérol : 5 mg ; calcium : 26 mg ; fibres : 1,6 g ; sodium : 20 mg.

TARTINADE au CITRON

Acidulée et crémeuse, cette tartinade classique est toujours l'une des plus populaires. Étalez-la en couche épaisse sur du pain blanc fraîchement cuit ou servez-la avec des crêpes. Utilisez-la aussi en garniture délicieusement riche et parfumée sur vos tartes aux fruits frais.

DONNE ENVIRON 450 G (1 LB)

zeste finement râpé et jus de 3 citrons (de préférence non cirés ou biologiques)
200 g (1 tasse) de sucre semoule
115 g (½ tasse) de beurre non salé, en dés
2 très gros œufs
2 très gros jaunes d'œufs

CONSEIL DU CHEF

Pour faire une tartinade à la lime acidulée, remplacez les citrons par le zeste râpé et le jus de 4 grosses limes mûres et juteuses. La tartinade à la lime a une jolie teinte vert pâle.

1 Versez environ 5 cm (2 po) d'eau très chaude dans le récipient de cuisson et chauffez à haute température. Mettez le zeste et le jus des citrons, le sucre et le beurre dans le plus grand bol résistant à la chaleur et pouvant se loger dans la mijoteuse.

2 Mettez le bol dans la mijoteuse et versez de l'eau frémissante jusqu'à mi-hauteur du bol. Laissez chauffer environ 15 minutes, en remuant de temps en temps, jusqu'à ce que le sucre soit dissous et le beurre fondu. Retirez le bol et laissez refroidir quelques minutes. Réglez la mijoteuse à basse température.

3 Dans un bol, battez ensemble les œufs et les jaunes avec une fourchette. Passez les œufs dans la préparation aux citrons et fouettez bien pour mélanger. Couvrez le bol de papier d'aluminium et placez-le dans la mijoteuse.

4 Faites cuire la tartinade à basse température 1-2 heures, en remuant toutes les 15 minutes, jusqu'à ce qu'elle soit suffisamment épaisse pour napper légèrement le dos d'une cuillère de bois.

5 Versez la tartinade dans des pots stérilisés chauds. Couvrez et fermez hermétiquement. Rangez dans un endroit frais et sombre, idéalement au réfrigérateur, et utilisez dans les 3 mois. Réfrigérez le pot après ouverture.

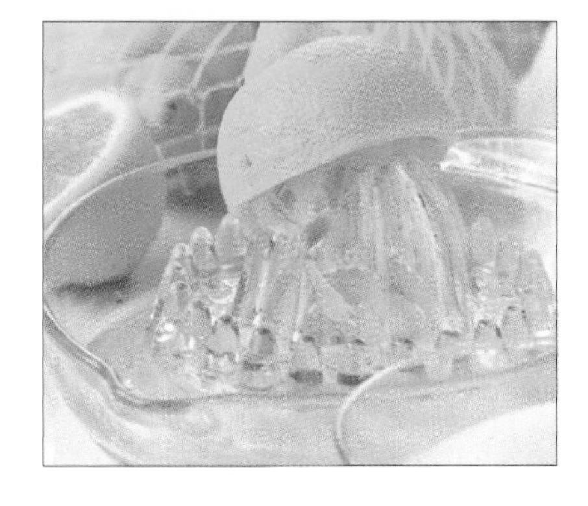

Informations nutritionnelles (total) – calories : 1 968 ; protéines : 22,4 g ; glucides : 215,3 g dont 215,3 g de sucres ; matières grasses : 118,9 g dont 66,9 g de gras saturés ; cholestérol : 1 102 mg ; calcium : 277 mg ; fibres : 0 g ; sodium : 895 mg.

POIRES ROUGISSANTES

Durant leur maturation, les fruits absorbent la couleur du vinaigre, prenant une magnifique teinte framboise. Leur saveur délicieusement épicée, aigre-douce, rehausse celle de la dinde froide, des tourtes au gibier, des fromages forts ou des pâtés.

DONNE ENVIRON 1,3 KG (3 LB)

1 petit citron
450 g (2¼ tasse) de sucre granulé
475 ml (2 tasses) de vinaigre de framboise
1 bâton de 7,5 cm (3 po) de cannelle
6 clous de girofle
6 grains de piment de la Jamaïque
150 ml (⅔ tasse) d'eau
900 g (2 lb) de poires fermes

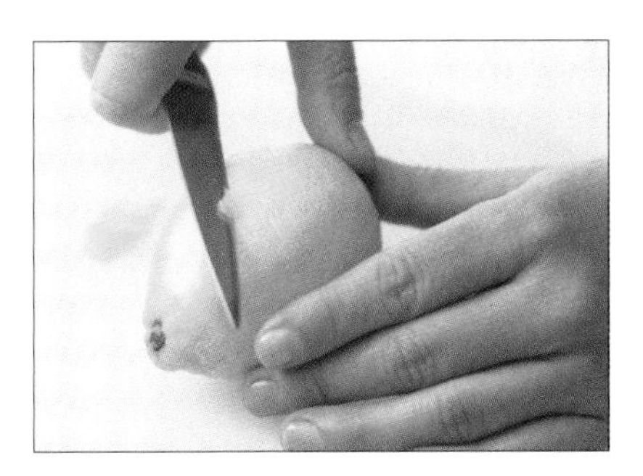

1 Prélevez quelques lanières de zeste du citron. Pressez le jus et mettez-le dans le récipient de cuisson avec les lanières de zeste.

2 Ajoutez le sucre, le vinaigre, les épices et l'eau. Couvrez et laissez chauffer à haute température environ 30 minutes, puis remuez jusqu'à dissolution du sucre. Couvrez et poursuivez la cuisson 30 minutes.

3 Entre-temps, pelez et coupez les poires en deux ou en quatre si elles sont très grandes. Retirez les trognons avec une cuillère parisienne ou une cuillère à thé.

4 Mettez les poires dans la mijoteuse, couvrez et laissez cuire 1½ - 2 heures, en les tournant de temps en temps pour les enrober de sirop. Vérifiez les poires fréquemment ; elles devraient être tendres et translucides tout en conservant leur forme.

5 Avec une écumoire, retirez les poires et répartissez-les dans des pots stérilisés chauds, en ajoutant les épices et les lanières de zeste.

6 Écumez le sirop, puis versez-le à la louche sur les poires. Fermez les pots hermétiquement. Laissez reposer quelques jours avant de consommer et utilisez dans les 2 semaines.

Informations nutritionnelles (total) – calories : 2 133 ; protéines : 5 g ; glucides : 560,3 g dont 560,3 g de sucres ; matières grasses : 0,9 g dont 0 g de gras saturés ; cholestérol : 0 mg ; calcium : 230 mg ; fibres : 19,8 g ; sodium : 50 mg.

VIN CHAUD ÉPICÉ

Lors des froides soirées d'hiver, rien ne vaut un bon verre de vin épicé pour réchauffer vos invités. Préparez-le jusqu'à 4 heures avant leur arrivée ; la mijoteuse électrique le gardera à la température idéale jusqu'au moment de servir.

DONNE 8 VERRES

50 g (¼ tasse) de cassonade dorée
150 ml (⅔ tasse) d'eau frémissante
2 petites oranges, de préférence non cirées
6 clous de girofle
1 bâton de cannelle
½ noix de muscade
1½ bouteille de vin rouge, tel que du bordeaux
150 ml (⅔ tasse) de brandy

1 Mettez le sucre dans le récipient de cuisson et versez l'eau frémissante. Remuez jusqu'à dissolution du sucre et chauffez à haute température.

CONSEIL DU CHEF
Utilisez des verres résistant à la chaleur munis d'une anse.

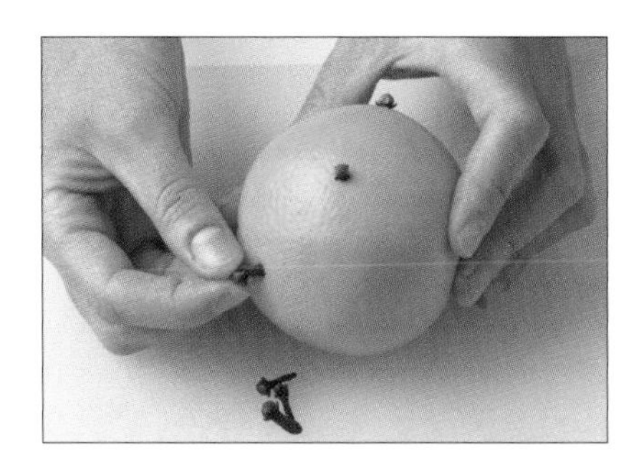

2 Rincez les oranges. Piquez l'une d'elle de clous de girofle et mettez-la dans la mijoteuse avec la cannelle, la demi-noix de muscade et le vin. Coupez l'autre orange en deux, tranchez-la et réservez. Couvrez la mijoteuse et laissez cuire 1 heure à haute température ou à la position AUTO 1 heure, puis 3 heures à basse température ou à la position AUTO.

3 Incorporez le brandy au vin épicé, ajoutez les tranches d'orange et poursuivez la cuisson 1 heure.

4 Retirez l'orange entière et le bâton de cannelle. Le vin est prêt à servir et peut être gardé au chaud jusqu'à 4 heures. Servez dans des verres résistant à la chaleur.

Informations nutritionnelles par portion – calories : 162 ; protéines : 0,2 g ; glucides : 6,8 g dont 6,8 g de sucres ; matières grasses : 0 g dont 0 g de gras saturés ; cholestérol : 0 mg ; calcium : 12 mg ; fibres : 0 g ; sodium : 10 mg.

PUNCH aux CANNEBERGES et aux POMMES

Un punch non alcoolisé a toujours sa place lors des occasions de fêtes. Ici, la mijoteuse électrique extrait le maximum de saveur du gingembre frais et du zeste de lime.

DONNE 6 VERRES

1 lime
1 morceau de 5 cm (2 po) de gingembre frais, pelé et tranché finement
50 g (¼ tasse) de sucre semoule
200 ml (1 petite tasse) d'eau frémissante
475 ml (2 tasses) de jus de canneberge
475 ml (2 tasses) de jus de pomme
glaçons et eau minérale gazeuse ou eau de seltz , pour servir (facultatif)

1 Prélevez le zeste de la lime et mettez-Àle dans le récipient de cuisson, avec le gingembre et le sucre. Versez l'eau et remuez jusqu'à dissolution du sucre. Couvrez et chauffez 1 heure à haute température ou à la position AUTO, puis 2 heures à basse température ou à la position AUTO. Arrêtez la mijoteuse et laissez le sirop refroidir complètement.

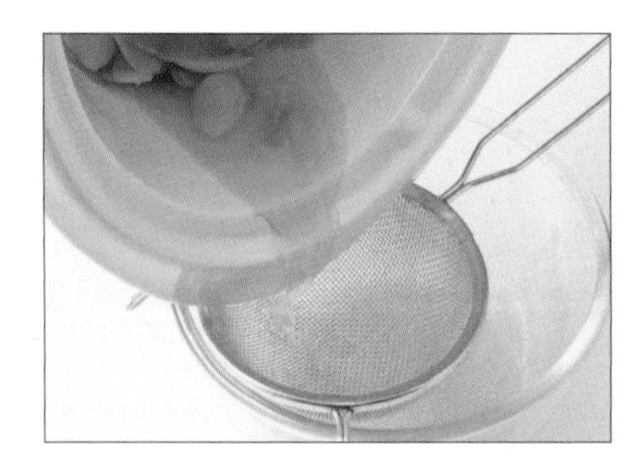

2 Une fois refroidi, passez le sirop au tamis fin dans un grand pot ou un bol à punch. Jetez le zeste de lime et le gingembre.

3 Pressez le jus de la lime et passez-le dans le sirop. Incorporez les jus de canneberge et de pomme. Couvrez et réfrigérez au moins 3 heures, ou jusqu'au moment de servir.

4 Pour servir, versez le punch dans des grands verres remplis de glaçons et, si vous le désirez, complétez d'eau minérale gazeuse ou d'eau de seltz.

Informations nutritionnelles par portion – calories : 111 ; protéines : 0,1 g ; glucides : 27,9 g dont 16,5 g de sucres ; matières grasses : 0,1 g dont 0 g de gras saturés ; cholestérol : 0 mg ; calcium : 8 mg ; fibres : 0 g ; sodium : 2 mg.

CHOCOLAT CHAUD MEXICAIN

Fouetté avant d'être servi, ce chocolat chaud a une texture divinement mousseuse. La mijoteuse électrique est idéale pour chauffer le lait ; sa chaleur douce permet d'infuser la cannelle et les clous de girofle donnent au chocolat une délicieuse saveur chaude et épicée.

DONNE 4 VERRES

1 l (4 tasses) de lait
1 bâton de cannelle
2 clous de girofle
115 g (4 oz) de chocolat noir haché en petits morceaux
2-3 gouttes d'essence d'amande
crème fouettée et cacao en poudre ou chocolat râpé, pour servir (facultatif)

CONSEIL DU CHEF
Le chocolat chaud mexicain traditionnel est toujours bien épicé. C'est une boisson populaire du petit déjeuner, souvent servi avec de délicieux churros (beignets sucrés)

1 Versez le lait dans le récipient de cuisson. Ajoutez le bâton de cannelle et les clous de girofle. Couvrez et chauffez à haute température. Laissez le lait chauffer et les épices infuser pendant 1 heure, ou jusqu'à ce que le lait soit frémissant.

2 Ajoutez les morceaux de chocolat et l'essence d'amande. Remuez jusqu'à ce que le chocolat soit fondu. Arrêtez la mijoteuse.

3 Passez la préparation dans le mélangeur (possiblement en deux fois) et mixez à haute vitesse environ 30 minutes jusqu'à consistance mousseuse. Sinon, fouettez la préparation dans le récipient de cuisson avec un batteur électrique ou manuel.

4 Versez le chocolat chaud dans des verres résistant à la chaleur chauds. Si vous le désirez, garnissez d'un peu de crème fouettée et saupoudrez de cacao en poudre ou de chocolat râpé. Servez immédiatement.

Informations nutritionnelles par portion – calories : 262 ; protéines : 9,9 g ; glucides : 30 g dont 29,7 g de sucres ; matières grasses : 12,3 g dont 7,6 g de gras saturés ; cholestérol : 17 mg ; calcium : 309 mg ; fibres : 0,7 g ; sodium : 109 mg.

CAFÉ NORMAND

La Normandie est une région du nord de la France reconnue pour ses vergers. Son nom est souvent associé à des plats utilisant du jus ou de la compote de pomme. Dans cette recette, la saveur sucrée-acidulée des pommes et des épices donne un délicieux café parfumé.

POUR 4 PERSONNES

475 ml (2 tasses) de jus de pomme
30 ml (2 c. à soupe) de cassonade dorée, au goût
2 oranges en tranches épaisses
2 petits bâtons de cannelle
2 clous de girofle
pincée de piment de la Jamaïque moulu
475 ml (2 tasses) de café noir chaud fraîchement passé
bâtons de cannelle coupés en deux, pour servir (facultatif)

CONSEILS DU CHEF
• Utilisez un café fort – expresso ou filtre (75 g/½ petite tasse de café pour 1 ¼ tasses d'eau).
• Pour faire un café alcoolisé, remplacez un quart du jus de pomme par du calvados, l'eau-de-vie de cidre normande. Incorporez le calvados après avoir passé le jus de pomme épicé et retiré les épices.

1 Versez le jus de pomme dans le récipient de cuisson et chauffez à haute température.

2 Ajoutez la cassonade, les oranges, les bâtons de cannelle, les clous de girofle et le piment de la Jamaïque. Remuez, couvrez et chauffez 20 minutes.

3 Remuez jusqu'à dissolution du sucre, couvrez et chauffez 1 heure.

4 Lorsque le jus est chaud et infusé d'épices, réglez la mijoteuse à basse température pour le garder au chaud jusqu'à 2 heures.

5 Passez le jus dans un bol et jetez les tranches d'orange et les épices.

6 Versez le café chaud dans le jus et remuez. Servez immédiatement dans des tasses chaudes, en ajoutant un bâton de cannelle dans chaque tasse si vous le désirez.

Informations nutritionnelles par portion – calories : 85 ; protéines : 0,2 g ; glucides : 22,2 g dont 22,2 g de sucres ; matières grasses : 0,1 g dont 0 g de gras saturés ; cholestérol : 0 mg ; calcium : 11 mg ; fibres : 0 g ; sodium : 3 mg.

INDEX

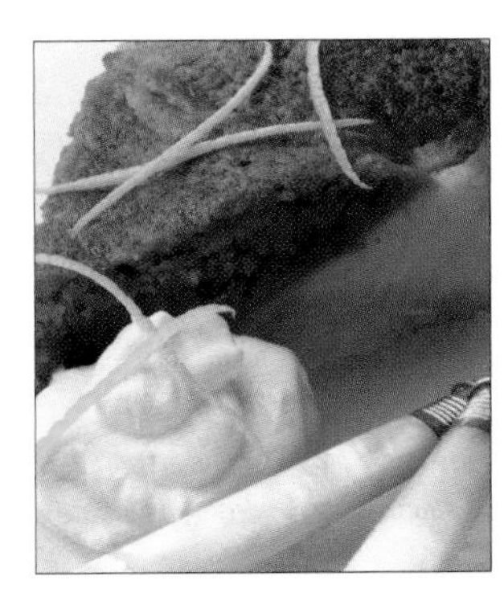

R

S

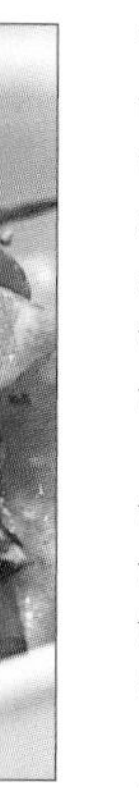

T

U

V